D0806313

LE MYSTÈRE DU DRAKE MÉCANISTE

Née au Nouveau-Mexique, Lilith Saintcrow est l'auteur de plusieurs séries fantastiques qui rencontrent toutes le succès. Elle vit aujourd'hui à Vancouver avec ses enfants, entourée de ses chats et d'animaux errants.

Paru dans Le Livre de Poche :

DANNY VALENTINE

1. Le Baiser du démon
2. Par-delà les cendres
3. À la droite du diable

JILL KISMET

1. Mission nocturne

LILITH SAINTCROW

Le Mystère du drake mécaniste

Emma Bannon & Archibald Clare

TRADUIT DE L'ANGLAIS (ÉTATS-UNIS) PAR MICHELLE CHARRIER

LE LIVRE DE POCHE

Titre original :

THE IRON WYRM AFFAIR

ISBN 978-2-253-16965-9 – 1re publication LGF

À ceux qui servent dans l'ombre.

Prélude

Promesse de distraction

La jeune femme qui pénétra dans le salon d'Archibald Clare ne lui inspira qu'une curiosité modérée, instantanément éclipsée par un intérêt beaucoup plus vif pour son compagnon. Le pourpoint de velours ajusté de l'inconnu laissait en effet deviner une grâce où perçait l'expérience de la violence physique. D'ailleurs, ses gestes mesurés, son aisance et sa démarche légère, surprenantes vu sa haute taille, montraient bien qu'il pouvait être dangereux – sans parler du regard attentif qu'il promenait calmement autour de lui. Il fallait ajouter à cela qu'il était tête nue et portait des bottes bien singulières.

L'enchaînement logique de ses pensées entraîna Clare dans une direction extraordinaire, qui le persuada de reconsidérer la visiteuse pour vérifier si ses déductions étaient fondées.

Elles l'étaient. La mince brunette, de taille tout juste moyenne, arborait une robe de bonne coupe d'un vert très sombre, un peu démodée malgré des manches ajustées au goût du jour. Le bonnet assorti, perché sur ses boucles avec élégance, possédait toutefois une bordure assez fine pour ne pas empiéter sur son champ de vision. Ses amples jupes retombaient sur des bottes plus pratiques qu'esthétiques, mais d'aussi bonne qualité que celles de l'homme. Quant à ses bijoux, ils se révélaient pour le moins excentriques : ses longs pendants d'oreilles en émeraude devaient valoir une véritable fortune, le cabochon d'ambre de son collier était aussi gros qu'un mauvais œil, et le chevreau de ses gants s'ornait de bagues disparates – une terne pierre noire qui n'avait rien de précieux à une main, mais un saphir étoilé à faire pâlir d'envie une reine à l'autre.

L'homme possédait un visage en lame de couteau assorti à sa minceur, d'étranges yeux ambrés et des cheveux noirs bien coiffés, encore emperlés de gouttelettes cristallines, car une pluie légère tombait sur Londinium. La femme ne portait aucune trace d'humidité, preuve supplémentaire d'un état de choses qui ne plaisait guère à Clare.

Posant son violon alto avec soin et précision, il attendit la manœuvre d'approche. Ce fut elle qui prit la parole, comme il s'y attendait. Sans perdre son temps en politesses.

— Vous êtes le docteur Archibald Clare. L'honorable auteur de *L'Art et la Science de la Déduction*. (Une pause. Nez aristocratique et bouche ferme, très décidée pour un visage aussi enfantin.) Célibataire. Mentah depuis peu non enregistré.

Il joignit le bout des doigts sous son très long nez extrêmement sensible. Elle usait de musc à sa toilette, bien sûr – c'était une brune. Son parfum n'en était pas moins peu banal.

— Magicienne et Bouclier. Je vous offrirais volontiers un siège, mais je serais surpris que vous l'acceptiez.

La tête haute, elle laissa un léger sourire jouer sur ses lèvres. Si ses boucles n'étaient pas tout à fait naturelles, elles s'en rapprochaient fort.

— Il n'y a pas de siège disponible, *monsieur*. Dois-je en déduire qu'il s'agit de votre part d'une déduction ?

Elle avait raison : l'agenouilloir même disparaissait sous une pile de livres et de papiers d'une hauteur terrifiante. Clare était évidemment en pleines recherches : les correspondances entre la gamme musicale et le comportement de certains animaux, parmi les plus infimes. Les intervalles, forcément. Chaque note maîtrisait son propre espace. Restait à déterminer quel ensemble d'espaces provoquerait éventuellement chez les insectes (puis chez d'autres créatures)…

Le maître des lieux agita une main blême aux longs doigts. Sa gorge menaçait de se serrer sous le coup d'une émotion qu'il analysa puis chassa, non sans un certain agacement rationnel : la peur. Il était peu probable que la visiteuse lui veuille du mal. La question se posait davantage en ce qui concernait son compagnon, mais si *elle* n'en avait après personne, alors sans doute pouvait-on en dire autant de lui.

— Si vous voulez. Soyez brève, je suis occupé.

Elle parcourut la pièce d'un regard éloquent. Sans l'aide de la logeuse, Mme Ginn, les assiettes sales auraient envahi la moindre surface horizontale. Les choses étant ce qu'elles étaient, on trouvait chez Clare un assortiment complet d'alambics et de brûleurs, des pots de verre aux contenus fort variés et des plats peu profonds, où il tapotait sa pipe pour la vider. La fumée atténuait juste ce qu'il fallait son odorat, d'une sensibilité exaspérante – une atténuation dont il aurait aimé profiter à l'instant : le parfum de l'inconnue gagnait en piquant, pas désagréable du tout.

Le désordre menaçait jusqu'à la cheminée, dont le manteau grinçait sous le poids des livres et des comptes rendus manuscrits entassés au petit bonheur.

La magicienne termina sa tranquille inspection en examinant son hôte de la tête aux pieds. Robe de chambre, pipe depuis longtemps refroidie, grosses pantoufles élimées. S'il n'avait pas été beaucoup trop tard pour une visite raisonnable, peut-être Clare aurait-il éprouvé un vague malaise à l'idée d'arborer devant une dame une tenue aussi négligée. Les yeux rouges, les cheveux en bataille, mal rasé, il n'avait sans doute pas l'air en état de recevoir.

À vrai dire, il avait probablement l'air de ce qu'il était : un mentah sur le point de devenir fou d'ennui. En admettant que les raisons de sa déchéance toute récente ne soient pas un mystère total pour la jeune femme, elle devait se douter du sort qui le guettait : il risquait trop de voir son remarquable cerveau se liquéfier et se transformer en bouillie inutilisable pour se sentir en sécurité… ou même pleinement sain d'esprit.

Mais si elle savait de quoi il retournait, conserverait-elle un calme pareil ? Lui, en tout cas, n'en savait pas assez, loin de là. Malgré la frustration qui le chatouillait derrière les yeux, le battement bouillonnant qui lui martelait le crâne s'apaisa quelque peu tandis qu'il passait en revue les possibilités ouvertes par la seule présence de la visiteuse.

Elle leva une main gantée, une carte de visite entre les doigts. Gris-beige. Avant même le petit geste sec, maîtrisé et froid, qui propulsa le rectangle de carton vers sa cible avec la plus extrême précision – à croire que l'inconnue distribuait les cartes au pharaon –, Clare en avait déjà déduit et vérifié la provenance.

Il l'attrapa au vol.

— On me demande de me mettre au service de la Couronne. Vous allez me tenir en laisse. Il s'agit évidemment d'une urgence. Un professeur d'art serait-il concerné ?

Il n'avait pas croisé depuis longtemps le fer de son intelligence avec le Dr Vance, qui lui aurait offert une distraction des plus précieuses. C'était un adversaire véritablement diabolique !

Son humour fit tout juste arquer le sourcil à son interlocutrice. Sans doute avait-elle travaillé cette expression devant la glace, mais la mimique n'en produisait pas moins un effet… bizarre sur un visage aussi curieusement enfantin.

— Non. C'est urgent, en effet. Mikal va monter la garde pendant que vous vous… préparez. Je vais attendre dehors, dans le fiacre. Vous avez dix minutes.

Sur ces mots, elle tourna les talons, dans un froufroutement de jupes. Déjà, son compagnon lui avait ouvert la porte. Elle leva la tête – éclat fugace des grands yeux noirs –, et une ombre de sourire passa sur ses jolies lèvres.

Intéressant. Un élément de plus à ajouter à l'enchaînement des déductions. Si seulement le problème pouvait occuper Clare plus d'une nuit et lui apporter un soulagement prolongé ! En admettant que la reine ou l'un de ses ministres l'aient envoyé chercher, la suite des événements promettait d'être très distrayante, en effet !

Quel délice de ne pas savoir ce qui allait se passer, mais de le tenir à portée de déduction ! Il flaira la carte. Faible résidu de musc, sans la moindre trace de violette. Ce n'était donc pas la reine en personne qui la lui adressait. Une probabilité des plus réduites, dès le départ – car pourquoi Sa Majesté aurait-elle pris la peine de faire appel à *lui* ? L'exactitude de son raisonnement apporta à Clare un vague plaisir.

De toute évidence, sa cervelle n'était pas *encore* réduite à l'état de bouillie.

L'encre aussi correspondait très exactement à ce qu'il en attendait, puisqu'une inhalation profonde lui révéla juste une infime amertume astringente. La couronne imprimée au recto était parfaitement authentique, l'écriture qui s'étalait au verso masculine et ferme, sans parler du fait qu'il la connaissait. *Tiens donc, Cedric.*

En d'autres termes, le Chancelier de l'Échiquier, Lord Grayson – un ministre des Finances inexpérimenté qui venait de prendre ses fonctions, après que la reine avait banni de son cabinet les créatures de sa mère. Si Grayson en avait réchappé, c'était probablement par la ruse, à moins qu'on ne l'ait estimé assez incompétent pour être totalement inoffensif. Clare, qui avait été son condisciple à Yton, aurait plutôt parié sur la ruse.

Ce cher Cedric avait usé de son influence pour qu'on l'écarte de l'enregistrement au lieu de le jeter en prison… une fleur qui ne manquait pas d'épines. De plus en plus intéressant.

« Mlle Emma Bannon nous représente. Veuillez faire preuve de célérité et de discrétion, s'il vous plaît. »

Emma Bannon. Ces deux mots ne disaient rien à Clare, mais il était normal qu'une magicienne évite d'ébruiter son nom outre mesure. Comme un mentah, enregistré ou non. Il en prit bonne note avant de ranger cette information avec les autres, dans le tiroir mental réservé à la jeune femme. Un tiroir dépourvu de plaque de cuivre : Mlle Bannon s'était vu attribuer une étiquette au parchemin jauni, sur laquelle son nom s'étalait à présent, bien lisible, tracé d'une main féminine avec du sang de dragon.

Quant au tiroir de l'homme, il était de métal anonyme, uni, poli jusqu'à la plus grande brillance. Posté à la porte ouverte, son sujet se racla la gorge. Un grondement bas, censé pousser Clare à se hâter, évidemment.

Il entrouvrit un œil, à peine.

— Il reste neuf minutes et quinze secondes. Veuillez éviter tout bruit superflu, je vous prie.

L'inconnu – un Bouclier, une de ces personnes chargées de protéger les mages des dangers physiques, pendant que leurs maîtres affrontaient les périls des arcanes – ne dit mot, mais sa bouche se pinça. Il n'avait pas l'air de trouver ça drôle.

Mikal. Un teint trop sombre et des traits trop aquilins pour un Britannique. Un Bohémien, peut-être ? ou un Indien ?

Quoi qu'il en soit, son tiroir pouvait rester quelque temps de métal. Clare devrait s'en contenter, car il n'en savait pas assez sur ce monsieur, même s'il avait une certitude : la magicienne lui avait laissé un de ses Boucliers, mais elle demeurait aux aguets à l'extérieur, car les risques ne se limitaient pas au domaine matériel. Il en déduisait que le problème auquel il allait s'attaquer était très probablement d'une complexité diabolique, d'une importance extraordinaire, et digne d'occuper plus d'un jour ou deux son cerveau d'une activité débordante qui travaillait si fiévreusement.

Dieu merci. Soulagement palpable.

Il bondit sur ses pieds et entreprit de faire ses bagages.

1

Une promenade vespérale fort agréable

Emma Bannon, magicienne Prima et humble servante de l'incarnation la plus récente de Britannia, parcourut en son for intérieur la liste des grossièretés qui ne franchiraient jamais les lèvres d'une dame puis entreprit de les égrener, au rythme du trot régulier du cheval mécanique, jusqu'à ce que sa conscience se dilate. Ainsi découvrit-elle que le brouet qui mijotait dans le chaudron des rues n'avait pas changé d'un iota et ne dégageait pas le moindre fumet de noir dessein.

Évidemment, il en allait de même un peu plus tôt, quand elle était arrivée un quart d'heure trop tard pour sauver l'*autre* mentah non enregistré. Et ce n'était que l'un des nombreux éléments de la situation dont la seule raison d'être consistait manifestement à mettre à l'épreuve sa patience, souvent considérable.

Mikal suivait sans doute le chemin des toits, pendant qu'elle restait tranquillement assise dans son fiacre. La pensée qu'un trajet pareil permettait à son Bouclier d'oublier momentanément certaines choses soulageait la conscience d'Emma, du moins en partie.

Mais enfin, il s'agissait de son *Bouclier* : jamais il n'accepterait de partager une voiture avec elle sans avoir l'absolue certitude qu'elle serait en sécurité. D'autant qu'une voiture à deux places ne permettait pas de manœuvrer à l'aise en cas de besoin.

Emma ne supportait plus les fiacres : elle disposait de véhicules personnels *tellement* plus confortables. Toutefois, la situation nécessitait un minimum de discrétion. Si elle se mettait à crier sur tous les toits qu'elle avait conscience du motif qui sous-tendait les événements, ses adversaires ne s'en inquiéteraient peut-être pas précisément, mais il deviendrait plus difficile de les prendre au dépourvu. Sa méthode préférée, elle devait bien l'admettre.

La ruse peut être utile, même à un Prime, disait et répétait Llew. À qui elle pensait, bien sûr. Elle avait l'air constitutivement incapable de n'en rien faire, ce qui l'exaspérait aussi.

Quant à Archibald Clare, il somnolait. C'était un homme très mince au long visage triste, portant des gants raccommodés, mais un gilet de qualité – qui avait cependant connu des jours meilleurs. Ses yeux bleus brillaient d'un éclat fiévreux sous ses paupières mi-closes. Un mentah non enregistré avait le plus grand mal à trouver un travail correct, et à en juger par l'état de son logement, Clare était en proie à l'ennui depuis des semaines. Voilà pourquoi il se plongeait désespérément dans des expériences censées lui permettre de faire travailler son cerveau trop actif.

Il en allait des talents de mentah comme des pouvoirs magiques : il fallait les exercer, les *utiliser*, faute de quoi ils se retournaient contre leur détenteur.

Du moins avait-il pris le temps de se raser et s'était-il muni de deux sacs. Le premier contenait sans le moindre doute du linge. Quant au second, Dieu seul savait ce qu'il renfermait. Peut-être aurait-elle dû se servir de ses propres capacités de déduction pour répondre à la question… mais il s'en pressait tellement d'autres dans sa tête.

La plus urgente concernait les meurtriers, qui s'étaient jusqu'ici joué de ses efforts. La jeune reine Victrix n'avait échappé que depuis peu à la mainmise de sa vieille mère tyrannique, et son mariage était tout récent : Alberich, son consort, exerçait à la cour une influence apaisante, mais n'avait pas encore le pouvoir nécessaire pour entourer l'incarnation de Britannia d'une protection efficace.

L'esprit régnant, si vieux et si sage soit-il, devait se contenter de réceptacles… eh bien, disons qu'ils n'étaient pas indestructibles.

Assez, se dit Emma avec sévérité. *Pas question d'aller plus loin dans cet ordre de pensée.* Elle s'aperçut alors qu'elle frottait du pouce droit la sardonyx ornant son majeur gauche. Malgré ses gants – légers, il est vrai –, des fourmillements brûlants parcouraient sa peau, émanant de la pierre noire. Elle ne changea pas de position, mais son champ de conscience se contracta. Où la perturbation trouvait-elle sa source ? La jeune femme examina à toute allure d'innombrables fils invisibles, dont elle se désintéressa aussitôt.

Funérailles ! D'autres mots, moins polis, lui montèrent également aux lèvres. Ni son pouls ni sa respiration ne s'accélérèrent, mais la vague acidité de l'adrénaline lui piqua la langue, avant que son entraînement de mage ne resserre l'étau sur les fonctions concernées. Ainsi se retrouva-t-elle libérée de certaines des réactions les plus… distrayantes… de la chair.

— Que se passe-t-il ?

Les yeux bleus d'Archibald Clare, soudain grands ouverts, trahissaient un intérêt certain – presque de la curiosité, se permit de penser sa compagne de fiacre. Une expression qui n'enjolivait pas ses longs traits quasi hideux. Ses vêtements peu seyants, quoique pratiques, donnaient l'impression que les mentahs n'accordaient guère d'importance à la mode, même si la qualité n'avait pas de secrets pour eux et qu'ils avaient les moyens de se l'offrir. Enfin... il était plus propre que chez lui. Et il s'était installé sur la banquette au bout de neuf minutes trente, très précisément. Ils parcouraient à présent Sarpesson Street, où ils progressaient à travers la foule des fêtards et des opiniâtres, déterminés à ne pas se laisser détourner de leurs rendez-vous nocturnes par une petite pluie.

La perturbation atteignit son summum lorsque la poudre prit feu brusquement, lumière quasi visible baignant de son éclat fugace le champ de conscience d'Emma, tiré au cordeau.

Le cheval mécanique hurla, car les rênes tressautaient ; le fiacre tangua dangereusement. La main d'Archibald Clare plongea vers la poignée de la portière mais, déjà, sa compagne s'était mise en branle. Elle referma ses bras sur le grand corps frêle en criant un Mot qui fit exploser la voiture. Le souffle de la déflagration cribla littéralement les alentours de toutes sortes de débris. Au moment même où les petites vitres tombaient en poudre cristalline résonna un tintement doux, quoique aigu.

Braillements. Hurlements. Bruits de course. Emma se releva non sans mal puis secoua ses jupes de ses mains engourdies. Le cheval poursuivait sa route en ruant, se cabrant, semant sur son passage de minuscules pièces mécaniques, des filets d'huile, mais aussi des étincelles de magie crépitantes. Les sangles emmêlées de l'attelage ne lui laissaient cependant guère de chances de s'enfuir, malgré la disparition du cocher. La jeune femme eut à peine le temps de jeter un coup d'œil sur les toits en surplomb, avant que la pluie de plus en plus fine ne donne naissance à des silhouettes canines malsaines, qui s'approchaient en catimini – flancs lisses palpitants, barbouillés de la lumière des réverbères.

Des chiens de suie. Comme c'est déplaisant ! Sans doute celui qui avait bondi sur le fiacre avait-il emporté le cocher. Emma jura tout haut lorsqu'il atterrit sur la chaussée avec un bruit sourd, peau luisante dégoulinante de vapeur.

— *Très, très* étonnant ! s'écria Archibald Clare, qui s'était relevé, lui aussi. (Ses yeux brillaient, toute mélancolie envolée, et il brandissait un pistolet au canon bizarre qui ne servirait strictement à *rien* contre les « bêtes » magiques.) *Très* intéressant !

Le saphir étoilé ornant le majeur droit d'Emma se mit à chauffer. Un bouclier sphérique scintillant apparut, tandis qu'aux odeurs du bois brûlant, de la poudre et de la peur s'ajoutait celle de la magie, à la fois terne et éclatante. Le chien de suie qui bondit alors s'écrasa contre le bouclier, avec un tel choc que la jeune femme tomba à genoux. Ce qui ne l'empêcha pas de tenir bon, sinistrement décidée, les mains tendues, une psalmodie aux lèvres.

À cette heure tardive, Sarpesson Street n'était ni déserte ni bondée. Les curieux qui voulaient voir de plus près l'accident de fiacre se heurtaient aux passants assez malins pour comprendre qu'il se passait en réalité tout autre chose. Le chaos résultant ne représentait pour Emma qu'un tumulte à repousser aux confins de son esprit, pendant que sa concentration s'affinait.

Où est passé Mikal ?

Elle ne put s'interroger davantage, car déjà les chiens resserraient le cercle en grondant, tapis à ras de terre. Leurs flancs de cendre compressée palpitaient, leurs langues noires pendaient entre leurs crocs d'obsidienne taillée. Dépouiller de sa chair un adulte de bonne taille leur prenait moins d'une minute, mais elle devait aussi penser aux témoins et à Clare, posté derrière elle, sur sa droite, qui levait en riant son curieux petit pistolet trapu. Il ne visait pourtant pas les chiens, Dieu merci, mais… les toits.

Espèce d'idiot. Le chant qu'elle filait l'empêchait de dire au mentah de ne pas tirer, parce que Mikal…

Le chef de meute s'écrasa contre le bouclier. Le choc la secoua tout entière, mais elle ne flancha pas, la main ornée de la flamme bleue éblouissante de son saphir. Sa voix gagna en force, contralto puissant, tandis qu'elle entamait l'enchaînement de notes difficile qui allait lui permettre de diviser sa concentration et d'exécuter une autre Œuvre Majeure.

C'était en partie ce qui faisait un Prime – la capacité de se concentrer totalement sur la canalisation multiple de l'énergie éthérique. Une capacité malgré tout limitée, bien sûr, de même que l'énergie renouvelée à chaque retournement de marée.

Par chance, il n'était pas nécessaire qu'elle soit illimitée car, comme l'affirmait souvent le professeur de sophrologie de quatrième : *Il suffit de disposer d'une capacité légèrement supérieure à celle requise par le problème à régler.*

Ce fut alors que Mikal arriva.

Son manteau vert sombre ondulait dans son sillage quand il atterrit au beau milieu de la meute, furie si flamboyante qu'elle se dévoilait à la Vision, paillettes et éclaboussures brillantes indétectables par des yeux normaux. Les créations magiques se recroquevillèrent, se brisèrent, tandis que les poignards du Bouclier déchiquetaient leurs flancs immatériels. L'argent charmé réparti sur les lames, associé à la volonté de détruire, se révélerait nettement plus utile que le pistolet de M. Clare.

Un coup de feu retentit juste derrière Emma. Le projectile provenant de l'intérieur de la sphère protectrice – qui n'était pas censée subir d'attaques dans cette direction – traversa la membrane magique, que la déchirure détruisit. La jeune femme parvint de justesse à dévier le choc en retour : la force éthérique creusa un trou dans les briques de la rue et fit exploser le cheval mécanique, le réduisant en éclats de métal et en lambeaux de chair. Un des chiens pivota avec une vivacité à vous retourner l'estomac, prêt à se jeter sur Emma et sur l'homme qu'elle était censée protéger.

Elle cria un Mot sans renoncer au déchant, la main soudain tendue, une fois de plus, les doigts crispés sur un geste décidément *inconvenant* en bonne compagnie. Le rayon d'énergie évoqué cingla la poussière de brique, défonça un peu plus la chaussée puis frappa le monstre de suie.

Emma bondit sur ses pieds en reculant brusquement la main ; la ligne de force suivit, tandis que la créature se ratatinait, glapissante, puis volait en pièces. Il était impossible de maîtriser bien longtemps un fouet de magie, mais si jamais d'autres chiens…

Le dernier mourut sous les poignards étincelants de Mikal. Le Bouclier marmonna quelques mots dans sa langue maternelle, fit volte-face et s'approcha de sa Prima. Ce qui signifiait en principe que la bataille était terminée.

Emma ne se sentait pourtant pas rassérénée. Elle tournoya sur elle-même en examinant les environs, attentive, pendant que la psalmodie mourait sur ses lèvres. Foule murmurante, dangereusement effrayée… Les doigts gantés palpitants débordaient de magie ; une fontaine d'étincelles cramoisies en jaillissait, crépitant dans l'atmosphère pluvieuse. L'anxiété des spectateurs faillit distraire la jeune femme, mais elle repoussa le nuage d'émotion pour se concentrer, à la recherche de la perturbation.

Une piste de magie luisante subsistait, de plus en plus délavée, car l'homme qui avait tiré le premier coup de feu – sans doute afin de marquer les proies destinées aux chiens – prenait la fuite. Une protection quelconque lui avait été accordée pour lui permettre d'échapper à l'attention des mages.

Les mages, oui, mais pas les Prime. Pas moi. Oh, non. Les morts voient tout. La Discipline d'Emma ressortissait des arts Noirs. Par moments – en *ce* moment, par exemple –, elle se réjouissait de ses applications pratiques… quand elle en avait le temps.

Le temps qui s'étirait, se dilatait tandis qu'elle suivait l'inconnu sur les toits puis dans une venelle puante, encadrée de gros tas d'ordures, où il se précipitait, le goût de la peur et du sang dans la bouche. Il avait été blessé.

Mikal ? Mais alors, pourquoi ne l'a-t-il pas tué… ?

Le monde se convulsa sous les pieds d'Emma : un coup étourdissant venait de la frapper à l'épaule, un immense tourbillon de douleur barbelé s'enfonçait dans sa poitrine. Mikal hurla, mais elle avait quant à elle le souffle coupé. La force magique s'échappa d'elle librement, sans entrave. D'autres hurlements retentirent.

Elle risquait de blesser quelqu'un.

Lorsqu'elle revint à elle, la main crispée sur son épaule, un sang brûlant s'accumulait entre ses doigts. La soie verte allait être fichue, sans parler des gants.

Enfin… Au moins, c'était sur elle qu'on avait tiré, pas sur le mentah.

Nom de Dieu... La douleur afflua à nouveau, animal gigantesque aux crocs plantés dans sa chair.

Mikal la saisit dans ses bras. Les lèvres du Bouclier remuaient sans qu'il en sorte le moindre son. Emma chercha avec une rage désespérée à maîtriser la force qui tonnait en elle, car le choc en retour risquait de faire encore plus de dégâts si jamais elle la libérait. À la rue et aux témoins.

On ne plaisantait pas avec la force incontrôlée d'un Prime.

La fonction traditionnelle du Bouclier consistait justement à gérer ces débordements, mais si Mikal s'était contenté de blesser le fuyard des toits, rien ne prouvait qu'il ne faisait pas lui-même partie de…

— *Ça SUFFIT !* rugit-il.

Les liens éthériques qui les unissaient s'enflammèrent, pleins d'une vie douloureuse. Elle lutta de tout son être pour contenir le torrent, une explosion atroce lui déchira le crâne…

La nuit l'engloutit.

2

L'épouvante esthétique

La partie de Whitehall où il se trouvait regorgeait de meubles lourds et disgracieux, d'une laideur d'autant plus choquante qu'ils se composaient de matériaux d'une qualité irréprochable. Clare n'avait rien d'un arbitre des élégances – il considérait pour l'essentiel la mode comme un assortiment de fripes inutiles, sauf lorsqu'elle alimentait ses déductions sur ses frères humains –, mais il ne pouvait s'empêcher de penser qu'un tel encombrement infligerait à Mlle Bannon une véritable torture. On pouvait avoir un sens décent de l'esthétique sans se plier systématiquement au goût du jour.

L'esthétique ne servait souvent qu'à éviter des souffrances à quiconque possédait un minimum de sensibilité.

Lord Cedric Grayson, Chancelier de l'Échiquier en exercice, poussa un grand soupir tout en casant son impressionnante personne dans un fauteuil de cuir trop rembourré, peut-être adapté sur mesure à ses mensurations. Imposant et sanguin de nature, il présentait depuis longtemps des contours brouillés par les dîners fins servis dans les différents clubs qu'il fréquentait. Clare leva son verre avec prudence. Il n'aimait pas le xérès, même dans le meilleur des cas.

La situation n'en était pas moins… *intéressante*.

— Vous êtes à ce jour le seul mentah que nous ayons récupéré. (La grosse tête grisonnante de Grayson se pencha légèrement, comme s'il n'en croyait pas lui-même ses oreilles.) Mlle Bannon est extraordinaire.

— Elle est aussi gravement blessée. (Clare renifla discrètement. Du xérès de mauvaise qualité, qui plus était. Alors que son interlocuteur avait les moyens de s'offrir beaucoup mieux. Quelle mesquinerie ! Mais il ne fallait pas oublier que Grayson s'était toujours montré économe à mauvais escient, y compris à Yton. *Celui qui compte les pence dilapide les millions*, aurait dit Mme Ginn avec dédain.) Bien. Ainsi donc, quelqu'un élimine les mentahs.

— Oui. Surtout les mentahs enregistrés, pour l'instant.

Le large visage chevalin du ministre était blême, sous ses cheveux vaguement décoiffés par sa perruque. Personne n'aurait dû se trouver à la Chambre à une heure aussi tardive, mais si de mystérieux assassins s'en prenaient aux mentahs enregistrés, le Cabinet devait traverser une crise royale.

Dans tous les sens du terme. Les mentahs de Sa Majesté, entraînés et instruits avec la plus grande rigueur grâce à l'argent public, se rendaient extraordinairement utiles dans de nombreux domaines. *Le génie et la magie portent Britannia à bout de bras,* disait très justement le proverbe. Le calcul des cotes et des intérêts, l'anticipation des fluctuations économiques, sans parler de la clarification des schémas sous-tendant les tactiques militaires, tout cela faisait partie du travail des mentahs.

Il leur suffisait d'être enregistrés pour voir affluer les clients et les problèmes à résoudre. Ceux que leur instabilité empêchait d'obtenir ce sésame avaient moins de chance.

— Compte tenu du fait que je n'appartiens pas actuellement à cette auguste confrérie, je n'étais peut-être pas censé périr. (Clare reposa son verre et joignit le bout des doigts.) D'ailleurs, je ne suis pas absolument persuadé d'avoir été la cible de l'attentat.

— Seigneur ! (Grayson était assez lucide pour ne pas lui demander sur quoi reposait sa déclaration. Ce qui, à ses yeux, indiquait une intelligence supérieure à la moyenne. Le ministre n'avait évidemment pas atteint sa position en se montrant *complètement* stupide, même si ce n'était au fond qu'un petit avocaillon aux dents longues.) Vous n'êtes pas en train de me dire que la victime désignée était Mlle Bannon, j'espère ?

Clare se tapotait à présent machinalement le bout des doigts.

— J'hésite. L'agression était *à la fois* magique et physique.

Un court instant, ses facultés luttèrent avec ses souvenirs périphériques des événements.

Sans doute avait-il de la chance. Confronté à l'illogisme de la magie, un autre mentah se serait peut-être réfugié dans une construction abstraite réconfortante, un rêve de rationalité conçu pour tenir en respect l'irrationnel. Heureusement, Archibald Clare était disposé à admettre l'illogique – du moins en tant que bizarrerie d'une structure complexe qu'il ne comprenait pas *encore*.

Les mentahs ne devenaient pas fous, à strictement parler, mais ils se *renfermaient*, un renfermement qui les rendait instables, les dépouillait des données de leur vécu et les conduisait, chancelants, sur le chemin de l'incohérence et de l'isolement croissant. Au bout duquel les attendait une cellule confortable dans un bon asile, s'ils étaient enregistrés… ou l'hospice, s'ils ne l'étaient pas.

— Vous croyez qu'on déclare la guerre aux mages, maintenant ? (Grayson secoua sa lourde tête suante, des gouttes transparentes accrochées à son front, les yeux fixés sur le verre de xérès de son invité. Ses paupières battirent une fois, tristement, sur ses yeux bleus injectés de sang.) Sa Majesté est extrêmement contrariée.

Deux déclarations extraordinairement intéressantes, là encore.

— Peut-être devriez-vous commencer par le commencement, suggéra Clare. Nous disposons d'un peu de temps, pendant qu'on soigne Mlle Bannon.

— Il est excessivement difficile de convaincre Mlle Bannon de se reposer le temps nécessaire. (Le Chancelier de l'Échiquier se frotta le visage d'une grosse patte charnue.) Elle risque de passer cette porte d'une minute à l'autre, dans une colère noire. Bref, sachez que des crimes nous ont coûté récemment quatre des génies enregistrés de Sa Majesté.

— Quatre ? Comme c'est intéressant.

Clare s'enfonça davantage dans son fauteuil et joignit le bout des doigts devant son long nez.

Grayson s'octroya une gorgée tonifiante de xérès.

— Intéressant ? C'est *inquiétant*, oui. Le premier cas dont Mlle Bannon ait eu connaissance est celui de Tomlinson, qu'on a retrouvé mort dans son salon sans une égratignure. Tout le monde a cru à une apoplexie. D'ailleurs, le Magus légiste qui a examiné le corps était prêt à aller dans ce sens. Mlle Bannon s'est rendue sur les lieux en tant que représentante de la Couronne, parce que Tomlinson avait été chargé de recherches assez délicates, en cryptographie ou quelque chose de ce genre. Bref, quand elle est arrivée, elle a jeté un coup d'œil sur le désordre, pas davantage, et elle a aussitôt traité son collègue d'incompétent, sous prétexte qu'il avait brouillé les traces et qu'elle ne pouvait pas écarter l'hypothèse d'une vilenie quelconque, plutôt que la maladie. Son attitude a déclenché une scène.

— Vraiment, murmura Clare.

L'histoire lui paraissait excessivement crédible. Mlle Bannon n'avait pas l'air du genre à pardonner le moindre signe d'incompétence.

— Ensuite, il y a eu Masters l'Ancien et Peter Smythe de Rockway, qui rentrait juste d'Inde, où il avait débrouillé paraît-il une situation assez délicate. Le dernier en date n'est autre que Throckmorton. Masters a été abattu d'une balle dans Picksadowne Street, Smythe poignardé juste à côté de Nightmarket, et ce pauvre Throckmorton est mort dans l'incendie de sa maison de Grace Street.

— Oui… ?

Clare maîtrisait son impatience. Pourquoi lui donnait-on toujours l'information aussi *lentement* ?

— Mlle Bannon a découvert que l'incendie en question était d'origine magique. Elle est persuadée que tous ces meurtres sont liés. Après l'infortune de Masters, elle avait insisté pour que nous envoyions aussitôt des mages veiller sur les mentahs enregistrés. Celui chargé de Smythe a disparu. Quant au protecteur de Throckmorton… ma foi, vous allez voir.

Décidément, cette affaire se révélait de plus en plus divertissante.

— Je vais voir ? s'enquit Clare, le sourcil en accent circonflexe.

— Il est à Bedlam. Je suppose que vous voudrez l'examiner.

— Sans doute. (Il avait cependant envie d'obtenir réponse à la question la plus évidente.) Pourquoi avoir fait appel à moi ? Il doit y avoir d'autres mentahs non enregistrés qui s'empresseraient d'accepter ce travail.

— Ma foi, vous avez bien servi Sa Majesté, nul ne peut dire le contraire. (Grayson s'interrompit, plein de délicatesse.) Votre enregistrement pose certes un petit problème. Non que je vous reproche quoi que ce soit, vous avez été désavantagé, c'est évident. Si vous menez cette affaire à une conclusion satisfaisante… qui sait ce qui peut arriver ?

Ah ! Le bâton et la carotte. Voilà qui donnait à penser.

— Je suppose que Mlle Bannon s'est montrée aussi intransigeante et insubordonnée que moi. Et se révèle aussi sacrifiable, dans la situation qui nous occupe.

Clare ne croyait pas du tout Mlle Bannon *sacrifiable*, justement.

Mais il voulait voir comment réagirait Grayson.

Lequel eut le bon goût de rougir. De toussoter. Il regardait le xérès de son interlocuteur comme s'il mourait d'envie de le boire lui-même.

Je le croyais amateur de porto. Peut-être ses goûts ont-ils changé. Emporté par son sujet, Clare rangea cette pensée dans un recoin de son esprit.

— Qui plus est, les mentahs *enregistrés* sont maintenant à l'abri ou courent a priori le plus grand danger. Il est donc essentiel d'agir vite, il le faut absolument… sans quoi j'en serais encore à moisir dans mon fauteuil, étant donné la nature de mes… erreurs. J'en déduis aussi qu'il s'est produit des morts du même genre parmi mes infortunés confrères *non* enregistrés, quelle que soit d'ailleurs la raison de leur statut.

Grayson vira cette fois au cramoisi. Clare dut reconnaître qu'il s'amusait bien. Non, ce n'était pas tout à fait exact. Il s'amusait *énormément*.

— Combien ? demanda-t-il.

— Eh bien… C'est-à-dire… (Son hôte se racla la gorge.) Je vais être honnête, Archibald…

La partie commence vraiment. Maintenant. Clare mobilisa toutes ses facultés ; sa concentration s'aiguisa plus que jamais.

— Je vous en prie, Cedric.

— Vous êtes le dernier mentah non enregistré de Londinium. Les autres… leur corps a été mis en charpie. Il… il en manquait des morceaux.

Les doigts de Clare se raidirent, serrés les uns contre les autres par le bout.

— Ah.

Très intéressant, vraiment.

3

La théorie et la pratique

Les yeux d'Emma s'ouvrirent lentement. Dans la pénombre entretenue par la lumière des bougies lui apparut le visage de Mikal, la bouche pincée. Le souvenir qui se déploya dans l'esprit de la jeune femme lui coupa le souffle – une unique seconde vertigineuse : elle se trouvait dans les caves à la pierre suintante de la propriété campagnarde des Crawford, la tête horriblement douloureuse ; *Du calme, Prima*, lui chuchotait le Bouclier. *Il ne vous fera plus jamais de mal.* La grande poupée de chiffon démembrée effondrée dans un coin… le mage qui l'avait emprisonnée, étranglé, mutilé. La puanteur de la mort. Les entraves qui se relâchaient autour de ses poignets, car Mikal la détachait.

Sa gorge se contracta, tandis que les battements de son cœur devenaient d'une violence intempestive.

Elle revint au présent en un tel sursaut que le mouchoir humide posé sur son front faillit tomber ; l'odeur de violette et de lavande qui lui emplit les narines ne fit qu'accroître son dégoût. Les mains de Mikal se posèrent sur ses épaules pour la repousser en arrière.

— Ne bougez pas. (Étonnamment, il réussissait à s'exprimer sans desserrer les dents.) Le mentah discute avec Lord Grayson, il ne risque rien. Alors que *vous*, vous avez pris une balle dans l'épaule.

Peu importait. Elle était vivante, Mikal était vivant *et* conscient, la blessure à l'épaule n'était donc qu'un problème négligeable, autant dire résolu. D'autant plus qu'elle ne se trouvait *pas* dans la petite pièce de ses cauchemars.

Son soulagement était aussi indescriptible qu'à l'ordinaire. Il n'y avait pas un mois qu'elle avait quitté la cave aux murs suintants pour découvrir les corps décomposés de ses anciens Boucliers, abandonnés telles des ordures dans le corridor. Elle n'avait pas pleuré alors. Elle ne pleurait toujours pas après ses cauchemars.

Pas de larmes. *Voilà* ce qui faisait d'elle une Prima. Sa capacité à diviser sa concentration ne constituait qu'un symptôme de son état.

— C'était donc ça ?

Elle retira le mouchoir. Un des siens, arrosé de *vitae*. D'où l'odeur de violette et de lavande. Son estomac se souleva à nouveau.

— J'ai arrêté l'épanchement. Et pansé la plaie. (Les yeux de Mikal brillaient dans la pénombre.) Je vous conseille d'éviter les mouvements brusques, mais vous ne tiendrez certainement aucun compte de mes conseils.

Elle froissa dans sa paume le carré de toile et de dentelle. Son corsage ouvert dévoilait son caraco, empoissé de sang et de sueur, sous lequel un sortilège de soin d'une capacité limitée lui chatouillait l'épaule. Son corset mal lacé lui semblait pourtant abominablement serré. Elle se trouvait dans une des pièces oubliées de Whitehall, poussiéreuse, traversée de murmures auxquels mieux valait éviter de prêter l'oreille, au mobilier d'une laideur redoutable malgré sa modernité – preuve que Grayson l'avait annexée à son bureau. La pénombre était un baume pour les yeux sensibilisés d'Emma.

— Je ne peux pas vous protéger, continua Mikal, d'une pâleur remarquable sous sa matité. (Ses vêtements immaculés ne portaient pas la moindre tache de sang ou de poudre, mais un nuage de fumée quasi visible semblait flotter autour de lui. À moins qu'il ne s'agisse d'une auréole de colère.) Vous feriez mieux de me renvoyer.

Je ne veux pas recommencer avec ça.

— Si vous n'étiez pas au service d'un Prime, il ne s'écoulerait pas deux jours avant votre exécution. Au cas où vous auriez oublié ce petit détail.

L'ébauche d'un haussement d'épaules accueillit la remarque.

— Vous n'avez pas confiance en moi, affirma Mikal.

Elle pouvait difficilement nier une vérité aussi absolue. *Vous avez étranglé le mage que vous aviez juré de protéger, me semble-t-il. Alors pourquoi pas moi ? Il ne vous en coûterait guère.*

— Je n'ai aucune raison de me défier de vous.

Le mensonge avait un goût de cuivre qui donna brusquement à Emma envie d'un verre de bon vin et d'un roman frivole mais sensationnel, qu'elle lirait dans le confort de son lit.

Une légère grimace plissa les traits de Mikal, qui se rassit sur le tabouret placé près du sofa en jetant un coup d'œil à la porte. L'attention du Bouclier se reportait sur l'issue qu'il n'avait pourtant pas oubliée un instant.

— J'ai tué de mes mains mon précédent employeur, Prima. Vous n'êtes pas assez sotte pour négliger une chose pareille.

D'où je déduis que vous me mentez, bien sûr. Comme toujours, la conclusion logique de Mikal resta cantonnée aux non-dits.

La jeune femme décida donc de lui répondre avec franchise.

— Si vous ne l'aviez fait, je m'en serais peut-être chargée moi-même. (Elle lui tendit le mouchoir.) Tenez. Je crois que le *vitae* m'écœure un peu.

— Il n'y avait pas de rhum.

Il s'empara du carré de tissu, un petit sourire peiné aux lèvres. Ses doigts calleux mais sensibles frôlèrent ceux d'Emma.

Un léger sourire involontaire lui monta aux lèvres, à elle aussi.

— Il faut faire avec ce qu'on a. Bon, laissons de côté ces histoires de renvoi. Nous avons du travail.

Il serra les dents. Les sourcils froncés, l'air buté, il devenait presque laid, lui qui était de toute manière dépourvu de beauté.

Alors pourquoi cette expression faisait-elle bondir le cœur d'Emma de manière aussi impudique ?

Elle s'assit maladroitement, la tête inclinée pour examiner son épaule blessée. Les lambeaux de soie verte qui laissaient deviner son caraco sale et déchiré dévoilaient aussi une peau claire intacte. La démangeaison du sortilège de soin avait gagné en profondeur, protestation de la chair et de l'os contraints à la réparation. *Ma foi, c'était instructif.*

— Je suis navré. Je me suis occupé de ceux qui se trouvaient d'un côté de la rue, mais après, les chiens sont arrivés. C'était le danger le plus pressant.

Elle acquiesça. Les cheveux en bataille, sans bonnet – il avait disparu –, en robe de soie bonne à jeter, elle allait maintenant reconnaître qu'elle doutait de lui… et donc, peut-être, le blesser. En admettant qu'il ne soit pas totalement indifférent à ce qu'elle pensait.

Quant à savoir pourquoi elle attachait la moindre importance à sa fierté chatouilleuse… Les Boucliers servaient aux Prime à se protéger des dangers physiques et des chocs en retour de l'énergie magique, point final.

Allez, Emma. Ça, c'est la théorie. Rien à voir avec la pratique. Or nous attachons de l'importance à la pratique, non ? C'est comme ça que nous en sommes arrivée à notre position actuelle. Oui, « nous ». Comme une reine.

Un jour, cette petite voix intérieure mesquine ravalerait peut-être ses méchancetés et périrait empoisonnée. En attendant, Emma était bien obligée de supporter ses habitudes exaspérantes : d'une part, elle avait toujours raison ; d'autre part, elle n'était jamais d'aucune aide.

La jeune femme posa les pieds par terre, les jupes froissées et tire-bouchonnées, mais il ne lui fallut qu'un instant pour les disposer correctement. Son corsage était plein de sang, constellé de traînées et d'éclaboussures incrustées dans le tissu, l'ourlet de sa robe roussi et déchiré, de même que celui de ses jupons. Ses bottes maculées de boue et de sang resteraient cependant utilisables.

Il ne servait à rien de se mettre en colère, surtout à cause de vêtements tachés. Elle fit l'effort de ravaler sa fureur et de consacrer son attention à autre chose.

— L'homme qui a tiré le premier coup de feu… sans doute pour nous marquer… bénéficiait d'une protection. Je l'ai perdu dans une venelle, mais je pense que nous retrouverons sa piste après notre visite à Bedlam.

— Le mentah avait manifestement des idées. Nul doute qu'il en ait encore davantage après sa petite conversation avec Grayson.

En admettant qu'un seul des mots tombés de la langue fourchue de notre bon ministre des Finances soit digne de confiance. Lord Grayson inspirait à Emma une antipathie des plus déraisonnables : après tout, c'était un serviteur de Britannia, comme elle.

Elle n'était pas pour autant obligée d'apprécier sa compagnie. Il ne fallait pas oublier que Crawford aussi avait été un serviteur de Britannia. Coupable de trahisons certes, mais néanmoins un serviteur.

Avec le tact infini d'un Bouclier, Mikal faisait valoir à Emma que le mentah était à sa disposition. Elle se tapota les cheveux en hochant la tête. Quelques gestes rapides, quelques épingles replacées… Ainsi reprit-elle du désordre un contrôle raisonnable. *Nom de Dieu. Le bonnet aussi, je l'aimais bien.*

— Je vais envoyer à Grayson une facture détaillée où figurera le *moindre* vêtement abîmé dans cette affaire.

Elle bondit sur ses pieds, vacilla, se rassit aussitôt. Brutalement.

Les yeux de Mikal brillèrent, jaunâtres dans la pénombre. Il s'abstint de signaler à son employeuse qu'*il le lui avait bien dit*, mais la soutint en tenant avec soin à bout de bras le mouchoir imprégné de *vitae*.

— Vous êtes ravissante.

Elle sentit le rouge lui monter à la gorge et aux joues.

— Vous avez un faible pour les ébouriffées ?

— Mieux vaut être ébouriffée que morte, Prima. Je crois que vous pouvez vous lever, maintenant, à condition d'être prudente.

Il avait raison. Comme toujours. Que le diable l'emporte. Les jambes d'Emma tremblaient, mais la portaient néanmoins. Il se leva lui aussi, immense, prêt à la rattraper par le coude.

— Je vais me débrouiller, merci. (Elle exhala brusquement, enveloppée par la frustration d'une auréole cuivrée dévoilée par la Vision… puis repoussa avec énergie son exaspération. Simple faiblesse – encore une – que l'entraînement permettait de vaincre.) Allons chercher le mentah. Je détesterais le perdre maintenant.

— Emma. (Mikal la prit par le bras.) Vous croyez vraiment que j'ai fait exprès de laisser échapper celui qui vous a tiré dessus ?

Il l'avait appelée par son prénom. Petite victoire qu'elle décida de ne pas fêter, même en son for intérieur. *La pensée m'a traversé l'esprit, Mikal.*

— J'étais bien trop occupée pour penser une chose pareille. Bon, posez ce mouchoir et allons récupérer notre mentah.

Il ne lui lâcha pas le bras. Au contraire, il resta près d'elle à la toucher – peut-être pour l'aider à garder l'équilibre. Elle chercha à lui échapper, glissement de soie contre sa peau meurtrie.

— Il vous faut un autre Bouclier. *Plusieurs* autres. (Simple constatation pragmatique.) Une demi-douzaine, minimum. Un effectif complet, ce serait l'idéal.

J'en avais quatre, Mikal. Ils sont morts pour me protéger.

— Il faut surtout brûler cette loque pleine de *vitae* et mettre la main sur notre mentah, que Grayson est en train de bombarder de suppositions inutiles, riposta-t-elle. Si vous n'êtes pas *satisfait* de votre position à mon service, il vous suffit de quitter mon *aegis* et de vous présenter au Collège pour votre extermination.

Il pâlit – ce qui semblait impossible, vu son teint.

— J'aimerais que vous ayez au moins un Bouclier digne de confiance. Il vous éviterait de perdre votre temps à lutter contre la nausée du seul fait que vous ne me laissez pas remplir mes fonctions.

Étonnamment, cet argument fit mouche. Peut-être parce que Mikal avait raison. Une fois de plus.

— Nous n'avons pas le temps de nous quereller. (Un léger couinement échappa au sofa ; la voix d'Emma était tranchante à couper de la glace. Elle raffermit son contrôle sur sa colère.) Une fois le mystère résolu, *peut-être* aborderons-nous la question. *Je* déciderai ou non de prendre la responsabilité d'un autre Bouclier… ou de trois, ou de vingt, *en plus* de mon principicule des Indes. Mais si nous continuons sur cette voie, nous nous offrirons sur un plateau à nos ennemis, les vôtres aussi bien que les miens. Maintenant, *taisez-vous* et débarrassez-moi de ce mouchoir. Je veux aller voir Lord Grayson et M. Clare, et je compte sur vous pour m'accompagner.

Elle dégagea son bras avec force puis se dirigea vers la porte. Ses jupes froufroutaient étrangement, tandis qu'un tangage des plus bizarres animait le parquet sous ses bottes.

Le prie-Dieu d'ambre miniature qui se balançait contre sa clavicule au bout d'une chaîne en argent se mit à lui chauffer la peau. Il contenait assez de puissance pour deux Œuvres mineures conséquentes, une multitude de Mots ou juste pour la maintenir debout jusqu'à ce que la marée de l'aube renouvelle l'énergie magique du monde. La sardonyx, en revanche, était vide. S'il devait se produire dans la nuit d'autres désagréments…

Peu importait. Elle allait affronter les problèmes l'un après l'autre, aussi rapidement et efficacement que possible.

Un *fchhh !* suivi d'un *pof !* résonnèrent dans son dos. Mikal venait de faire jaillir une flamme. La peau d'Emma se contracta entre ses épaules sans qu'elle l'ait voulu. Il était armé et…

Ridicule. S'il avait envie de l'éliminer, il en avait chaque jour toutes les occasions possibles et imaginables. Elle était idiote de gaspiller du temps et de l'énergie à s'inquiéter de cette manière.

À moins que ça ne fasse partie de son plan, Emma. Combien de temps serais-tu capable d'attendre pour te venger ? Ce n'est pas comme s'il pouvait te donner une raison crédible d'être devenu ton Bouclier.

Toutefois, si Mikal n'avait pas trahi le mage à qui il avait juré fidélité et qui avait failli la tuer, elle serait bel et bien morte. Ses questions n'auraient plus eu de raison d'être.

Le bouton de porte en cristal tourna sous sa main. Elle s'engagea dans le couloir plein de morts, diaphanes écharpes grises de méchanceté ou de simple égarement intégrées aux murailles. La lumière des lampes – le gaz avait été installé à Whitehall – ruisselait sur la moindre surface. Des voix s'élevaient non loin de là, dont celle du mentah. Lequel avait fait preuve lors de l'agression magique d'une présence d'esprit que la jeune femme n'aurait jamais attendue d'une machine logique emprisonnée dans la chair et ses faiblesses.

— Si seulement vous arriviez à me faire confiance, Emma, dit Mikal derrière elle, dans la pièce obscure.

Elle s'éloigna sans daigner lui répondre.

Je suis bien d'accord, Mikal. Si seulement.

4

D'une manière ou d'une autre

La porte s'ouvrit sans avertissement. Grayson tressaillit, tandis que Clare constatait avec plaisir que ses propres nerfs restaient inébranlables. D'ailleurs, il avait entendu approcher un pas féminin décidé. Le claquement péremptoire des petits talons délicats sur le parquet lui avait appris que Mlle Bannon était d'excellente humeur…

Ses boucles d'ébène avaient été recoiffées en chignon, mais elle n'arborait plus de couvre-chef et sa robe avait, hélas, beaucoup souffert. Le nuage de fureur et de fumée quasi visible qui l'enveloppait ne dissimulait pourtant pas son extrême pâleur, même si ses yeux sombres brillaient telles des braises. Il ne faisait aucun doute qu'elle avait renversé, écarté ou tout simplement foulé aux pieds le moindre obstacle croisé sur sa route.

La soie verte qui flottait sur son épaule dévoilait un bout de lingerie tentateur, sous lequel ne se devinait aucune trace de blessure. Juste une peau claire sans défaut et un cabochon d'ambre à l'éclat fort singulier.

Grayson se leva avec une grâce de morse. Il était lui aussi devenu d'une lividité inquiétante, à la fois farineuse et irrégulière – rien que de très banal chez les gens confrontés à un mage en colère.

— Mademoiselle Bannon. Je suis *ravi* de vous voir rétablie ! J'étais justement en train d'expliquer à M. Clare…

Elle l'interrompit d'un coup d'œil tranchant et se montra lapidaire :

— Vous lui racontiez des âneries, évidemment. Nous avons affaire à la conspiration la plus noire, Lord Grayson, et je crains de ne pouvoir perdre davantage de temps. Monsieur Clare, préférez-vous rester ici ou m'accompagner ? Vous devriez être en relative sécurité à Whitehall, mais je vous avoue que vos talents me seraient peut-être utiles dans la traque qui s'annonce.

Enchanté d'abandonner son mauvais xérès, Clare reposa son verre sans en avoir bu une goutte.

— Ce sera un honneur de vous assister, mademoiselle Bannon. Lord Grayson m'a informé de la mort de plusieurs mentahs et du triste sort de l'ancien protecteur de M. Throckmorton. Je suppose que nous nous rendons à Bedlam ?

— D'une manière ou d'une autre. (Les lèvres de la jeune femme frémirent.) Vous être digne de votre profession, monsieur Clare. J'espère que vous n'avez pas été blessé ?

— Pas le moins du monde, grâce à vos efforts. (Il récupéra son chapeau puis jeta un coup d'œil à ses bagages.) Vais-je avoir besoin de linge, mademoiselle Bannon, ou vaut-il mieux que je laisse mes sacs ici, comme un fardeau superflu ?

Cette fois, l'amusement de la magicienne fut manifeste, car un sourire glacé, surprenant sur ses traits enfantins, remplaça le léger frémissement de ses lèvres. Avec l'étincelle qui brillait dans ses yeux sombres, on ne pouvait que la déclarer attirante, sinon étourdissante.

— À mon avis, nous pourrons nous procurer du linge sans grande difficulté où que nous allions dans l'Empire, monsieur Clare. Faites donc envoyer vos affaires chez moi, à Mayefair. Je ne doute pas qu'elles y arrivent promptement.

— Très bien. Je vous fais confiance pour vous en occuper, Cedric ? Ce sac-là contient mon gilet préféré. Nous repasserons une fois les problèmes réglés ou lorsque nous aurons besoin d'aide. Je suis enchanté d'avoir revu un vieil ami.

La poignée de main permit à Clare de constater, non sans amusement, que son ancien condisciple avait la peau moite.

On pouvait difficilement le lui reprocher.

Les mentahs n'inspiraient pas la peur ouverte qui entourait les magiciens, car il était plus facile d'admettre la froide logique que les violations flagrantes de *la normalité* – ou, du moins, de ce que la population en général considérait comme tel. D'ailleurs, la logique passait d'autant plus aisément inaperçue que les mentahs étaient discrets de nature. Il existait certes des exceptions, mais aucune aussi remarquable que le moindre des curieux enfants de la magie.

— Que Dieu et Sa Majesté vous accompagnent, parvint à marmonner le ministre. Dites-moi, mademoiselle Bannon, êtes-vous bien sûre que…

— Je n'ai besoin de rien d'autre pour l'instant, grâce à Dieu et à Sa Majesté.

Elle pivota sur un de ses fragiles talons puis s'éloigna d'un pas décidé, dans une envolée de jupes déchirées. Clare s'efforça de rester impassible, ramassa le petit sac noir contenant ses principaux instruments de travail puis s'empressa de la suivre.

Il avait les jambes beaucoup plus longues que celles de la jeune femme, mais elle se déplaçait d'une démarche si énergique qu'il la rejoignit seulement à la moitié du corridor.

— Je ne suis pas assez idiot pour prendre les suppositions de Lord Grayson pour argent comptant mademoiselle Bannon.

Les dents serrées, elle avait l'air en pleine forme, malgré sa robe en loques.

— Vous avez été son condisciple, me semble-t-il ?

S'agit-il d'une déduction ? Il résolut de ne pas poser la question.

— En effet. À Yton.

— Était-ce déjà un insupportable donneur de leçons complètement abruti ?

Clare réussit par la seule force de sa volonté à retenir un éclat de rire – *Vraiment divertissant* –, mais poussa un petit *Tss, tss !* en adaptant son pas à celui de son interlocutrice. Le couloir sombre allait les mener à la Galerie ; peut-être la Prima avait-elle l'intention de sortir par la porte de la Cloche puis de prendre un fiacre.

— Ce n'est pas une déclaration très diplomatique, mademoiselle Bannon.

— Je ne joue pas les diplomates, monsieur Clare.

Je pense que vous êtes une joueuse redoutable lorsque vous vous abaissez à notre niveau, mademoiselle.

— Ce qui n'empêche pas la diplomatie de se jouer de vous. Votre carrière vous importe peut-être peu, mais songez à la mienne. Grayson a agité sous mes yeux l'appât de l'enregistrement. Pourquoi, à votre avis ?

— Il est persuadé que vous ne vivrez pas assez vieux pour demander le salaire de votre peine. (À en juger au ton de la magicienne, elle trouvait l'opinion du ministre à la fois insultante et fondée.) Puis-je me permettre de vous demander comment vous avez perdu votre enregistrement ?

L'irrationalité menaça un instant d'aveugler Clare.

— J'ai tué, déclara-t-il cependant d'un ton assez égal. Mais pas la bonne personne, hélas. Un mentah ne peut se permettre une erreur pareille.

Même s'il fallait éliminer la bête. Même si je ne regrette rien.

— Hmm. (Elle n'avait pas ralenti, mais ses talons ne claquaient plus aussi brutalement sur le parquet.) Il existe donc un point commun entre mages et mentahs, monsieur Clare. Tuez le moindre pair du royaume, et votre carrière est terminée. C'est un grand soulagement pour moi que de n'en pas avoir.

— Vraiment ? Alors pourquoi… (Malgré le ridicule de la question, il voulait jauger la réponse qu'il allait obtenir. Lorsque Mlle Bannon lui jeta en coin un coup d'œil amusé, il acquiesça en son for intérieur.) Ah, je vois. Vous êtes aussi sacrifiable que je le suis devenu.

— *Tout le monde* est sacrifiable au service de Britannia, monsieur Clare.

La réplique donnait matière à réflexion.

5

Un puzzle irréalisable

— Je ne comprends pas qu'il soit toujours aussi difficile de trouver un fiacre, marmonna-t-elle en dégageant sa main de celle de Mikal.

— J'ai déjà appliqué la logique au problème, déclara Clare d'un ton pensif. (Il secoua son chapeau haut de forme, ôta la minuscule poussière qui en déparait le bord puis s'en recoiffa d'un geste résolu.) Mais, pour être honnête, je ne suis jamais arrivé à une conclusion satisfaisante.

Le cocher replet, bien emmitouflé et coiffé d'un vieux bonnet rembourré, hardiment incliné sur l'oreille, fit claquer son fouet au-dessus du dos cuivré du cheval mécanique. Les sabots parcoururent la rue obscure en claquant, semant dans leur sillage de minuscules étincelles de magie égarée. Les flammes des becs de gaz vacillaient, faibles lumières tout juste capables de lécher la surface des pavés, sans oser s'engager dans les crevasses des joints.

— Enfin… personne ne nous a attaqués pendant le trajet, ajouta Clare. Il n'était pas long, certes, mais je dois bien avouer que je trouve ce calme réconfortant.

Vraiment ? Moi pas. Un ennemi assez malin et assez expérimenté – assez riche, aussi – pour s'adjoindre des chiens de suie et des bandits se faisait sans doute une idée relativement juste des pouvoirs d'un Prime en personne, y compris de ses limites. Le retournement de marée de l'aube était encore loin, hélas. D'ailleurs, le flot d'énergie magique qu'il amènerait ne suffirait pas à battre en brèche les effets de la fatigue et de la faim.

Tu penseras à ce genre de choses quand ça deviendra essentiel, Emma. En attendant, contente-toi de faire le nécessaire. Elle se tenait aussi droite que possible sur la banquette lorsque le Bethlehem Hospital apparut, long barrage de brique et de pierre tapi devant eux, scintillant de désespoir.

Deux décennies plus tôt, le sens de l'économie faussé du régent l'avait poussé à récupérer les briques destinées au nouveau Bedlam sur son site précédent, près de l'ancienne porte de l'Évêque. Les mages l'avaient prévenu qu'il ne fallait pas réutiliser ces vieux matériaux de construction ; il ne les avait pas écoutés.

La monstruosité démesurée qui toisait le ciel de sa coupole ruisselante de symboles magiques dorés prenait une place considérable, parce que des strates physiques aussi bien que psychiques s'y ajoutaient sans trêve depuis deux bons siècles qu'on y « soignait » les fous, au lieu de les enfermer – voire de les exécuter – purement et simplement. Une épaisse fumée s'élevait non loin de là du Black Wark, le cœur de Southwark, voilé en permanence par un sinistre nuage noir d'où tombait une pluie de cendres.

Emma déglutit à vide, tandis que la main de Mikal se crispait sur son épaule. Elle s'écarta de lui. N'importe quel Bouclier aurait rechigné à laisser un mage s'aventurer en ces lieux.

Mikal n'était évidemment pas n'importe quel Bouclier, pas plus qu'elle n'était n'importe quelle magicienne. À une époque, sa Discipline lui aurait valu l'exécution en place publique dès la timide apparition de certains des penchants et talents associés. Qu'elle soit une Prima ou une simple sorcière n'y aurait rien changé. Les hommes portés au Noir, plutôt qu'au Blanc ou au Gris, couraient moins de risques.

Les hommes couraient toujours moins de risques.

Emma leva haut le menton. La lumière des réverbères dévoilait les faciès qui tournoyaient dans les murs, la bouche grande ouverte. Un instant, un court instant, les hurlements audibles se mêlèrent indissolublement aux cris muets. C'était la fête à Bedlam : braillements et rugissements s'élevaient des profondeurs de la bâtisse, étouffés par la pierre et la brique, grondement marin insatisfait, exhalation de coquillage. Les protections éthériques de l'asile tintaient, discordance de violons brisés et de roche outrageusement sollicitée.

Le prie-Dieu se réchauffa encore contre la poitrine d'Emma. Il faudrait bien qu'il suffise.

Elle s'approcha de la poterne, talons cliquetant sur le pavé. Sa jupe déchirée à l'ourlet en loques lui donnait sans doute une allure inoubliable… L'agacement flamba en elle, aussitôt dissipé.

— Puis-je me permettre de vous demander pourquoi un mage a été enfermé à Bedlam ? s'enquit Clare en se portant à sa hauteur. Il n'y avait pas d'autre sanatorium ?

Elle serrait les dents au point qu'il lui fut difficile de répondre.

— Pas avec un Grand Cercle opérationnel, non. Llewellyn n'est pas un simple Magus ou un Adeptus.

C'est… c'*était* un Prime. Ni la folie ni le désespoir ne l'affaibliraient assez pour qu'on puisse l'enfermer.

— Ah. C'*était* un Prime ?

Faut-il que je lui apprenne en quelles classes se répartissent les magiciens ?

— Perdre sa santé mentale revient à perdre son titre. Si contestable qu'on estime l'expression en ce qui concerne les mages.

Et puis c'est un pair du royaume. On ne peut le jeter dans un cul-de-basse-fosse. La peau d'Emma se glaça un instant. Mikal la suivait de si près qu'elle prit conscience de la chaleur qu'il dégageait. Elle n'avait pas besoin de le regarder pour savoir qu'il avait les lèvres pincées de réprobation. Comme elle.

— Je vois. (Clare absorba l'information.) Mademoiselle Bannon ?

Seigneur Dieu ! Vous ne pouvez donc pas vous taire une minute ?

— Oui, monsieur Clare ?

— Est-il bien prudent d'entrer par la petite porte ?

Pour un homme qui se basait toujours sur la logique et la déduction, il avait l'air dur à la comprenette.

— La grand'porte est fermée à double tour dès le crépuscule. Je n'ai aucune envie de perdre mon temps en attendant que le gardien-chef s'arrache à ses *divertissements* et vienne nous ouvrir. D'ailleurs, plus nous passerons inaperçus, mieux ce sera.

— Je serais surpris que nous passions inaperçus.

Une riposte cinglante mourut sur les lèvres d'Emma. Peut-être faisait-il juste la conversation pour la mettre à l'aise. À moins qu'il ne cherche à déterminer si elle avait une cervelle d'oiseau, comme toutes les femmes s'il fallait en croire la plupart des hommes, y compris les machines logiques incarnées.

— La cellule de Llewellyn se trouve près de cette porte.

— Je vois.

Vraiment ? Je crains que non. Le garde en poste à l'extérieur dormait à moitié dans le renfoncement qui dominait la courte volée de marches inégales. Sa barbe touffue empestait le gin. Il battit des paupières à l'approche du trio, mais lorsque Emma posa le pied sur le degré inférieur, il s'était déjà redressé de toute sa taille en tirant sur le col de sa veste d'uniforme noire, les yeux écarquillés comme des soucoupes.

— Les visites ne sont autorisées que d'une heure à…

Mikal fut soudain *là*, le repoussant contre le mur d'un geste vif de la main. Le *heulp* de l'homme fut englouti par le bruit des deux coups de poing qu'il prit au menton et à la bedaine. Les doigts agiles du Bouclier le soulagèrent de l'anneau aux clés pesantes accroché à sa grosse ceinture de cuir. Un scintillement de métal aiguisé… et la ceinture en question, coupée, tomba sur la marche supérieure, pendant que le garde s'effondrait. Mikal le retint dans sa chute avec une certaine douceur.

Les sourcils de Clare s'étaient perdus dans les cheveux qui lui cachaient le front.

— Est-ce bien nécessaire ?

Immobile sur le second degré, Emma étouffa un éclair d'impatience. *Ce type est un véritable irritant mental !*

— Si Mikal le fait, oui.

Déjà, le Bouclier avait sélectionné la bonne clé, qu'il introduisait dans la serrure.

— Cet homme pue le gin, fit-il remarquer. Il était d'humeur à causer des ennuis. L'autorité des sous-fifres.

(Sa lèvre se retroussa, mais le mépris se lisait aussi dans la ligne de ses épaules.) Il ne se souviendra pas de nous.

— Espérons-le.

Clare n'avait pas l'air convaincu.

La porte s'ouvrit avec un léger grincement. Mikal jeta un coup d'œil au-delà avant de hocher la tête, une seule fois. Emma reprit sa route.

Quand ils plongèrent dans le chaos grisâtre de Bedlam et le sifflement des lampes à gaz disposées le long du couloir, la jeune femme se raidit. Les murs ondulèrent brièvement, car l'énorme tas de pierre semi-conscient, affamé, percevait la nature de la visiteuse.

L'Endor ! Voilà l'Endor ! Le murmure sans voix, sans souffle, inaudible aux oreilles des vivants, frôlait sa peau et ses vêtements. Des silhouettes grises qu'on aurait crues taillées dans la fumée s'approchèrent d'elle en soupirant de plus en plus fort, persuadées d'être entendues. Des doigts fantomatiques l'effleurèrent, glissèrent sur la coque dure et lisse que leur opposait sa volonté de Prima ; Mikal se tourna vers elle pour la prendre par le bras. Ce contact suffit à faire retomber le couloir en place dans un choc sourd quasi audible.

Encore une fonction des Boucliers : servir d'ancres à leurs maîtres. Plus un mage pouvait gérer de force éthérique, plus il risquait de s'égarer, emporté par des courants dont le reste de l'humanité n'avait même pas conscience.

— Mademoiselle Bannon ? (Clare, une nuance d'inquiétude dans la voix.) Vous êtes blême.

— Ça va, murmura-t-elle, avant de retrouver le ton brusque dont elle était coutumière. Je me sens bien, merci. Mikal ? La cellule de Llewellyn ouvre sur ce couloir, à droite. C'est la cinquième, me semble-t-il.

— Il ne va pas être content de nous voir, déclara le Bouclier, sans toutefois relâcher sa poigne, si serrée qu'elle en meurtrissait Emma.

Non, il n'aimait pas voir sa Prima dans un endroit pareil. Quelle idiote de ne pas lui faire confiance. Une chaleur traîtresse s'épanouit dans le ventre de la jeune femme, qui la repoussa avec sévérité : combien de temps s'écoulerait-il avant qu'il ne l'estime aussi sacrifiable que Crawford l'avait évidemment été ?

Ce n'est pas le moment d'y penser.

— Il n'est pas question de prendre le thé en sa compagnie. (Elle suivait la direction dans laquelle l'entraînait la pression appliquée à son bras. La gratitude n'était tout de même pas une faiblesse. Venir seule à Bedlam aurait été… désagréable.) Il n'empêche…

Tenez-vous sur vos gardes, Mikal, car je suis épuisée. Et, pire encore, rien ne plairait davantage à Llewellyn que de nous faire du mal à tous les deux.

— N'en dites pas plus.

La bouche réduite à une fine ligne droite, le Bouclier lui jeta un coup d'œil franchement sinistre puis ralentit le pas pour s'adapter au sien, pendant que le mentah les suivait de près. Le corridor dallé empestait la douleur et la crasse, mais enfin, il avait été balayé, et les portes qui l'encadraient vibraient à peine. Le calme régnait à présent, au niveau matériel ; le silence n'était plus troublé que par les échos affaiblis de gémissements lointains.

Les sens psychiques n'étaient pas si faciles à endormir. Emma posa sa main libre sur celle de Mikal sans prêter attention au coup d'œil surpris de son second. Ce contact supplémentaire l'aida à ignorer les torrents hurlants d'incommensurable souffrance qui s'entrecroisaient dans le couloir, soulevant ses cheveux égarés sur une brise qui n'avait rien de physique.

— Il y a un problème. (Elle était tout juste consciente de parler.) Un gros problème.

Mikal ralentit encore, tendu, aux aguets. Leurs pas résonnaient sur les dalles de pierre.

— Je suppose qu'il ne servirait à rien de vous conseiller de…

De repartir ? Au service de la reine ? Évidemment non.

— À rien, en effet.

— Mademoiselle Bannon ? Si je puis vous être utile ?…

Clare, qui l'avait rattrapée, lui présentait son bras. Un geste curieux, mais qu'elle n'en apprécia pas moins et qui la convainquit de lâcher la main de Mikal pour accepter l'aide offerte. N'était-elle pas une dame, à présent ? Malgré les grossièretés qu'elle avait souvent envie de débiter…

— Merci, monsieur Clare. Cet endroit est… déstabilisant pour les mages.

Le couloir avait beau tanguer sous ses pieds, Mikal et Clare lui assuraient une certaine stabilité. Le désespoir dont était imprégné l'hôpital ruisselait contre son palais comme un vin noir râpeux, qui aurait usé sa volonté.

— La cinquième porte. (La voix de Mikal trahissait une méfiance extraordinaire. Ses muscles étaient noués sous les doigts d'Emma. Il ralentit.) Mentah. La clé est accrochée là.

— Ah ! Je vois.

La crispation qui tordit les traits de Clare offrit un contraste saisissant avec l'intérêt joyeux qu'on y lisait en principe : il émanait maintenant de lui un léger dégoût qui l'auréolait de bleu poudreux à la Vision. Le prie-Dieu d'ambre étincelait contre la peau d'Emma, laquelle mobilisait plus de force qu'elle ne l'aurait voulu pour s'isoler de la foule des morts. Mais le désespoir emprisonné dans le matériau même du bâtiment la dérangeait aussi.

En admettant qu'il restait à Llewellyn Gwynnfud, Lord Sellwyth, une once de santé mentale, Bedlam risquait fort de la lui dérober.

La porte d'acier abîmée, fermée à double tour et barrée, était couverte de symboles de charme et de charte dorés. Le mentah jeta un coup d'œil par l'œilleton en veillant à ne pas la toucher, cligna des yeux au spectacle qu'il découvrait puis le contempla un moment.

— N'est-ce pas dangereux d'ouvrir la cellule, mademoiselle Bannon ?

— Les sortilèges associés ne vous feront aucun mal, monsieur Clare. (Emma trouva sa propre voix lointaine, quoique toujours aussi brusque. *Dieu merci.*) Ils ne servent qu'à *contenir*.

— Bon. (Il retomba sur ses talons avant de glisser dans la serrure la grosse clé encombrante, puis souleva la barre de fer et la posa de côté avec une aisance surprenante pour un homme aussi mince.) Je me dois de vous avertir que le patient est réveillé. Il semblerait qu'il nous attende.

— Tant mieux, répondit Emma avec une certaine sécheresse. Il me déplairait fort de tirer un gentleman du sommeil. Ou d'interroger un cadavre.

L'atmosphère vibra lorsque Clare saisit d'une main hésitante la poignée de porte, mais le battant pivota sans difficulté sur ses gonds bien huilés. Les symboles se tordirent, mal à l'aise, puis s'apaisèrent quand Mikal exhala doucement.

Llewellyn était bel et bien réveillé.

Dans un cube de pierre inconfortable et glacial. La paillasse reléguée dans un coin de la petite pièce, aux murs parcourus de caractères magiques dorés, ne pouvait lui être d'aucune utilité car il occupait une cage éthérique au beau milieu de la geôle. Emma cligna des yeux. *Curieux. Très, très curieux. Qui s'est chargé de l'emprisonnement ? Ce sont des sceaux d'une ancienneté extraordinaire.*

Le mage assis au centre exact du Cercle, dont les lignes bleues évoluaient sur les dalles de pierre, était d'une saleté déconcertante. Elle se demanda même s'il ne s'était pas roulé par terre tout habillé, car son smoking semblait non seulement boueux, mais aussi déchiré par endroits – les plus intéressants. La crasse qui lui barbouillait le visage rendait de prime abord ses traits indistincts, flous, comme s'ils avaient été tracés à l'encre sur du papier humide, mais peut-être Emma aurait-elle dû en accuser sa propre vision, brouillée par la fatigue.

Le bras de Mikal se contracta. *Où sont passés ses Boucliers ?* Il se posait la question, bien sûr.

Elle n'avait vu aucun avantage à l'informer qu'on les avait retrouvés éviscérés. Quand on y pensait, c'était la seule manière de blesser des Boucliers assez gravement pour les empêcher de se battre le temps de les tuer.

— Bonsoir, Llewellyn.

Ma voix reste calme. Parfait.

Parfait, car Llewellyn n'aurait pas grand mal à lui faire perdre la maîtrise d'elle-même.

Il leva une tête couronnée de mèches blondes malsaines, mêlées d'un gris qui l'aurait en principe enragé, animées d'une vie indépendante. Sans les charmes qui lui conféraient d'habitude sa pâleur de parchemin et les améliorations esthétiques de son choix, il était nettement moins impressionnant.

Un spasme tordit ses longs doigts, tandis que le scintillement de la magie les enveloppait. Emma se raidit… comme le Cercle, dont les lignes bleues cabriolèrent pour se rassembler en nœuds compliqués, rayures humides sur le dallage. Là aussi, il y avait un problème.

— Emma.

Le mot résonna à travers les voiles mouvants des interférences magiques. En tout cas, il *avait l'air* sain d'esprit. Terriblement, calmement sain d'esprit. Il n'aurait peut-être rien pu arriver de pire.

Car si Emma Bannon ne doutait pas de sa capacité à maîtriser un mage en proie à la folie, il en allait différemment d'un Llewellyn lucide et moqueur.

Sur le bras de Mikal les doigts de la jeune femme se desserrèrent. Si jamais il se passait quelque chose, le Bouclier devait être prêt à se battre. Le menton relevé, elle examina le Cercle en mettant de côté les curieuses particularités de personnalité visibles dans ses lignes. L'entraînement impitoyable des mages s'appliquait à leur mémoire autant qu'à leurs capacités – voire plus. Elle n'avait encore jamais été confrontée à un travail pareil.

— Je crains que vous ne soyez plutôt mal installé. Comment allez-vous ?

Le rire qui lui répondit s'élevait d'un puits de nuit. Les voiles de magie s'agitèrent pour garder le contrôle du prisonnier. La volonté de Llewellyn, si torse et abîmée soit-elle, luttait évidemment contre la prison qu'on lui imposait ; un Prime acceptait difficilement le mors, en admettant qu'il l'accepte jamais. D'où le durcissement de l'atmosphère, vibrante de force éthérique, qui brouillait les traits du captif à la manière d'un paravent.

— Je suis enfermé à Bedlam, dans une cellule. Il me semble évident que je vais *mal*. (Ses yeux caves brillaient derrière ses cheveux emmêlés.) Et je n'ai même pas de quoi changer de linge. Quelle *barbarie* !

Vos proches auraient dû soudoyer quelqu'un pour vous faire apporter le nécessaire. L'épuisement d'Emma redoubla, si pareille chose était possible.

— Il semblerait que vous ayez décidé de me faire perdre mon temps, Lord Sellwyth. Je vais donc me retirer.

Pari dangereux. Si la fierté de Llewellyn se rebellait, il risquait maintenant de rester bouche cousue… ou de déclencher les désagréments qui suscitaient les curieuses réactions des divers symboles magiques en attendant leur heure. Elle connaissait bien le travail de la plupart des mages enfantés par Britannia, mais ce qu'elle observait dans cette pièce était… bizarre.

Il se trouva que, comme elle s'en doutait, Llewellyn redoutait par-dessus tout d'être privé de public.

— Je m'en voudrais de vous faire perdre votre temps, très chère. (Il psalmodiait ces mots en laissant sa tête rouler sur ses épaules. Certaines de ses mèches se frottaient les unes aux autres ou ondulaient contre le tissu de sa veste, avec de petits murmures accompagnés du crépitement de la magie.) D'autant plus que vous me rendez visite accompagnée d'un charmeur de serpents et d'un petit chien.

Heureusement, Clare avait assez de présence d'esprit pour garder son calme. Mikal faillit tressaillir, tendu. Le sourire de Llewellyn s'élargit.

— Combien de temps avant qu'il vous étrangle comme il a étranglé Crawford ? Quant à vous, Emma… La reine et le royaume. Quel *ennui* ! Vous n'aimeriez donc pas avoir un peu de véritable *pouvoir* ?

Ça ne vous ressemble pas de vous montrer aussi direct. La concentration de la jeune femme s'aiguisa.

— Throckmorton, Llewellyn. Votre protégé. Vous étiez chargé de veiller sur lui à la demande de Britannia. Il est mort, vos Boucliers sont morts, et vous… vous êtes là. Qu'a-t-il bien pu arriver ?

Précis, surpris, mais sec – le ton exact d'une enseignante se moquant d'un élève un peu obtus. Il détestait ça, surtout venant d'une femme.

Ses traits se tordirent, un instant de nudité. Les interférences magiques s'intensifièrent, traînées luisantes sur un globe parfait, quoique invisible, tandis qu'il cherchait à briser sa cage.

— Un mentah, murmura-t-il. Ces imbéciles vous ont laissée mettre la main sur un *mentah. Franchement*...

Mettre la main sur... La structure physique de Bedlam tinta, une fois ; la cloche géante frissonna, tandis que l'écho de son chant violent résonnait à travers l'entrelacs des probabilités. Quelque chose heurta Emma de côté, la projetant à terre.

6

Réflexes et caractère

C'était une conversation fort intéressante, grâce à laquelle de multiples niveaux de raisonnement et de déduction s'agençaient sous la surface consciente des facultés de Clare. Il se demanda une seconde *quand* le Prime enfermé dans le Cercle avait cessé d'être l'amant de Mlle Bannon. Enfin… il ne faisait aucun doute qu'ils avaient été très intimes à une époque, les enfants de la magie n'obéissaient pas à la même morale que le commun des mortels, mais la discussion n'en était pas moins passionnante. À en juger par les répliques des deux protagonistes, c'était la jeune femme qui avait mis fin à la liaison, mais elle n'en éprouvait manifestement aucun regret.

Une odeur bizarre s'immisça dans ces réflexions – *du soufre, peut-être ?* –, accompagnée du bruit léger d'une allumette qu'on frotte afin de l'enflammer. Une curieuse ondulation déforma fugitivement l'espace délimité par le Cercle, lui donnant l'air d'un simple écran peint…

Clare se jeta sur Mlle Bannon, qui tomba de tout son long, au moment où une chaleur atroce se plaquait à lui par-derrière. Déjà, il roulait à terre dans un entrelacs confus d'ombres vacillantes, tandis qu'une silhouette noire passait à toute allure, silence meurtrier hérissé de lames étincelantes. Puanteur de la laine humide fumante, gesticulations de Mlle Bannon, qui cherchait à se relever et dont le pendentif brillait soudain dans l'obscurité avec l'intensité d'une étoile d'ambre. Elle cracha quelques syllabes en levant brusquement les mains, blancs oiseaux aux plumes agitées. Un claquement retentit, inopinément suivi d'une odeur de sel mouillé qui envahit les ténèbres.

— Mikal ? souffla-t-elle, haletante, dans le calme soudain.

— Oui.

Un seul petit mot, tellement sinistre que Clare se raidit.

— Le mentah…

— Je m'en tire plutôt bien. (Il acheva de se débarrasser de son manteau, dont la laine dégageait une fumée des plus désagréables.) Eh bien. Voilà qui était *extrêmement* divertissant.

— Bons réflexes. (Le Bouclier se pencha vers lui, la main tendue.) Pour quelqu'un comme vous.

Dans sa bouche, c'est un compliment.

— Et les vôtres ?

La magicienne marmonnait. Des rubans de fumée s'élevaient aussi de sa robe. Son garde du corps lui jeta un coup d'œil.

— Pas assez bons, semble-t-il. Non… (Il attrapa Clare par l'épaule.) Ne l'approchez pas maintenant.

Les lèvres de Mlle Bannon bougeaient toujours. Une seconde, il eut la sensation déstabilisante que la foudre allait s'abattre près de lui – les poils de ses bras et de sa nuque se hérissaient ; ses glandes réagissaient à un courant sous-marin mortel.

Sans doute en effet valait-il mieux ne pas approcher mademoiselle.

— Le bruit a dû attirer l'attention. Les gardes ne vont pas tarder à se montrer. Il va falloir nous expliquer.

Le mur était maintenant percé d'un gros trou fumant, entouré d'un texte à l'écriture curieusement convolutée. Bedlam bénéficiait certes de protections magiques, mais il ne s'agissait manifestement pas là des réactions de ces sortilèges à la présence de la magicienne. Clare avait beau se sentir disposé à admettre son ignorance en la matière, il n'en était pas moins persuadé – enfin, presque – qu'elle l'aurait averti.

Le Bouclier écarta ses derniers doutes d'une simple phrase :

— Un piège intelligent, tendu avec soin. Il faut nous en aller, vous avez raison. (Son visage en lame de couteau se durcit, la bouche entourée de rides.) Mais ma Prima a du caractère. Attendez un instant.

La jeune femme tremblait, à présent, les yeux rivés au trou donnant sur la cellule voisine, les lèvres toujours agitées, sans produire le moindre son. Les mots tracés sur la pierre brillaient d'un terne éclat orangé.

Clare jeta un coup d'œil nerveux à la porte d'acier. Grayson lui avait livré des suppositions inintéressantes, mais pas aussi inutiles que le supposait Mlle Bannon. Il s'en était même trouvé une ou deux d'assez raisonnables, compte tenu de ce que le ministre savait des événements. Quant aux déclarations du mage emprisonné, elles avaient été extrêmement surprenantes.

Cet *incident* était toutefois d'une nature très différente. Et déconcertante.

— Mlle Bannon aurait-elle des ennemis ?

Le profil de Mikal évoquait vaguement une statue classique. Penché en avant sur la pointe des pieds, son long manteau bizarrement immaculé, le Bouclier fixait avec une extrême concentration son employeuse, dont le tremblement s'était communiqué à l'air environnant. On aurait cru la brume de chaleur dégagée par un feu, car l'aura scintillante qui entourait maintenant la jeune femme semblait presque s'être solidifiée sous une caresse invisible.

— C'est une Prima, dit Mikal sans élever la voix, comme si ces simples mots constituaient une explication suffisante. Et elle supporte mal les imbéciles.

— Oui, je m'en suis rendu compte.

Clare piétina son manteau quelques secondes de plus pour être sûr d'en interrompre la combustion, le ramassa, le secoua puis l'enfila. Son chapeau s'était envolé, mais il le dénicha dans les ruines de la paillasse. Le coup d'œil qu'il jeta par le trou du mur ne lui révéla aucun secret, à cause de la lumière diffuse. Une cellule. Un simple disque noir, de son point de vue.

— Mademoiselle ? Mademoiselle Bannon ? Je crois que nous devrions y aller, si cela ne vous dérange pas.

Mikal inspira brusquement, mais lorsque Clare releva les yeux, la magicienne avait recouvré la maîtrise d'elle-même. Elle se tenait l'épaule, comme si elle avait subi une nouvelle blessure, et des étincelles rouges tournoyaient dans ses pupilles dilatées. Elles ne tardèrent cependant pas à s'évanouir.

— Vous avez raison, dit-elle d'une voix curieusement rauque. Merci, monsieur Clare. Allons-nous-en, Mikal.

— Le patient…

Clare n'avait aucune envie d'apprendre de quoi il retournait à Mlle Bannon, mais il fallait que la chose soit dite.

Il ne restait strictement rien de Llewellyn Gwynnfud, à part un lambeau de chair et des éclats d'os charbonneux déformés, toujours emprisonnés dans le cercle de feu bleu et d'épaisses lignes mouvantes.

— Il semble qu'il soit mort…

Sur ces mots, elle inspira brusquement puis parut se tasser. Mikal, sans doute persuadé qu'il n'y avait plus de risque qu'elle réagisse de manière dangereuse, s'approcha pour la prendre par le bras. Elle n'en vacilla que davantage, toute tension enfuie.

— … Et c'est tant mieux. Même si, à mon avis, il n'imaginait pas qu'on le traiterait de cette manière.

On ?

— De quelle manière, exactement ? demanda Clare, pendant que le Bouclier tirait son employeuse jusqu'à la porte et inspectait le couloir du regard.

— En l'utilisant comme appât. (Le ton de la réponse était plus que sinistre.) Ils savent que je les traque, c'est une certitude. Mikal ?

Il la traînait littéralement, à présent.

— On vient. Il faut sortir par où nous sommes entrés. Sans bruit.

Elle chancelait, hélas, telle une ivrogne ; ses cheveux sombres échappaient aux épingles.

— Je… je ne peux pas…

Ses yeux roulèrent dans ses orbites, le blanc énorme, tandis qu'elle s'effondrait pour de bon. Mikal la prit dans ses bras sans marquer la moindre pause en jetant à Clare un regard sévère.

— Elle est épuisée.

— En effet. (Il s'engagea lui aussi dans le corridor. Cris et gémissements ballottaient Bedlam, bateau secoué par la tempête de la folie.) Depuis combien de temps traque-t-elle l'invisible de cette manière ?

— Depuis hier, avant l'aube. Sans dormir et presque sans manger. Après une bonne semaine de travail.

Clare enfonça plus fermement son chapeau sur sa tête.

— Ça ne m'étonne pas. Où allons-nous ?

— À la maison.

Le Bouclier n'en dit pas davantage.

7

Petit déjeuner à Mayefair

L'aube se levait sur Londinium, coup de tonnerre balayant la ville de son retournement de marée. Le moindre Magus, la moindre sorcière, sans parler des charmeurs et des étinceleurs s'arrêtaient le temps de se laisser envahir par le flux. Il remontait la rivière en se répandant dans les rues, avec les premières lueurs du jour qui cherchaient à percer le rideau de suie. Emma se réveilla à demi, se tourna, perdue dans son grand lit, se débattit pour échapper aux voiles du sommeil, mais la marée avait beau remplir ses réserves d'énergie magique, la jeune femme avait épuisé ses autres ressources, et le sommeil la reprit aussitôt.

Lorsque ses yeux s'ouvrirent enfin, la pénombre de sa chambre l'accueillit. Les rideaux de velours bleus fermés avec soin, la pendule en or moulu posée sur le manteau de la cheminée, débitant son monologue tic-taquant, la boule de lumière magique au scintillement flou dont la cage en argent ornait la coiffeuse… L'éclat de la sphère s'intensifia lorsque Emma se redressa en bâillant, appuyée sur les coudes.

Son retour à la conscience fit courir un frémissement à travers la chambre. Elle agita les doigts ; les rideaux s'ouvrirent lentement, pendant que le charme auquel ils obéissaient chantait une unique note grave de satisfaction. La lumière grise huileuse de Londinium se déversa par la fenêtre. La maison résonnait du réveil de sa maîtresse. Des pas s'élevèrent dans le couloir.

— *Bonjour !* chantonna Séverine en ouvrant la porte d'un grand geste. (Un sourire rayonnant fendait son visage poupin, sous son bonnet amidonné d'un blanc aveuglant.) *Chocolat et croissants pour Madame.*

Le tout en français. Les jupes de l'arrivante balayaient la moquette bleu roi. Ses yeux pétillaient de bonne humeur. Son collier de servage reposait contre sa gorge, douce luisance orangée, métal comme poudré, poli avec amour.

Le collier d'un serviteur était toujours très révélateur, et un contrat de servage procurait un certain statut, puisqu'il impliquait des références et des droits, au regard de la loi. La plupart des mages qui dépassaient le rang de Maître Magus pouvaient s'offrir une domesticité tout entière composée de serfs, ce dont ils ne se privaient pas – question de sécurité et de loyauté.

D'autres raisons plus noires guidaient cependant leur choix, mais Emma préférait éviter d'y penser. Du moins le matin. Lorsqu'elle s'étira, ses tiraillements musculaires lui arrachèrent une grimace.

— *Bonjour, Séverine*, répondit-elle à l'arrivante, dans sa langue, avant de repasser à l'anglais. Le bébé de votre belle-fille est-il arrivé ?

— Eh non, pas encore.

Une vapeur parfumée s'élevait du plateau d'argent que les mains grassouillettes tenaient en parfait équilibre. Derrière Séverine se pressaient Catherine et Isobel, les femmes de chambre de Madame, aussi immaculées et joyeuses l'une que l'autre. La cicatrice qui traversait de haut en bas le visage d'Isobel réagissait très bien au nouveau traitement de régénération. Emma hocha la tête quand les deux jeunes filles firent la révérence.

— *Monsieur le Bouclier* est à la salle à manger avec notre hôte, continua Séverine, moitié en français, moitié en anglais. Ils ont pris un petit déjeuner extraordinaire ! La cuisinière va devoir envoyer chercher du jambon.

— Elle est assez compétente pour que je lui abandonne ce genre de décision. (Emma bâilla une fois de plus puis se laissa glisser hors de son lit. Elle avait mal partout, et la saleté lui empesait les cheveux.) Isobel, très chère, faites-moi couler un bain, s'il vous plaît. Catherine, je veux quelque chose de démodé, aujourd'hui. Je ruine mes robes à une vitesse inquiétante.

— Celle en soie verte est fichue, m'dame.

Le pâle visage semé de taches de rousseur se crispa dès que Catherine eut refermé la bouche, tandis que son collier brillait. Elle tressaillait souvent sur ses derniers mots, malgré un servage relativement facile. Du moins Emma s'imaginait-elle qu'il était relativement facile, chez elle. Les subordonnés maltraités se laissaient plus facilement tenter par la traîtrise, malgré les colliers censés garantir la sécurité de leur maître ; elle avait vu assez de serfs pour le savoir.

Catherine s'était présentée à sa porte dépourvue de références, ce qui avait poussé Séverine à protester violemment contre l'embauche d'une femme de chambre sans papiers. Finch l'avait d'ailleurs soutenue.

Mais ni Séverine ni Finch ne régnaient sur le 34 et demi, Brooke Street. Il s'était avéré que la souveraine de ce royaume avait en l'occurrence raison, puisque Catherine faisait preuve d'une fidélité quasi canine et maniait l'aiguille avec une extrême habileté – c'était une couturière redoutablement talentueuse, au point qu'Emma la soupçonnait d'être dotée d'un pouvoir de charmeuse d'aiguilles, trop faible toutefois pour rendre son contrat de servage illégal. Il fallait ajouter à cela qu'il s'agissait aussi d'une travailleuse infatigable.

Si jamais la maîtresse des lieux avait eu tort de la prendre à son service, par ailleurs, elle était parfaitement capable de punir à sa manière la moindre désobéissance.

Séverine s'était approchée de la petite table disposée près de la fenêtre, autour de laquelle elle s'activa jusqu'à ce que tout soit absolument parfait.

— Vous êtes livide, *madame*. Vous travaillez trop. Venez, le *chocolat* est bien chaud. Et les croissants tout frais !

— Un instant, *ma chère*.

Emma s'étira une fois de plus, de tout son corps, pendant que Catherine disparaissait dans la garde-robe et qu'Isobel fredonnait dans la salle de bains, par-dessus un bruit de chute d'eau. La jeune fille chantonnait en permanence. Ce jour-là, il s'agissait d'un air à la mode dans le quartier de Picksdowne – une jeune campagnarde se plaignait du citadin de bonne famille qui la trompait. Malgré la vague inconvenance de cette histoire, Isobel était une fille très bien. Catherine et elle se partageaient en les retaillant les robes dont Emma ne voulait plus – à part lorsqu'elles avaient été brûlées ou trop abîmées. Il leur arrivait même souvent de réaliser pour elle des miracles vestimentaires de dernière minute, quand le besoin s'en faisait sentir.

Être une servante de Britannia du genre d'Emma Bannon vous obligeait parfois à passer sans avertissement ou presque des venelles crasseuses de Whitchapel ou de Seven Dials à un bal de Grosvenor Square.

Deux environnements également dangereux, certes. D'autres servaient l'esprit régnant de la même manière – plus ou moins –, mais Emma préférait les éviter. À son avis, les sociétés secrètes les plus ténébreuses n'existaient que pour être infiltrées. Et puis elle bénéficiait d'une certaine liberté en faisant cavalier seul – si l'on pouvait dire.

Détail moins négligeable, les mages en personne éprouvaient une certaine émotion à l'idée de fréquenter un Prime du beau sexe, spécialiste des arts Noirs qui plus était. Elle avait beau garder plutôt bien le secret sur la nature exacte des arts en question, elle aurait eu du mal à passer pour une Grise, sans parler d'une Blanche. Ne serait-ce que parce qu'elle était beaucoup trop pragmatique.

Et parce que le sang et les hurlements la gênaient beaucoup moins qu'une dame bien élevée.

Elle toucha le globe d'obsidienne posé sur sa table de nuit, noirceur d'encre traversée de symboles fluides en argent repoussé. La surface de la sphère se rida, frémit telle celle d'un liquide, mais Emma la caressa, apaisante. Une nouvelle vibration parcourut la demeure. Ses protections éthériques étaient comme neuves, car la volonté et la force d'une Prima couraient dans les canaux matériels auxquels les attachaient des nœuds invisibles complexes, réalisés avec autant d'efficacité que de rapidité. Les choses étaient telles qu'elles devaient être.

Un petit sourire mélancolique monta aux lèvres d'Emma quand ses yeux s'arrêtèrent sur les romans entassés autour du globe, tous plus licencieux et sensationnels les uns que les autres. *Une fois cette histoire terminée, je passerai une semaine à lire au lit.*

Elle se faisait la même promesse depuis des mois, mais les crises s'enchaînaient sans répit. Le prince consort manquait d'expérience, et la reine avait beau servir d'incarnation à Britannia, elle était très jeune – bref, les intrigues se multipliaient. L'impératrice d'hier n'avait relâché que depuis peu son emprise sur celle d'aujourd'hui, mais son influence s'évanouissait déjà : il s'avérait finalement que la fille n'avait aucune envie de se soumettre à sa Très Chère Mère (comme on l'appelait avec un irrespect qui n'avait d'égal que la discrétion associée).

Sans les rares fidèles qui préféraient se mettre au service de Victrix plutôt que de sa génitrice… ma foi, qui savait ? Britannia continuerait à régner, évidemment, même lorsque son incarnation actuelle aurait succombé à la décrépitude et lorsque la longue vie d'Emma se serait achevée depuis longtemps.

Elle n'en avait pas pour autant le droit d'oublier son devoir.

La reine et le royaume. Quel ennui ! Vous n'aimeriez donc pas avoir un peu de véritable pouvoir ? Quant aux adieux de Llewellyn… Oui, elle avait en effet mis la main sur un mentah.

Lequel aurait sans doute des idées. Elle en avait quelques-unes, elle aussi, notamment sur l'endroit où reprendre le démêlage de cet embrouillamini. En attendant, elle enfila son peignoir, s'installa à sa petite table et laissa Séverine lui tourner autour en gloussant pendant qu'elle buvait son *chocolat* du matin. Il ne lui fallut pas longtemps pour en terminer avec son petit déjeuner, choisir sa tenue de la journée, prendre son bain – sans pouvoir savourer, et de loin, le luxe de l'eau chaude autant qu'elle en avait envie – puis passer dans sa garde-robe. Elle s'y laissa corseter, mais pas comprimer, et enfouir dans une robe de velours brun à col montant presque terne, les cheveux joliment relevés en chignon par les doigts agiles d'Isobel, qui les avait aussi séchés. Une touche de parfum derrière les oreilles, les boîtes à bijoux pillées, mais refermées sitôt ouvertes. Déjà, Catherine se repliait dans la salle de bains pendant qu'Isobel prenait possession de la chambre : elles allaient faire un peu de rangement avant que les autres domestiques ne passent au nettoyage.

Revigorée, l'esprit plus ou moins en ordre, Emma s'examina dans le grand miroir qui dominait sa coiffeuse blanche. Ses sourcils se froncèrent légèrement. Un peu démodée, oui. Mais au moins, si cette robe-là terminait *aussi* en loques, ce ne serait pas trop grave.

— Séverine, dites à Catherine que je compte sur elle pour informer Finch des vêtements que j'ai endommagés cette semaine et pour lui demander de préparer la facture correspondante. Il faudra faire de même avec ceux que je vais sans aucun doute réduire en charpie dans un avenir proche.

— *Bien, madame.* (Postée près de la porte, Séverine claqua de ses mains potelées.) La cuisinière va s'interroger sur le menu…

— Je vous laisse en décider pour la semaine à venir, elle et vous. Dites aussi à Finch que je ne reçois pas en ce moment.

— *Bien, madame.*

Séverine avait pâli. Endosser la responsabilité du menu avec la cuisinière, soit. La gouvernante n'en était pas moins terrifiée à l'idée de commettre un faux pas et pétrifiée de peur pour sa maîtresse.

Son précédent servage s'était mal passé, mais Emma avait découvert qu'il valait mieux ne pas trop chercher à la rassurer, car ce genre d'attentions la rendaient encore plus nerveuse. La fermeté – voire la brusquerie –, alliée cependant à une certaine douceur, donnait de meilleurs résultats, comme avec un cheval inAltéré un peu rétif.

— Ah, oui, demandez aussi à Finch de se procurer du linge pour notre invité et de lui choisir un serviteur correct dans les rangs des valets de pied. M. Clare risque de passer un certain temps parmi nous, je pense.

La longue salle ensoleillée baignait dans la lumière diffuse des boules de magie, aux cages d'aluminium filigrané. Le parquet d'un brun chaud disparaissait par endroits sous des nattes grossières, censées amortir les chutes de Mikal durant son entraînement quotidien – même si l'idée qu'il puisse tomber était évidemment ridicule. En fait, les nattes matérialisaient purement et simplement un geste.

À moins qu'elles ne soient destinées aux rares occasions où le Bouclier disposait d'un invité capable de lui servir d'adversaire. Comme ce jour-là.

Quoique… *Capable* était peut-être un terme excessivement généreux. Mikal se déplaçait en effet sans aucune hâte, mais en déviant toute la pluie de coups qui s'abattait sur lui. Clare avait beau s'exercer régulièrement à la lutte, un habitué des cours du Collegia réservés aux candidats Boucliers ne pouvait que le juger lent et disgracieux. Ça ne l'empêchait pas de se battre, torse nu et suant – il était d'ailleurs étonnamment musclé. Les bras croisés, Emma regarda Mikal reculer, pivoter d'un mouvement précis puis tirer le mentah par le bras pour lui faire perdre l'équilibre. Un unique coup, et Clare se plia en deux, les poumons vidés. Le curieux petit sourire qui jouait sur les lèvres de Mikal prouvait que cet entraînement lui plaisait.

Brusquement consciente de sa posture – indigne d'une dame –, Emma joignit devant elle ses mains gantées, à nouveau ornées de la sardonyx, dont il émanait une sorte de picotement. Elle avait aussi gardé le prie-Dieu en ambre, qui avait retrouvé son éclat, une fois rechargé par le retournement de marée. De longues boucles de jais pendaient à ses oreilles, et le camée piqué sur son corsage recelait une énergie considérable. À cela s'ajoutaient deux autres bagues – un rubis et un gros anneau d'or mat. Elle était aussi parfaitement parée qu'elle pouvait l'être.

Ça ne va pas lui plaire, se dit-elle en attendant patiemment. Le sourire de Mikal s'élargit un peu pendant que Clare se relevait de la natte.

— Rien ne vous oblige à prendre l'air aussi *enchanté*, monsieur, haleta-t-il.

— Toutes mes excuses. (Le sourire s'élargit encore.) Une autre passe ? Vous êtes très agile, vous savez.

Le mentah écarta le compliment d'un geste de la main.

— Non, je crains d'être à bout de souffle. Et puis Mlle Bannon nous a fait la grâce de nous rejoindre.

Tiens, tiens. Vous aviez donc remarqué mon absence ?

— Messieurs. (Elle accueillit d'un hochement de tête la révérence traditionnelle de Mikal et celle, un peu moins compassée, de son invité.) Vous avez bien dormi, monsieur Clare ?

Il rougit jusqu'à la racine de ses cheveux sable.

— Très bien, merci. Et vous, mademoiselle Bannon ?

— Pas mal, merci. Je vais m'absenter pour la journée, en quête des indices oubliés par nos conspirateurs. Cette maison est en ce qui vous concerne l'endroit le plus sûr de Londinium. Grâce à la protection de Mikal…

— Prima.

Un seul mot, mais le visage au teint cuivré évoquait un nuage d'orage.

— Arrêtez de me couper la parole, Bouclier. (La riposte constituait aussi un avertissement.) Votre devoir est de protéger M. Clare, car les mentahs sont apparemment au cœur des événements qui nous occupent. Voilà pourquoi notre hôte doit être le plus en sécurité possible, pendant que je travaille à l'extérieur. Avec un peu de chance, je serai de retour à temps pour le dîner… Nous dînons relativement tôt, monsieur Clare, j'espère que cela ne vous dérange pas ?

— Mon estomac est d'accord sur le principe. (Le long visage luisant de sueur avait pourtant repris une expression mélancolique, pendant que son propriétaire enfilait une chemise usée jusqu'à la corde, dont il marquait le pli du col avec précision.) Seulement voyez-vous, mademoiselle Bannon, je ne suis pas persuadé du tout d'avoir été la seule cible des agressions dont nous avons été victimes jusqu'ici. La nuit dernière…

Ce n'est pas l'unique raison pour laquelle je veux vous cantonner chez moi, figurez-vous.

— Les traîtres savent maintenant que je suis à leurs trousses, affirma-t-elle. Ma calèche va circuler en ville pour leur donner le change, pendant que je vaquerai discrètement à mes occupations, sans que personne me remarque. (Elle décrispa les doigts, difficilement, indifférente à la tension qui enveloppait Mikal d'une aura au bleu-brun de meurtrissure, révélée par la Vision.) Je peux vous assurer que je suis parfaitement capable d'accomplir la tâche qui m'a été confiée par Sa Majesté, à savoir vous protéger tout en remontant à la source de ces désagréments. (Un effort lui permit de décontracter ses épaules douloureuses.) J'ai chargé ma domesticité de vous procurer du linge de rechange – le vôtre est arrivé de Whitehall et a été lavé. Elle doit aussi vous trouver un valet, car vous risquez de rester mon hôte un certain temps. Auriez-vous la bonté de prêter l'oreille aux suggestions de M. Finch en la matière, après vous être rafraîchi ?

— J'en serais ravi.

À en juger par son expression, Clare était tout sauf ravi, mais comme il n'aimait pas perdre son temps, il se contenta de serrer la main de Mikal avant de sortir. Sans doute se disait-il qu'Emma manquait de féminité.

Il peut bien penser ce qu'il veut. Peu m'importe son opinion ; c'est son existence que je dois préserver. Elle soutint le regard du Bouclier pendant que la porte se refermait avec un cliquetis péremptoire. Les joues mates s'empourpraient de vilaine manière sous la peau cuivrée. Mikal ne rougissait pas de cette façon quand il se battait.

— Vous allez veiller sur le mentah.

Elle s'était exprimée d'un ton neutre, très calme, qui n'en fit pas moins pâlir la lumière du soleil dispensée par les hautes fenêtres et frémir les boules de magie. L'une d'elles cracha même quelques étincelles bleues.

— Ma Prima.

Il serra les dents. Un frisson imperceptible le traversa tandis que la volonté d'Emma se concentrait ; le lien qui les unissait était douloureusement tendu.

Ma Prima. Comme dans Mon devoir est de veiller sur vous.

— Il est plus en danger que moi. Et j'ai mes raisons.

Le petit geste nerveux de Mikal fit presque croire à Emma qu'il allait *discuter*.

Ç'aurait été inadmissible.

— Bien.

Elle effleura ses jupes de la paume ; son réticule frôla le velours brun. Le bonnet dont elle s'était affublée avait dépassé le stade du démodé, mais au moins, elle ne le regretterait pas si jamais elle le perdait ou s'il terminait la journée en charpie. Et puis il n'entravait pas sa vision périphérique.

— À ce soir, au dîner.

Elle en serait restée là, sans l'obstination de son interlocuteur.

— Emma. (Les deux syllabes brèves de son nom avaient peiné à franchir une gorge serrée.) Je vous en prie.

La magie flamba en elle. Il eut beau lutter, c'était une Prima, dont la volonté le contraignit à se plier en deux. Lorsqu'il se retrouva dans la position d'abandon du Bouclier, à genoux, les bras ballants, la tête basse, tous les muscles noués, elle laissa échapper entre ses dents un léger souffle.

— Je suis une *Prima*. (Les mots lui écorchèrent la bouche comme une bile amère.) Je vous laisse de grandes libertés, Mikal, mais je ne tolérerai aucune désobéissance. Vous allez veiller sur le mentah.

Le risque de me faire étrangler, moi aussi, ne suffira pas à me faire accepter un ordre d'un Bouclier. Loin, très loin de là.

L'envie de se battre le déserta. Il se tassa dans la prison que lui imposait la volonté d'Emma.

— Oui, murmura-t-il.

— Oui… ?

— Oui, ma Prima.

Elle s'étonnait vraiment qu'il ne la déteste pas… même si, bien sûr, il en arriverait peut-être là. Toutefois, le simple fait qu'il veuille continuer à vivre faisait d'eux des alliés, et dans une alliance pareille, la haine n'avait guère d'importance.

C'est en tout cas ce que je me dis. Tant qu'il n'a pas trouvé de meilleur contrat. À ce moment-là... qui sait ?

— Bien.

Elle pivota dans un froufroutement de velours pour se diriger vers la porte.

— Emma. (La voix mâle s'était adoucie. La jeune femme ne ralentit pas.) Soyez prudente. (Il s'exprimait maintenant un peu plus fort que nécessaire. Ses quelques mots propageaient dans la clarté un léger frémissement qui faisait tourbillonner la poussière.) Je ne veux pas vous perdre.

Une crise de dégoût la mordit à la gorge. Le dégoût d'elle-même. Rien que de très familier.

— Je n'ai aucune intention de courir à ma perte, Mikal. Merci.

Je n'aurais pas dû faire une chose pareille. Pardonnez-moi. Les mots tremblaient sur ses lèvres, mais elle les ravala en abandonnant sans se retourner le Bouclier dans la salle inondée de soleil.

8

Vous ferez l'affaire, monsieur

Quelle curieuse demeure. Une adresse des plus convenables – Mayefair était un quartier *extrêmement* respectable de Londinium, et Mlle Bannon ne manquait manifestement pas d'argent. La plupart des mages avaient d'ailleurs le sens des affaires, même s'ils affectaient le plus grand mépris pour les questions financières. Le commerce restait une activité honteuse, entachée d'une souillure qui éclipsait parfois jusqu'au stigmate de la magie.

La maison paraissait beaucoup plus vaste de l'intérieur que de l'extérieur, illogisme qui déplaisait fort à Clare et le mettait vaguement mal à l'aise. Il n'échappa à cette pénible impression qu'en rangeant la notion associée dans le tiroir mental réservé aux problèmes complexes, dignes d'un éventuel examen postérieur approfondi.

Le cadavérique M. Finch l'avait pris en charge. C'était un grand échalas aux vêtements noirs râpés dont le bas du visage et, surtout, les jambes arquées présentaient des signes de malnutrition enfantine, mais au collier de servage poli avec amour. Il avait entraîné Clare jusqu'à une suite où étaient disséminés de lourds meubles sombres et où planaient des relents de poussière brûlée, signes qu'on venait d'y appliquer des charmes de nettoyage. Cuirs, boiseries et tapisserie bordeaux assombrissaient les lieux, mais le lit venait d'être garni de linge amidonné et le feu crépitait gaiement dans l'âtre. En regagnant ses appartements, Clare constata avec plaisir que quelqu'un avait profité de son entraînement matinal pour poser sur l'énorme bureau une pile de journaux et de périodiques tirée au cordeau. On y avait ajouté tout le papier dont il pouvait avoir besoin, la série complète de l'*Encyclopaedie Britannicus* en cinquante-huit volumes, deux dictionnaires et une sélection d'ouvrages de référence consacrés à la chimie.

Mlle Bannon avait vraisemblablement donné ses ordres. Voilà qui suffirait à occuper quelque temps les facultés d'un mentah.

Les serviteurs avaient leur fierté, mais ne ménageaient pas leur peine. Malgré le collier de servage poli qu'ils arboraient tous, ils formaient un groupe très disparate. M. Finch, par exemple, avait beau s'exprimer dans une sorte de sifflement hautain, l'oreille exercée de Clare y détectait le fantôme d'une jeunesse passée à brailler l'argot de Whitchapel à l'accent grossier. D'ailleurs, si les muscles du vieux valet avaient fondu, certains de ses tics n'en donnaient pas moins l'impression qu'il avait parfois pratiqué dans les venelles obscures la danse disgracieuse du poignard.

Il ne fallait pas non plus oublier les deux femmes de chambre qui s'étaient précipitées dans les appartements du mentah quelques secondes après son réveil pour y remettre de l'ordre – il venait pourtant juste de sonner. Une maigre aux longues boucles couleur châtain rassemblées en un chignon serré, tout en coudes et en angles dans sa robe noire de laine grattée, et une petite boulotte au teint pâle d'Irlandaise. Restait l'intendante, une Française dodue aux yeux rieurs et à l'atroce accent picard qui avait entraîné Clare vers la salle bleu et crème du petit déjeuner en l'entourant de *Tss, tss* et de vaine agitation.

Les deux femmes de chambre sursautaient parfois quand on s'y attendait le moins, tandis que l'intendante rangeait de manière compulsive tout ce qui lui tombait sous la main. Ses doigts agiles semblaient condamnés à une activité perpétuelle. Aucune des trois n'avait pourtant l'air particulièrement *inquiète*. L'odorat sensible de leur observateur ne détectait pas autour d'elles l'âcreté de la peur. La cuisine s'était évidemment révélée excellente, mais Mlle Bannon n'avait fait son apparition qu'une fois la matinée fort avancée.

Et quelle apparition !

Le dénommé Mikal restait une énigme. Installé dans un fauteuil, près de la cheminée, Clare alluma sa pipe puis se mit à fumer, pensif. Il se préparait à concentrer toute son attention sur le problème du Bouclier, quand on frappa à sa porte.

Perdre le plaisir qu'il s'était promis suffit à l'irriter brièvement.

— Entrez !

Le Bouclier apparut, ses yeux ambrés étincelants, le corps tout entier contracté.

— Je ne voudrais pas vous déranger… commença-t-il.

Mais Clare, ravi, lui faisait déjà signe d'entrer.

— Venez, venez ! Vous ferez l'affaire une demi-heure, minimum. Mlle Bannon est sortie ?

— Je l'ai accompagnée jusqu'à la porte.

Mikal serra les dents, ce dont Clare déduisit que la tournure des événements ne lui plaisait absolument pas. Si les souvenirs du visiteur étaient bons, un mage – surtout un puissant Prime – ne mettait que très rarement le nez dehors sans un ou deux Boucliers, voire davantage.

Certes, il n'en savait pas plus sur les mages que le commun des mortels, car il préférait éviter de s'appesantir sur les exploits illogiques dont étaient capables ces gens-là. Mais, d'un autre côté, une étude superficielle de ce genre de choses l'aurait suffisamment armé pour lui permettre des déductions utiles quant à la personnalité de Mlle Bannon.

Voyons si le fond de l'air est frais...

— Je suis sûr que vous savez pourquoi elle nous condamne à rester enfermés ici, en réalité…

Il aspira une bouffée de fumée, la fit pensivement rouler sur sa langue et retint le sourire que les sensations associées allaient lui faire monter aux lèvres. Les mentahs n'éprouvaient pas les mêmes sensations que le reste de l'humanité : la logique les attirait, car elle était pour eux synonyme de plaisir, mais ils fuyaient l'irrationnel ou l'illogique, qui les faisaient souffrir. Quant aux émotions, ils s'attachaient à les apaiser, les contrôler, les définir puis les classer sur les étagères de la déduction.

Clare estimait en son for intérieur que la plupart de ses collègues n'y échappaient pas réellement. Ils se contentaient de leur dénier leur vraie place, car il était plus facile de voir la poutre dans l'œil du voisin que la paille dans le sien propre. De toute manière, ce n'était qu'une des variables à surveiller, dont il fallait se garder et devant lesquelles s'émerveiller, pour leur infinie variété.

— Elle veut vous protéger.

Le Bouclier s'installa dans le fauteuil disposé de l'autre côté de la cheminée, le dos très droit, les mains sur les genoux. Sa longue veste grise, boutonnée jusqu'au cou, ne dissimulait en rien sa musculature. Derrière les carreaux,

Londinium poursuivait ses activités matinales sous un ciel bleu printanier, couvert d'une lentille transparente charbonneuse : des cylindres de fumée et de vapeur s'élevaient de la ville. La nuance cuivrée de la Themis annonçait un après-midi nuageux et une soirée brumeuse.

— Après tout, la reine vous a confié à sa garde, par l'intermédiaire de Lord Grayson.

— Touchante inquiétude, murmura Clare en tirant sur sa pipe, les yeux mi-clos, ce qui accentua encore son air mélancolique. Dites-moi, monsieur Mikal…

— Mikal suffira.

Le menton légèrement pointé.

Ah ! Vous avez votre fierté, à ce que je vois.

— Dites-moi, monsieur Mikal Suffira, combien de Boucliers emploie en principe un magicien aussi puissant que Mlle Bannon… je veux dire, un Prime ?

Silence. Mikal réfléchissait. Ses cheveux courts étaient aussi ébouriffés que s'il venait d'y passer les mains. Lorsqu'il finit par répondre, il avait manifestement décidé que livrer une information pareille ne pouvait faire aucun mal.

— Une demi-douzaine, minimum, mais ma Prima a ses opinions et agit à sa guise. Elle avait quatre Boucliers, il y a quelque temps, et… Bon. C'est un métier dangereux.

— Quatre. Avant vous ?

— Oui.

Le visage bronzé se ferma de manière flagrante. Clare en entendit presque le claquement. *Très intéressant.*

— Et elle enquête sur cette conspiration depuis…

— Trois jours, monsieur. Depuis qu'on lui a demandé d'examiner *in situ* le corps d'un mentah…

— Je suppose qu'il s'agissait de Tomlinson. Le premier mort.

— Le premier qu'on lui ait demandé d'examiner.

Les yeux ambrés étincelaient. Leur teinte semblait plus prononcée, maintenant que le Bouclier se concentrait sur son interlocuteur.

Parfait. Vous n'êtes pas idiot, et vous ne tenez pas grand-chose pour acquis.

— Votre employeuse pense qu'il y en a eu d'autres.

— Elle n'a pas jugé bon de m'informer de ce qu'elle pense.

Quel jeu agréable.

— Nous n'arriverons à rien si vous vous obstinez à faire de l'obstruction.

— Ou si vous vous obstinez à me harceler.

Une hypothèse extravagante se présenta soudain à Clare. Il resta un instant muet, à tirer sur sa pipe. Roues et sabots grondaient au-dehors dans les artères de la cité – la chanson omniprésente, quoique assourdie, de Londinium.

— Vous ne me faites pas confiance. (Un haussement d'épaules répondit à cette affirmation.) À votre avis… ou à celui de Mlle Bannon… il se peut que cette conspiration concerne un ou plusieurs mentahs, non en tant que victimes, mais en tant que comploteurs.

Nouveau haussement d'épaules.

Eh bien, vous êtes encore moins idiot que je ne le supposais au départ.

— Compte tenu du fait qu'on a cherché à m'assassiner dans les dernières vingt-quatre heures, nous pourrions peut-être partir du principe que je ne suis pas un traître… Jusqu'à nouvel ordre, bien sûr.

Hochement de tête peu convaincu.

Ma foi, nous avons fait la moitié du chemin.

— Merci beaucoup. Bien. Commençons par le commencement. Dites-moi ce qui s'est passé depuis l'instant où notre chère magicienne est entrée en scène, après avoir été arrachée à ses occupations habituelles… lesquelles l'obligeaient sans aucun doute à travailler jusqu'à l'épuisement.

Mikal fixa son hôte un long moment. Les pensées se bousculaient visiblement derrière ses yeux de chat. Ses traits se durcirent.

— Ma Prima a été appelée à une adresse d'Elnor Cross. À son arrivée, elle y a trouvé le corps d'un mentah et des traces de magie qui s'évanouissaient rapidement. Le mage légiste les avait brouillées, elle en a conçu de l'humeur…

— Non non non.

Clare agita sa pipe. La fumée suave qui s'en échappait adopta des formes anguleuses, comme si la tension dégagée par le Bouclier l'influençait. Il n'avait vraiment pas le teint assez sombre pour un Bohémien. Un Indien, sans doute, mais aux pommettes… étonnantes.

— D'abord la maison. Où se trouve-t-elle *exactement* ? Donnez-moi l'adresse, le nombre de pièces, puis décrivez-moi celle où se trouvait le corps. Ensuite, le nom du mage légiste. *Après* seulement, vous me raconterez l'arrivée de Mlle Bannon et ce qui a suivi.

Mikal cligna des yeux.

— C'est un Souvenir que vous voulez, alors ?

Mais que c'est donc intéressant.

— Un Souvenir ?

— Il arrive qu'un mage ait besoin de se servir des yeux d'un Bouclier. Il peut procéder de deux manières bien distinctes, le Gant ou le Souvenir. Nous sommes entraînés à observer puis à transmettre le fruit de nos observations, ni plus ni moins. C'est le Souvenir.

Ces explications décidèrent Clare à attendre l'instant propice pour poser la question fascinante qui lui venait à l'esprit – en quoi consistait donc un Gant ?

— Très bien. Puis-je vous interroger durant le procédé, ou vaut-il mieux éviter de vous interrompre ?

Petit hochement de tête économique.

— Faites-le plus tard. Vous ne savez pas interroger correctement.

Je doute que vous ayez grand-chose à m'apprendre là-dessus, monsieur.

Clare tira une fois de plus sur sa pipe. Très bon tabac. Il se demanda une seconde s'il n'allait pas prendre un peu de coja pour aiguiser ses facultés, mais y renonça aussitôt : Mikal risquait de revenir sur sa proposition, si l'occasion s'en présentait.

— Très bien. Allez-y dès que vous êtes prêt. Je vous assure que je serai des plus attentif.

Tomlinson était avachi dans un gros fauteuil, tiré à quatre épingles, en veste d'intérieur. Pas le moindre détail louche aux alentours. Ça ressemblait fort à une banale apoplexie, chose rare – mais possible – pour un mentah, quand les configurations logiques de son cerveau se déformaient, se liquéfiaient, mijotaient dans l'irrationalité. Tomlinson travaillait pourtant sur plusieurs affaires qui auraient dû occuper suffisamment ses facultés.

Le Maître Magus chargé des constatations, un certain Hugh Devon, fut visiblement surpris de voir apparaître Mlle Emma Bannon, représentante de la Couronne. Il le fut plus encore lorsqu'elle s'en prit à lui, au motif qu'il avait brouillé les traces éthériques délicates dont grondait et résonnait encore la pièce :

— À cause de votre agitation imbécile, il n'est plus possible de s'assurer que cette mort n'a rien de suspect !

À cet instant, Devon frôla lui-même l'apoplexie, bredouilla quelques mots, et l'un de ses Boucliers – un grand blond très mince – s'approcha. Mikal ne bougea pas. Mlle Bannon arqua un sourcil élégant.

— Sortez !

Un mot, un seul, qui refroidit tout net la rage brûlante du mage et glaça l'atmosphère du salon douillet.

Devon quitta les lieux, encadré de ses deux Boucliers. Mikal regarda alors sa Prima s'approcher de la bibliothèque, d'où elle tira trois dossiers qui rappelaient ceux des avocats et des conseillers juridiques. Elle les ouvrit sans quitter de l'œil le corps massif de Tomlinson puis posa soudain sur son propre Bouclier un regard scrutateur.

— Il n'a pas ses chaussons. (Elle avait raison : les pieds ballants du mentah étaient juste enveloppés de chaussettes en laine usées.) Et pas question d'interroger son ombre, cet imbécile de Devon a brouillé les pistes au point que je n'y peux plus rien. Venez, Mikal. Il faut examiner les lieux puis aller voir le ministre. Il se passe quelque chose d'anormal.

Masters l'Ancien, abattu d'un coup de feu dans Picksadowne Street, entre les numéro 14 et 15 et demi. Aucun témoin digne de ce nom. Des passants, bien sûr, mais personne qui puisse faire sous serment la description du tireur. Ce qui n'avait rien d'étonnant, dans un quartier pareil. On pouvait en revanche s'étonner que Masters s'y soit trouvé et ait écopé de trois balles – une en plein cœur, deux qui lui avaient détruit le crâne. D'où l'impossibilité d'interroger son ombre, là encore – Mlle Bannon l'avait d'ailleurs signalé à son Bouclier.

Très intéressant.

Quant à Smythe, il avait été poignardé près de Nightmarket, juste avant le retournement de marée. Des passants, mais pas de témoins, là non plus. À l'arrivée de Mlle Bannon, le corps avait été complètement dépouillé… et les traces éthériques brouillées. Peut-être par les coupe-bourse, d'ailleurs, car les charognards prêts à risquer de se faire arrêter pour avoir détroussé un cadavre n'étaient pas légion.

Le magicien chargé de veiller sur Smythe, un certain M. Newberry, s'était évaporé. Mlle Bannon avait ordonné à Mikal de monter la garde près du défunt mentah avant de disparaître dans la venelle voisine, d'où elle était ressortie d'une pâleur effrayante. Elle n'avait pas donné à son compagnon la permission de s'y aventurer en personne, mais à l'arrivée des renforts, on en avait sorti des corps.

Il n'aurait pas juré qu'il s'agissait des Boucliers, bien sûr…

La maison de Throckmorton brûlait encore quand ils s'y étaient rendus. La Prima avait trouvé l'incendie étonnamment difficile à éteindre, car la magie qui alimentait les flammes dansantes luttait contre sa volonté. Une salamandre cramoisie, à la langue fourchue chauffée à blanc, s'était jetée sur elle. Mikal avait tué la bête, dont les cendres, traitées au vitae, *avaient brillé d'un éclat bleuté – preuve qu'elle était sous contrôle. Il s'agissait donc bien d'un incendie d'origine magique… ce qui jetait une lumière inquiétante sur l'ensemble des événements. Le corps tors et charbonneux de Throckmorton était aussi réduit en lambeaux. Soit la salamandre s'était nourrie de ses restes, soit on l'avait torturé avant de le tuer.*

Les deux, peut-être. Le crâne brisé par la chaleur et le cerveau trop cuit rendaient l'interrogatoire du mort impossible, ce qui n'avait pas amélioré l'humeur de Mlle Bannon.

Llewellyn Gwynnfud, le Prime chargé de veiller sur l'infortuné Throckmorton, avait été retrouvé alors qu'il causait un esclandre dans un bordel de Whitchapel, où il baragouinait des insanités – sans Bouclier. Un contingent de hiérunicistes nerveux l'avait emmené à Bedlam, avant qu'on ne découvre les premiers corps de mentahs non enregistrés, horriblement mutilés. La perplexité de Mlle Bannon s'était aussitôt muée en franche envie d'en découdre.

Elle prenait maintenant les choses très à cœur.

— Passionnant. (Clare ralluma sa pipe.) Mlle Bannon a-t-elle aussi fouillé la maison de Throckmorton ?

— De la cave au grenier. Le peu qu'il en restait.

Non enregistrés et mutilés. Désagréable. Sa peau se glaça une seconde, mais il écarta cette pensée. Il lui fallait des réponses à d'autres questions.

— Dites-moi… excusez-moi de vous demander une chose pareille, mais quelle est la Discipline de Mlle Bannon ? Tous les magiciens en ont une, me semble-t-il ?

— En effet, acquiesça Mikal.

Il se tenait toujours aussi droit, mais son visage s'était légèrement radouci.

— Et Mlle Bannon est… ?

La bouche du Bouclier se réduisit à une fine ligne droite.

N'insultez pas mon intelligence…

— Allons, franchement. Il faudrait être stupide pour ne pas avoir deviné qu'elle pratique les arts Noirs. Jamais un mage ne parlerait aussi cavalièrement d'interroger des ombres si sa Discipline n'avait rien de Noir.

La supposition de Clare n'était pas aussi extravagante qu'on pouvait le croire. Les mages avaient beau manquer de sociabilité, Mlle Bannon semblait très réservée, y compris pour quelqu'un de sa nature. Elle se conduisait en femme habituée à inspirer la peur, Cedric Grayson blêmissait et transpirait à son approche… Malgré l'égalité de façade des trois branches de la magie, la Grise faisait beaucoup parler d'elle, et encore n'était-ce rien comparée à la Noire. Il ne s'agissait évidemment que de rumeurs, mais on pouvait fonder sur des rumeurs un *minimum* de déduction.

Petit hochement de tête mécontent du Bouclier.

Clare retint un soupir.

— Je ne fais pas partie de la multitude ignorante, monsieur Mikal. L'incarnation de Britannia a besoin de ceux que le vulgaire considère comme dangereux, c'est parfaitement logique. Il se peut donc que Mlle Bannon soit dangereuse, mais ce n'est pas une ogresse, et elle n'est pas dangereuse pour *moi*. Je ne vous interroge sur sa Discipline que dans l'espoir de clarifier un ou deux détails et de fonder mes déductions sur des bases solides…

— Elle travaille le Noir. (Mikal se leva brusquement.) Voilà. Vous savez, maintenant. Soyez prudent. *C'est ma Prima.* Si jamais vous lui faites courir le moindre danger, je m'arrangerai pour que vous le regrettiez.

Lui faire courir un danger ? Clare abaissa sa pipe.

— Qui était Crawford ?

Un nom banal, mais qui titillait sa mémoire. Un scandale récent, peut-être ?

Mikal devint livide, cendres sous le cuivre. Ses yeux étincelèrent, d'un jaune venimeux. Une de ses mains tressaillit, mouvement subtil.

Clare se raidit. Il n'était pas de taille contre son visiteur, mais la magicienne avait donné l'ordre de veiller à sa sécurité.

Du moins le pensait-il. Certaines horreurs ne laissaient pas de trace, il ne fallait pas l'oublier.

— Crawford. (Un léger accent teintait le nom.) C'est la première personne que j'ai tuée pour elle. (La langue de Mikal humidifia ses lèvres fines.) Il y en a eu… il y en aura… bien d'autres.

Sur ces mots, le Bouclier traversa la pièce, ouvrit la porte d'un geste brusque et sortit. Il allait monter la garde dans le couloir. Sans doute était-ce préférable s'il voulait garder son calme.

Ce Crawford est donc mort. Voilà qui mérite réflexion. Clare tira sur sa pipe. Un léger sourire lui monta aux lèvres. Il avait récolté un très bon enchaînement de déductions, bien plus d'informations qu'il n'en avait eu jusque-là et des éclaircissements sur Mikal le Bouclier.

Quelle matinée extraordinairement divertissante !

9
L'avorteur

Le retournement de marée avait posé un voile vaporeux sur la piste de la protection éthérique dont bénéficiait l'assassin qui s'était enfui, la nuit précédente. Emma claqua des mains, la tête basse, concentrée sur les fils invisibles chantants qu'elle manipulait avec la plus grande délicatesse. Une opération aussi complexe apportait un certain plaisir, celui de l'adresse et de la vivacité.

L'empreinte d'une œuvre magique sur l'étoffe du monde visible était aussi fragile que les écailles poudrant les ailes des papillons. La mémoire de la jeune femme en engloutit le motif tout entier, qu'elle compara avec l'épais enchevêtrement éthérique dont Llewellyn Gwynnfud avait été enveloppé à Bedlam.

Aucun rapport. Ma foi, il n'était pas étonnant que plusieurs mages soient concernés.

L'événement le plus marquant de la nuit précédente ne l'en tracassait pas moins. Elle aurait dû deviner que les irrégularités des symboles produiraient des effets aussi vigoureux et, peut-être, prendre les mesures nécessaires pour protéger la vie de Llewellyn afin de continuer l'interrogatoire plus tard.

Mais tu ne l'as pas fait, Emma. La pensée de sa mort ne te dérangeait peut-être pas... Peut-être même en éprouves-tu un certain soulagement, hmm ? Allez, sois honnête...

Ma foi, pour être *absolument* honnête, elle aurait préféré éliminer en personne le défunt Prime. Encore un trait de caractère qui manquait de féminité. À moins que… une dame ne pouvait-elle avoir l'envie légitime de mener les choses à leur terme et de tout laisser en ordre ? Or Llewellyn représentait en ce qui la concernait un élément de désordre.

Il se doutait de ce qui s'était passé chez Crawford, dans la petite cave ronde. Il avait donc conscience de la vulnérabilité de la visiteuse… et il était trop dangereux pour qu'elle lui abandonne la connaissance d'une faiblesse aussi redoutable.

Il est mort. Tant mieux. Il faut que je m'occupe des vivants. Elle revint au présent en secouant légèrement la tête. Vu les ordures entassées dans la venelle, l'odeur aurait été assez répugnante pour lui retourner l'estomac, si elle n'avait usé du charme purificateur que tous les mages londiniens dotés d'un minimum de talent apprenaient dès leurs premiers pas et utilisaient ensuite religieusement. La crasse immonde qui couvrait les pavés la persuada d'adopter un pas prudent.

Là. Un scintillement – un disque de cuivre et un ruban déchiré, jetés sitôt utilisés. *Je ne vous connais pas encore, mais je sais déjà que vous êtes un fieffé imbécile. Dieu merci. Car voilà l'ouverture dont j'ai besoin.*

À la pleine lumière du jour, sans Bouclier, Emma allait devoir prendre toutes les précautions requises en pareille situation. Elle redoubla de prudence sur les pavés sales en forçant sa respiration à rester régulière. Sarpesson Street avait beau être plus calme, à cette heure-ci, la circulation y grondait toujours. Les claquements de fouet et les étincelles crachées par les engrenages résonnaient bizarrement dans l'étroite ruelle.

Il est redescendu ici, *il a activé la protection, il a flanqué le support par terre. Il faisait sombre, il y voyait mal, il s'est dit que les ordures cacheraient ces bricoles. Après... par où a-t-il bien pu partir ?*

Lorsqu'elle se pencha, les baleines de son corset s'enfoncèrent dans sa chair, alors qu'il n'était pas lacé très serré. La mode, oui ; la bêtise, non. Emma avait la vanité de sacrifier à la première, mais il n'était pas question de se vautrer dans la seconde. Seul un faible rayon de soleil égaré s'insinuait entre les toits – les bâtisses qui encadraient l'allée se penchaient dangereusement les unes vers les autres –, assez brillant cependant pour blesser ses yeux sensibles.

Par l'enfer. Elle se redressa lentement, le ruban coincé avec précaution entre deux doigts gantés, le terne disque de protection tenu à bout de bras, loin du corps. C'était un charme de qualité, malgré sa matrice physique fragile et bon marché. L'œuvre d'un Maître Magus, au moins. En examinant de plus près le colifichet, Emma s'aperçut qu'elle reconnaissait la patte de son enchanteur.

Un juron qui aurait provoqué l'évanouissement d'une dame respectable lui échappa. Elle regarda par-dessus son épaule, comme si elle craignait que son faux pas ait eu des témoins, mais non, la venelle était déserte. Alors pourquoi lui semblait-il soudain qu'on l'observait ? Le fin duvet logé au creux de sa nuque se hérissait, tandis qu'un chatouillis lui parcourait l'épine dorsale sous sa terne robe de velours brun.

Attention, Emma, sois prudente. Il se doute forcément que tu vas venir le voir, si tu n'es pas déjà morte.

Or Konstantin Serafimovitch Gippius n'ajouterait foi à la nouvelle de la mort d'Emma Bannon que s'il voyait de ses yeux le corps mutilé de la jeune femme.

Et encore.

Malgré l'heure matinale, Whitchapel bouillonnait d'humanité puante – chiffonniers, tire-laine, badauds, ouvriers, marchands ambulants, leveurs de poids et chariots, estaminets où on débitait allègrement tasses de gin et chopes de bière, lavandières et putains en haillons, étincelles et éclats de magie égarés crépitant dans les rues crasseuses. Les enseignes colorées des prêteurs sur gages étincelaient de charmes de fascination, leurs vitrines – rares – luisaient de protections des doigts-agiles, leurs portes renforcées regorgeaient d'énergie éthérique. Les chevaux mécaniques se cabraient, hennissaient, cris et hurlements s'entrecroisaient. Et cette masse dense, palpitante, grouillait non seulement de vivants, mais aussi de morts vaporeux. Des enfants pouilleux traversaient la foule à toute allure. Au croisement de Dray et Sephrin Streets, une charrette pleine de tonneaux avait versé, écrasant un malheureux. Les curieux se bousculaient pour mieux voir, pendant qu'un groupe d'ouvriers s'efforçait de dégager la victime gémissante de l'accident – il n'y avait bien sûr pas le moindre leveur de poids en vue. Les chevaux mécaniques braillaient, tandis que leurs engrenages grippés déversaient une énergie magique dangereusement incontrôlée.

Il n'aurait fallu qu'un instant à Emma pour remettre de l'ordre dans ce coin de rue, mais le moindre frémissement de l'éther aurait servi d'avertissement à sa proie.

De toute manière, ce pauvre homme sera mort d'ici un quart d'heure, se dit-elle avec cynisme en se faufilant dans la foule. Le camée ornant sa gorge se réchauffait, car les filaments arachnéens de la dissimulation la transformaient afin de lui éviter d'avoir l'air d'une femme respectable en goguette à Whitchapel. *Il ne faut pas que je me laisse distraire, il en va du bien universel.*

Les cris et les gémissements résonnaient pourtant toujours à ses oreilles quand elle s'engagea dans Thrawl Street, où elle dut ralentir, tant la masse humaine devenait compacte. Les doigts alertes d'un charme-bourse la frôlèrent, à la recherche de la poche de ses jupes, mais la sardonyx de sa bague étincela brièvement, et le contact s'interrompit aussitôt. Une prostituée au maquillage baveux, à la poudre ravinée de crevasses, chantait des mots sans suite d'une vilaine voix brisée d'alto, son visage dévasté levé vers le soleil du matin. Des exhibeurs bruyants passaient près de l'entrée basse charbonneuse de La Croix et la Spallière, traînant dans leur sillage des dentelles scintillantes de charmes vestimentaires. Leurs Altérations brillaient – un exhibeur digne de ce nom arborait forcément un ou plusieurs amendements, les plus voyants possible. L'un d'eux possédait une main mécanique noircie, dont les doigts crochus crachaient des étincelles ; un autre avait un œil de verre qui roulait dans une orbite osseuse. Ces modifications n'avaient aucune valeur… mais on était à Whitchapel.

Rien ici n'avait de valeur. Pas même la vie humaine.

Déjà, le ciel s'embrumait – pas assez, hélas. La lumière transperçait le crâne d'Emma. Tout aurait été *tellement* plus facile de nuit.

Pour Gippius aussi. Voilà pourquoi la jeune femme cligna furieusement des yeux, se retint de porter son mouchoir à ses narines et veilla à la fusion des fils du sortilège qui dissimulait son identité. Certains des petits mages qu'elle croisait lui jetaient bien un coup d'œil, mais c'était une Prima, perdue parmi de simples étincelles. Ils ne la verraient telle qu'elle était réellement que si elle le voulait.

Un réseau de ruelles quasi veineux s'étendait à partir de Thrawl Street, logements décrépits festonnés de linge pendu à des fils fléchissants, malgré la suie omniprésente et les ordures entassées dans les recoins. Des enfants hurlants couraient de-ci, de-là, plongés dans un jeu qui n'avait de sens que pour eux, cris joyeux déjà pénétrés de l'accent traînant de l'Eastron End. Des gamins des rues mal nourris, mais agiles, plus problématiques que les adultes : il arrivait que le regard des très jeunes perce un sort de dissimulation, alors que les Adepti en étaient incapables.

Lorsqu'elle atteignit le labyrinthe de trous à rats qui l'intéressait, une pénombre bienvenue l'accueillit. Les portes restaient parfois entrouvertes sur une obscurité plus profonde encore, d'où s'élevaient les vapeurs incolores du gin et du désespoir. Un bébé pleurait dans le ventre d'une bâtisse, obstinément quémandeur. Un homme accroupi sur une marche basse, au pied d'un vieux battant vermoulu derrière lequel s'élevaient des cris étouffés, suivit Emma des yeux en se coupant les ongles avec son redoutable petit couteau. Il recueillait soigneusement les rognures au creux de sa main puis les portait à sa bouche afin que nul ne puisse s'en servir pour lui jeter un sort.

Au bout de la venelle se dressait une porte grimaçante, cloutée de fer, celle de l'avorteur. La jeune femme prit son courage à deux mains pour s'en approcher ; ses bottes glissèrent avec agilité sur la croûte qui couvrait les pavés. Pas étonnant que Gippius se soit réfugié dans ce quartier : la plupart des policiers hésitaient probablement à braver un coupe-gorge pareil.

La plupart des magiciens aussi.

Des fils invisibles frémissaient sous la surface du visible. Le camée se réchauffait. Les protections éthériques intégrées aux murs du taudis résonnèrent sourdement.

Mauvais signe. La porte n'avait ni bouton ni poignée, mais Emma n'eut qu'à se concentrer… pour passer au travers. Un rideau de dissimulation frissonnant pétilla, crachota lorsque sa volonté en repoussa le flot de charmes et de chartes.

Gippius avait beau être rapide, voire redoutable, ce n'était pas un indigène. Dans sa mère patrie, Emma aurait été l'étrangère ; la lutte aurait peut-être tourné différemment. Les choses étant ce qu'elles étaient, elle leva la main, sans plus. Le Bouclier cosaque de l'adversaire trébucha puis tomba à la renverse sur le tas de vêtements qui attendait les chiffonniers. L'autre main de l'intruse exécuta un curieux motif tandis qu'elle prononçait un Mot mineur. La lumière magique qui se mit à briller lui montra que Konstantin Gippius reculait, chancelant, en se tenant la gorge. Une unique ligne mélodique, basse et cruelle, se déversait à présent des lèvres d'Emma, traversée par un flot de force éthérique brutal. Le Cosaque hurla quand des entraves immatérielles se refermèrent sur lui.

Le chant se fondit au bourdonnement de la magie en action. Emma épousseta sa robe, tandis que le cri du Bouclier s'interrompait dans un gargouillis. Elle fit la grimace tout en vérifiant que son bonnet était bien en place. Les énormes pots de verre dont était couverte la moindre étagère s'entrechoquaient avec des tintements légers. Les abominations qu'ils contenaient se tortillaient, de même que le gros Gippius sur le sol jonché d'ordures. Il virait à un pourpre des plus surprenants.

— Un peu de dignité, que diantre ! lança la visiteuse d'un ton sévère en agitant les doigts pour annuler le sortilège de silence.

La gorge du vaincu se gonfla. La magie fondit sur Emma, qui en écarta les spires jaunes venimeuses avant de serrer son poing ganté en fredonnant une note basse soutenue. Le silence retomba sur son adversaire, pendant que le camée brûlait contre sa poitrine.

— J'ai dit, *un peu de dignité*, Gippius ! Sinon, je vous étouffe tout de bon, avant de parcourir votre maison à mon aise en quête de ce qui m'intéresse.

Le Russe se débattit en postillonnant. Ses bottes martelèrent le plancher. Lorsqu'elle estima avoir exprimé son sérieux en termes compréhensibles pour lui, elle relâcha à nouveau l'étau – un peu.

Les abominations des pots bougeaient, elles aussi, répandant sur le verre poussiéreux la solution ambrée de leur bain. Piaillements fluets suraigus, grosses têtes aux petits corps malformés, tintements de métal – certaines avaient été Altérées. La science de Gippius n'était pas seulement inefficace, elle était aussi répugnante.

Heureusement que j'ai l'estomac bien accroché. Emma examina l'adversaire, calmé à présent, qui la fixait d'un regard haineux. Cheveux noirs aux mèches grasses, aux boucles mêlées de sciure à la suite de ses gesticulations. Une étincelle cramoisie s'alluma au fond des pupilles de l'avorteur, mais elle pâlit puis s'éteignit presque aussitôt, pendant que son teint virait de plus en plus au violacé.

La jeune femme desserra encore l'étau, petit à petit. Les halètements douloureux du mage mirent un long moment à s'apaiser ; le Cosaque gémit dans son coin. Elle attendit en regardant les petits monstres, le rideau crasseux tiré devant la porte de la salle d'opération, les boules de magie malformées, à la sinistre lumière orangée crachotante, qui oscillaient dans des cages bon marché. Le fourneau relégué dans un coin luisait de la même morne clarté. La grosse cocotte posée dessus dégageait la puanteur du chou.

Une fois persuadée d'être en relative sécurité, mais aussi d'avoir capté l'attention pleine et entière du Russe, Emma tira de sa poche le disque et son ruban déchiré.

— Bien, dit-elle d'une voix douce, car elle répugnait à crier plus que nécessaire. Je vais vous interroger, Konstantin Serafimovitch. Si vous ne me donnez pas les bonnes réponses… ou si je vous soupçonne de la moindre mauvaise volonté, d'un peu de dissimulation, par exemple… je commencerai par tuer votre Cosaque. Ensuite, si vous persistez dans l'inexactitude, je casserai vos pots jusqu'au dernier. Et si vous vous obstinez encore, je me verrai forcée d'appliquer à votre *corpus* toutes sortes de désagréments. (Elle s'interrompit pour laisser son hôte digérer ce qu'elle venait de dire.) Vous savez bien sûr que votre mort ne m'empêchera pas de continuer l'interrogatoire.

Il gémissait maintenant, lui aussi. Un contrepoint de mâle souffrance presque musical.

Elle entreprit d'ôter ses gants, un doigt après l'autre, même si la seule idée de toucher quoi que ce soit à mains nues dans ce taudis lui donnait la chair de poule.

— Bon. Commençons par le charme de protection.

10

Thé et données

Clare combinait et recombinait les articles de journaux dispersés sur la table, à la recherche des liens qui les unissaient. Deux volumes de l'*Encyclopaedie* attendaient près des coupures de presse, ouverts, et trois autres étaient empilés sur la chaise. Les feuilles couvertes d'une petite écriture serrée qui accompagnaient le tout se soulevaient au passage de l'enquêteur, qui faisait les cent pas entre la fenêtre et la cheminée. Quant au bureau, il disparaissait sous les notes et les livres.

Clare s'arrêtait parfois le temps de fourrager dans ses cheveux de moins en moins épais. Sa pipe s'était éteinte depuis longtemps.

— Les liens, murmurait-il. Il me *faut* des données !

M. Finch l'avait mis au supplice en interrompant ses recherches par une visite consacrée à des bêtises comme le linge ou les domestiques. La torture avait continué avec les charmes de mesure et les questions du valet de pied choisi pour son service. Le linge propre que Grayson avait eu l'obligeance de lui envoyer avait été rangé. Puis, Dieu merci, on l'avait laissé tranquille – en admettant qu'il puisse l'être, car il se sentait de plus en plus tendu.

On frappa. La porte s'ouvrit sur le Bouclier, qui remarqua d'un coup d'œil la débauche de papier et les allées et venues de Clare.

— Le thé. (Les deux syllabes avaient été prononcées de manière aussi neutre que possible. La bouche du nouveau venu s'incurvait vers le bas, et il avait viré au gris sous sa peau cuivrée.) Dans la serre.

— *Ce n'est pas là qu'elle le prend !* s'écria Clare en pivotant maladroitement. Ça, au moins, j'en suis sûr ! Je suis en train d'en déduire bien davantage, mais il me manque un élément… un élément *essentiel*… peut-être même plusieurs. Je l'ignore. Il me faut plus de données !

Le visage de Mikal ne trahit aucune surprise. Son impassibilité persista, grise et figée.

— Ma Prima le prend dans son bureau, mais vous êtes son hôte, et la serre…

Clare se figea, le regard fixé sur lui.

— Mon Dieu, vous avez une mine épouvantable.

Le Bouclier opina du chef, à peine, imperceptible acquiescement.

— Merci. Le thé. Venez.

— Pourquoi… (Clare s'interrompit, la tête penchée de côté, car l'enchaînement des déductions suivait son cours.) Vous n'êtes quand même pas inquiet pour Mlle Bannon au point de…

— Le thé.

Mikal battit en retraite dans le couloir en tirant la porte, sans toutefois la refermer complètement. Ce qui interrompit la conversation, du moins jusqu'à ce que Clare lui emboîte le pas.

Malheureusement, le Bouclier s'attendait à le voir arriver et se trouvait déjà à l'autre bout du corridor. Le temps que Clare rassemble ses esprits, il suivait son guide d'un bon pas à travers la demeure, toujours en retard d'un couloir ou d'un escalier. Enfin, il pénétra dans une vaste serre, où régnait une clarté nacrée. La bruine rayait de ses gouttelettes les murs de verre, plaques onduleuses encastrées dans un filigrane de fer forgé sur lequel les symboles de charte ruisselaient telle une huile dorée. Une brume grisâtre régnait à l'extérieur, mais les plantes en pots et les arbustes plus étoffés – orangers, citronniers, limettiers, romarins, lauriers –, impitoyablement taillés, n'en buvaient pas moins la lumière avec avidité. La partie nord de la structure était dévolue aux composantes rampantes, puantes ou toxiques du règne végétal – rue, menthe pouliot, datura, aconit, ortie, aubépine et bien d'autres. Les herbes communes occupaient l'est et l'ouest – grande camomille, camomille, quelques menthes différentes, balsamier et plantes aromatiques variées, certaines employées dans les charmes les plus banals. Quant à la partie sud, elle était réservée aux spécimens exotiques – un plant de tomates aux fruits verts accrochés à des tiges renforcées par des charmes, des orchidées inconnues de Clare, un petit pied de tulipe d'un écarlate flamboyant, un rosier nain aux fleurs de velours pourpre, presque noir. Des tintements très doux, musique étouffée de cloches lointaines, s'élevaient des dômes de magie cristallins qui protégeaient les plantes, aux feuilles bercées par une brise intérieure.

Examiner comme il se devait chaque espèce représentée aurait peut-être pris une heure et demie. Encore un luxe inattendu. Ce n'était pas le genre d'endroit où Clare pensait trouver Mlle Bannon, en vertu de quoi l'opinion qu'il s'était faite du caractère de son hôtesse se modifia brusquement. Modification qui l'entraîna sur plusieurs chemins distincts, aussi intéressants que troublants.

Les chaises en osier laqué de blanc – assorties aux autres meubles –, ornées de beaux coussins de velours bleu, entouraient une table à la nappe neigeuse, festonnée de dentelle bleue. Le service à thé étincelait de toute son argenterie, et le scintillement d'un charme de préservation voilait les victuailles réparties sur trois dessertes. La magie imprégnait l'atmosphère.

Mikal faisait les cent pas près de l'extrémité nord du solarium, sans le moindre bruit de bottes sur le parquet satiné. La lumière animait sa chevelure noire de reflets roux, caressait le velours de sa veste… et rendait son teint encore plus maladif.

L'intendante, en crêpe noir froufroutant, fit une petite révérence au-dessus de la table. Son bonnet la coiffait avec une telle précision que Clare s'attendait presque à le voir saluer, lui aussi. Le visage rond était illuminé par un plaisir non feint, mais pas une boucle noire ne prenait de libertés.

— *Bonjour, monsieur Clare !* C'est moi qui m'occupe du thé, en général. *Madame* préfère. Je vous en sers une tasse ?

Il pouvait parfaitement se servir tout seul, mais il s'agissait là d'une bonne occasion de déduction et d'interrogation.

— J'en serai ravi, madame Noyon. Joignez-vous à moi, je vous en prie. On dirait que M. Mikal n'a pas envie de thé.

— Il n'en prend jamais. *Madame* lui dirait de s'asseoir, mais ça m'étonnerait qu'il le fasse aujourd'hui.

Les mains potelées s'agitaient. Clare paria en son for intérieur sur la chaise que l'intendante préférerait lui voir occuper.

— Mlle Bannon le laisse souvent s'énerver tout seul à la maison ?

La question lui valut un regard français solennel.

— *Monsieur.*

Soudaine politesse glacée. La domestique montrait la chaise sur laquelle il avait porté son choix – au moins, son instinct ne l'avait pas trompé.

— Bien, bien. Je m'inquiète pour la sécurité de *Madame*, voilà tout.

— Ah !

Quelque peu radoucie, elle se lança dans le rituel du thé avec une aisance qui trahissait une longue pratique. Un mouvement avorté en direction du lait apprit à Clare que Mlle Bannon en prenait et s'occupait souvent d'autre chose pendant que Mme Noyon faisait le service. Apparemment, l'absente avait aussi ses préférences parmi les délices proposées.

— Ne vous inquiétez pas, *monsieur*, reprit la Française. *Madame* est la meilleure magicienne de tout Londinium. Lorsqu'elle veut que quelque chose se fasse, *pouf !* Ça se fait.

Quelle foi touchante. Il ajouta deux ou trois anneaux de plus à son enchaînement déductif.

— Elle vous a secourue, n'est-ce pas ?

— Oh, elle nous a tous secourus ! Du citron ?

— Non, merci. Elle vous a *tous* secourus ?

— Finch était un voleur. Catherine n'avait pas de références, comme vous dites en *Britannie*. Quant à Wilbur, qui s'occupe des chevaux, il…

— Ça suffit. (Mikal se trouvait soudain de l'autre côté de la table. Ses yeux ambrés étincelaient.) Ne vous occupez pas des domestiques, mentah.

Mme Noyon eut un petit halètement, tandis que sa main se posait sur sa bouche. Le service à thé tinta, car la table réagissait à un courant de mort.

— Asseyez-vous donc et joignez-vous à nous, répondit Clare sans se départir de son calme. Plus j'en apprends, monsieur Mikal, plus je suis à même d'aider votre maîtresse. Un mentah est inutile sans données.

— Vous êtes de toute manière pire qu'inutile. (Le visage de pierre du Bouclier s'était encore décoloré, en admettant que ce soit possible.) Si jamais il lui arrive quoi que ce soit pendant que je reste là à…

— *Monsieur le Bouclier*. (Mme Noyon tapota la théière avec le couteau à citron.) Vous êtes d'une impolitesse inadmissible. M. Clare est notre hôte. *Madame* a laissé des ordres très clairs. Asseyez-vous ou continuez à faire les cent pas, à votre guise, mais ne rôdez pas autour de la table comme un vautour !

Le visage de Mikal s'empourpra, d'un rouge effrayant, puis il tourna les talons avant de s'éloigner vers l'extrémité nord de la serre. La pluie redoubla, éclaboussant verre et fer forgé. Les symboles de charte dégageaient de petits plumets de vapeur au contact de l'eau froide.

Mme Noyon déglutit bruyamment. Ses doigts tremblaient un peu, mais elle pinça les lèvres en prenant l'air joyeux.

— *Madame* ne tardera pas à rentrer, *monsieur*. Mangez donc. Vous êtes aussi maigre que M. Finch. Il faut manger.

Clare avait la ferme intention de suivre le conseil. Les thés de sa logeuse n'étaient pas aussi luxueux, tant s'en fallait. Il n'aurait pas la sottise de laisser l'incident troubler sa digestion.

Cette décision ne l'empêcha pas de repousser sa chaise et de se lever. Lorsqu'il gagna la partie nord de la serre, les mains derrière le dos, le martèlement de la pluie crût encore en force. Des ruisselets promenaient leurs doigts froids sur le verre.

— Monsieur Mikal. (Pourvu que son ton ne soit pas trop familier… ni trop distant. Il était si *difficile* de gérer cet embrouillamini.) Je vous prie de m'excuser. Je n'ai pas l'intention d'être un fardeau. Si je pose des questions sur Mlle Bannon, c'est dans le seul but de l'assister de toutes les manières possibles au mieux de mes capacités. Je suis peut-être inutile, je ne suis certes pas mage, mais je ne veux que devenir *moins* inutile. Et j'ai grand besoin de votre aide pour ce faire.

Le Bouclier s'était figé, la tête basse, les yeux fixés sur une plante épineuse à l'air dangereuse dans son pot de terre cuite. Ses épaules s'affaissèrent, comme s'il s'attendait à un coup, mais se redressèrent presque aussitôt.

Clare regagna la table à thé. Il en était à la moitié de son deuxième scone quand Mikal se laissa tomber sur la chaise d'en face. Mme Noyon ouvrit des yeux ronds, mais lui servit une tasse de thé à lui aussi. Il ne se détendit pas ni ne reprit des couleurs, il resta même aussi gris que la pluie.

Mais il but son thé, le regard perdu dans le vague, au-dessus de la tête de Clare. Lequel eut le plus grand mal à ne pas se sentir…

… eh bien… très content de lui-même.

11
Les désagréments continuent

Il faut que j'y arrive. Le sang rouge vif qui s'accumulait dans la main gantée qu'Emma pressait contre ses côtes éclaboussait sa jupe brune. Elle devait laisser derrière elle une piste d'un kilomètre de large. Les fils éthériques frémissaient, tandis que ses forces s'amenuisaient rapidement, consumées par l'effort nécessaire pour tromper ses traqueurs. *Pourquoi ne trouve-t-on jamais un fiacre quand on en a besoin ?*

Il lui aurait de toute façon été difficile d'en héler un, vu la manière dont elle saignait. Sans parler du fait qu'un cocher respectable ne se serait peut-être pas arrêté, même si le sortilège de dissimulation tenait toujours. Une crispation brûlante traversa à nouveau la jeune femme, pendant que l'éther se convulsait et qu'un courant d'air hurlant effleurait ses boucles en désordre. Une fraction de seconde durant, le brouillage qu'elle imposait à la vision des curieux vacilla. Le ruissellement rouge redoubla sous ses doigts.

Sans son corset, elle serait peut-être morte. Les baleines avaient légèrement détourné le coup, ralenti le poignard, et le meurtrier raté avait succombé à une explosion de pouvoir magique brut. Le Russe n'avait pas menti : il avait donné à la visiteuse toutes les informations qu'elle pouvait raisonnablement le soupçonner de détenir, mais les commanditaires de l'assassin des toits – un certain Charles Knigsbury, un exhibeur qui s'était procuré de son propre chef la protection de l'avorteur – avaient veillé à ce que leur envoyé reste bouche cousue devant Emma Bannon.

Devant n'importe qui d'autre aussi, d'ailleurs.

Le sortilège dont elle s'était servie sur le petit voyou à face de rat qui empestait encore la poudre et la terreur avait déclenché une explosion de magie meurtrière nettement plus importante ; le corps de Knigsbury, littéralement réduit en pièces, avait repeint d'une brume rouge sanglante son taudis puant de Dorset Alley. Le chaos éthérique résultant avait permis à la responsable du cataclysme de s'esquiver discrètement, mais l'oiseau de proie invisible qui l'avait frôlée un instant plus tard lui avait prouvé que l'exhibeur constituait juste un appât.

Ah... je me doutais bien que je déclencherais un ou deux pièges, aujourd'hui. Une sorte de plainte saccadée lui échappa ; elle tendit la main à l'aveuglette pour s'appuyer à un mur de brique noirci par la suie… auquel elle trouva quelque chose de vaguement familier, comme à un coin de rue qu'elle aurait vu chaque jour, mais de la fenêtre de son carrosse. La pluie redoubla, traversant de ses ruisselets froids le sortilège de dissimulation. Elle allait ressembler à un chat de gouttière.

Un chat de gouttière en sang. Ses genoux fléchirent.

Ah non, Emma, pas de ça. Debout ! Ce n'était pas sa petite voix intérieure qui lui donnait cet ordre cinglant : elle se tenait dans le dortoir de l'école, fillette aux cheveux courts, à la peau douloureuse à la suite du récurage vespéral, orpheline perdue parmi les pensionnaires plus âgées qui savaient que faire, où aller… et comment martyriser une nouvelle. La Prima Grimaud, magistrix suprême des débutantes dont la taille de guêpe disparaissait dans une moire noire austère, la tançait d'un ton sec chaque fois qu'elle pleurait : *Arrêtez immédiatement. Les magiciennes ne pleurnichent pas, ici.*

La petite Emma avait appris, mais ce qu'elle avait appris allait malheureusement se répandre en pure perte dans une rue crasseuse de Londinium.

Non, pas crasseuse. Voilà la haie. J'y suis presque. Sa main libre effleurait maintenant des lauriers trempés d'un vert éclatant, malgré la fumée agressive. Mais était-ce bien de la fumée ? Emma n'y voyait plus, en tout cas, même si son odorat ne lui signalait toujours que la pierre mouillée et le charbon de Londinium.

Imbibés de sang à la suave âcreté.

Non, il ne s'agissait pas de fumée. Simplement, les yeux sensibles de la jeune femme la trahissaient. La lumière était si vive, un peu plus tôt, malgré les nuages qui s'épaississaient. La migraine lui plantait dans les tempes une broche douloureuse. Le portail frémit, car l'acier entrait en résonance avec sa détresse, mais elle se découvrit incapable de se rappeler la torsion éthérique particulière qui apaisait le sortilège de garde rétif, intégré au métal et à la pierre.

Ou alors, elle se cramponnait au mauvais portail. Non, pourtant… Elle battit des paupières à plusieurs reprises, paresseusement, puis leva les yeux tandis qu'une autre vague de magie l'effleurait, l'ébouriffait, manquait d'un cheveu se prendre dans l'ourlet de ses jupes. Quand ils trouveraient la piste de sang…

J'y suis. Les chiffres d'argent dansaient sous les fissures dorées des symboles de charte qui les parcouraient : *34 et demi*, le plus beau numéro du monde. Le grand portail voûté frissonna jusqu'à ce qu'elle le calme et trouve le souffle nécessaire pour fredonner un simple déchant.

Ou, du moins, essayer. Elle passa un long moment à aspirer difficilement un air soudain aussi épais que de la mélasse.

Lorsque enfin elle réussit, la grille frissonna violemment puis se déverrouilla. Un des battants pivota. Les voiles d'énergie éthérique associés s'écartèrent à l'instant précis où arrivait une nouvelle vague de magie inquisitrice qui fondait droit sur Emma. Un pas titubant la porta en avant, mais quand le flot lui lécha les talons, les fils éthériques de son sang se tendirent par effet de sympathie. Leur traction l'entraînait vers la rue…

Trop tard. Elle était chez elle, en sécurité. Les défenses de son sanctum se refermaient. Emma Bannon tomba à genoux dans la belle allée trempée, encadrée de lilas dont les branches craquaient, s'agitaient, car une vive détresse s'emparait de sa propriété. Elle s'effondra sous la pluie, la main obstinément plaquée contre la blessure. Un jaillissement de sang brûlant. Des bruits de course, des exclamations. Un cocon gris cotonneux se refermait sur elle, malgré ses efforts pour s'en échapper.

Heureusement que j'ai mis cette horrible robe.

Je ne peux pas mourir. Je ne peux *pas.*

J'en sais trop, maintenant.

Telle fut sa dernière pensée.

12

Le premier dîner

Une femme qui avait frôlé la mort après avoir été poignardée au poumon aurait dû s'aliter pour des semaines, c'est du moins ce que Clare supposait. Surtout lorsqu'on l'avait ensuite retrouvée sur le seuil de sa demeure, trempée de pluie et de sang. En tout cas, elle n'aurait certainement pas dû arriver à la table du dîner pâle comme un linge, son – presque – joli visage enfantin déparé par un gros bleu qui en couvrait la moitié. Sa robe de soie vert foncé, aux manches *très* ajustées et à la jupe ouverte, tombait sur des bottes impeccables, mais le camée toujours épinglé sur sa gorge s'accompagnait maintenant de lourds pendants d'oreilles incrustés de saphirs qui se balançaient chaque fois qu'elle bougeait la tête. Sans doute avait-elle confié son bonnet aux soins de l'experte Mme Noyon, car elle dînait tête nue, bien que coiffée à la perfection.

Clare en déduisait sans difficulté que la journée de la jeune femme n'était pas terminée, il s'en fallait de beaucoup.

Le Bouclier, ses puissantes dents blanches serrées à se briser, restait posté derrière le véritable trône que son employeuse occupait au bout de la longue table en acajou dont les pieds massifs – en forme de pattes de griffon – s'agitaient nerveusement. Le rouge pompier des tapisseries et le bronze des murs s'accordaient mal au velours olive et aux yeux ambrés de Mikal, qui ne semblaient toutefois pas totalement incongrus. La rage étroitement contenue dont il bouillait l'avait débarrassé de son teint grisâtre.

Du moins le mot *rage* semblait-il approprié à Clare. Celui de *furie* aussi, alors que le terme de *colère* évoquait une émotion trop fade pour la fureur vibrante, incandescente qui suintait par tous les pores du Bouclier.

Clare fixa son potage aux asperges d'un œil critique, le goûta et le jugea plus que délicieux. Mlle Bannon ne se refusait rien : la cuisinière était manifestement aussi française que l'intendante. Le buffet, si massif fût-il, n'avait rien d'écrasant. Les grandes plantes vertes en pots de style chinois, charmées avec soin, produisaient un bruissement agréable. Les paravents constituaient de véritables merveilles de retenue qu'il aurait aimé examiner de plus près. Quant au centre de table, autre merveille de retenue, il semblait constitué, malgré sa hauteur, de dentelle aérienne. Rien d'excessif ni de lourd, là non plus.

Les magiciens avaient tendance à faire montre de tape-à-l'œil autant que possible, mais la maîtresse des lieux préférait apparemment le bon goût et la qualité à la profusion d'extravagances. L'argenterie se distinguait par sa simplicité et sa qualité, le linge de table par sa propreté immaculée.

Clare s'éclaircit la gorge.

— Il semblerait que votre journée ait été fructueuse, mademoiselle Bannon ?

— En effet, répondit son hôtesse d'une voix rauque. (Elle tressaillit légèrement, la main tendue vers son verre d'eau. Comme si parler la faisait souffrir.) J'aimerais vous poser quelques questions, monsieur Clare.

Je n'en doute pas.

— C'est tout à fait réciproque. Peut-être pourrions-nous procéder pendant le dîner ? Vous sortez sans doute ce soir.

— Si vous voulez dire par là que je compte traquer conspirations et désagréments, vous avez raison. (Des cernes assortis à la meurtrissure soulignaient les yeux de la jeune femme. Elle tressaillit à nouveau en reposant son verre.) Je vous présente mes excuses. J'espère que mon apparence ne va pas vous retourner l'estomac.

— Peu de choses nuisent au fonctionnement de mon estomac, mademoiselle. C'est un des grands avantages du statut de mentah. (Il savoura une cuillerée de potage.) Je vous propose quelques observations. Nous avons un groupe de mentahs. On en tue certains pour une raison donnée. D'autres pour une raison distincte, quoique liée à la première. Ceux-là sont en plus mutilés. Smythe revenait tout juste des Indes, Grayson me l'a dit. Il paraît bien improbable qu'il ait été concerné, à moins que…

— Il ne se trouvait pas aux Indes. (Les yeux de la magicienne étincelèrent. D'amusement ? Peut-être.) C'est ce qu'on a raconté à Grayson, voilà tout. En fait, Smythe rentrait du Kent. D'une propriété campagnarde de la Couronne, pour être plus précise.

— Ah ! (Les paupières de Clare s'abaissèrent. Il savoura une autre cuillerée de potage.) Vous aviez donc bien d'autres motifs de me laisser chez vous en compagnie de votre Bouclier. Ce n'était pas une simple question de sécurité.

Un éclair de surprise quasi imperceptible illumina le visage meurtri. Quelqu'un avait visiblement frappé la Prima et cherché à l'étrangler avec la plus grande violence. Toutefois, les marques s'évanouissaient déjà. Un léger frémissement troublait la peau claire chaque fois que les antiques symboles de charte y faisaient surface, avant de replonger sous sa pâleur. Magie de Restauration.

Si Clare n'avait pas eu l'estomac aussi solide, le spectacle lui aurait peut-être donné la nausée, mais laisser une chose pareille interférer avec son repas aurait tout simplement été idiot.

— En effet, admit Mlle Bannon. Reconnaissez cependant que vous êtes plus en sécurité ici et que…

— Mais dites-lui donc, grinça Mikal. Vous n'avez pas confiance en moi. Voilà pourquoi vous errez seule à travers Londinium, à la recherche d'un poignard sur lequel vous jeter.

Clare eut toutes les peines du monde à retenir une expression de joie malséante du fait des nouvelles perspectives de déduction ouvertes par cette déclaration.

— J'ai la ferme intention de dîner tranquille, Mikal. Si vous comptez m'en empêcher, allez m'attendre dans le couloir.

La riposte de la magicienne manquait toutefois de mordant. En fait, elle trahissait plutôt la fatigue.

Le Bouclier se pencha sur elle.

— Et si vous y aviez laissé la vie, Prima ? Hein ?

— Au moins, cette scène inconvenante m'aurait été épargnée. (Elle fixa Clare avec calme.) Je vous présente mes excuses. Mon Bouclier s'oublie.

— Je n'oublie rien du tout. (Mikal croisa les bras, bien planté sur ses deux pieds. L'imposant dossier incurvé du fauteuil de sa maîtresse ne suffisait pas à contenir la violente colère qui émanait de lui.) Telle est la malédiction dont je suis affligé.

— Si vraiment vous avez envie d'une malédiction, il vous suffit de continuer sur ce ton-là.

Mlle Bannon goûta son potage. M. Finch fit son apparition, ses maigres bras chargés d'un plateau couvert de carafes à alcools, puis se mit à s'activer devant le buffet. Les valets de pied allaient et venaient d'un pas étouffé, avec une précision de mécaniques. L'un d'eux n'avait plus de petit doigt gauche – curieux.

— Monsieur Clare, Tomlinson et Smythe étaient tous deux en possession de différentes… ah, différentes pièces du même puzzle. Ils n'allaient manifestement pas tarder à les assembler, chacun à sa manière. Il semblerait que Masters et Throckmorton aient eux aussi reçu quelques pièces de ce puzzle et…

Vous me racontez une histoire élaborée avec soin, mais qui n'entretient sans doute avec la vérité que des rapports très lointains.

— Je vois, merci. Sur quoi se concentraient leurs recherches ?

Et pourquoi les mentahs non enregistrés ont-ils été mutilés ? Vous esquivez la question avec beaucoup d'alacrité, mademoiselle Bannon.

— S'il m'était permis de vous en informer, monsieur Clare…

Elle n'avait nul besoin d'en dire davantage.

— Bien. (Il reporta momentanément son attention sur son potage, pendant que ses déductions changeaient de forme sous la voûte osseuse de son crâne.) Voilà qui modifie matériellement les choses. Vous connaissez la nature du puzzle en question ; Lord Grayson aussi, à présent. Ce qui signifie qu'il est suspect, que vous prenez vos ordres ailleurs ou que…

— Ou que je fais partie des conspirateurs et que je veille sur votre existence pour mes propres raisons, forcément néfastes. Finch ? Du rhum, s'il vous plaît. Ce n'est pas convenable au dîner, je sais, mais mes nerfs l'exigent. Mikal, soit vous vous *asseyez* à votre place, soit vous allez dans le couloir. Je ne *tolérerai* pas un comportement pareil à ma table.

— Je préfère assurer votre service, ma Prima.

Quel choc de voir un adulte s'obstiner de cette manière dans la provocation, tel un enfant persuadé qu'il va se faire corriger.

— Alors assurez-le dans le couloir.

La vaisselle cliqueta, car la table bougeait légèrement, tandis que les plantes murmuraient sous leurs coupoles magiques. Clare se concentra davantage encore sur son potage.

Le Bouclier tira la chaise à la gauche de son employeuse – Clare occupait celle de droite. Un serviteur s'approcha aussitôt de lui. Pendant ce temps, M. Finch apporta une carafe et un petit verre en cristal, qu'il remplit. Le nez sensible de Clare l'informa qu'il s'agissait bel et bien de rhum, juste avant que Mlle Bannon le boive avec une aisance qui trahissait une certaine habitude.

Son visage reprit un peu de couleur – une couleur normale, pas le bleu-brun hideux de la meurtrissure.

— Merci, Finch. Je vais vous raconter les moments les plus intéressants de ma journée, monsieur Clare, puisque vous avez l'estomac aussi solide. Et je vous prie de bien vouloir analyser ce que je vais vous dire.

— Certes.

Clare s'adossa confortablement. Les pieds de la table s'immobilisèrent – indéniable amélioration. Ce qu'allait raconter Mlle Bannon serait aussi proche de la vérité qu'elle pouvait se le permettre.

Elle ne perdit pas davantage de temps.

— Hier soir, un de nos assaillants a réussi à s'enfuir. J'aurais voulu remonter sa piste après notre petite visite à Bedlam, ce qui m'a été impossible. Si je n'avais pas été obligée d'attendre le jour, les événements auraient peut-être pris une tournure très différente, mais passons. J'ai découvert que notre agresseur s'était procuré une protection chez un magicien de Whitchapel qui ne m'était pas inconnu et à qui j'ai donc rendu visite. Il m'a appris que le voyou en question… il s'agit d'un exhibeur, si le mot vous dit quelque chose ?

— Un homme de basse extraction, Altéré. Plus spécifiquement, un criminel de faible envergure, fier de ses Altérations.

Les hors-la-loi de ce genre étaient dangereux. En admettant que les Altérations ne les rendent pas psychologiquement instables, le vice dans lequel ils trempaient s'en chargeait. Ils étaient connus pour leur caractère difficile et très emporté, tout le monde s'accordait sur ce point.

Il fallait ajouter à cela que Mlle Bannon s'était aventurée seule dans ce puits de crasse, de danger et de corruption qu'était Whitchapel. *Curieux. Très curieux.*

— Exact. (Elle acquiesça d'un hochement de tête puis vida un autre verre de rhum, pendant qu'on apportait le poulet rôti.) J'ai appris que cet exhibeur s'était présenté chez le magicien, avait demandé une protection, l'avait payée et était reparti.

— Combien l'a-t-il payée au juste ?

— Deux souverains d'or, une guinée et cinq pence. Manifestement, le temps pressait, et son employeur avait assez confiance en lui pour lui remettre cet argent.

— Nous parlons de Whitchapel. Les cinq pence avaient leur importance, observa Clare.

— Oui. Le mage a obtenu jusqu'au dernier sou que son client était disposé à céder. Bref. J'ai trouvé l'homme dans son repaire, et je l'ai persuadé de me donner un *minimum* d'informations avant qu'il ne m'attaque. Je me suis défendue… mais ce n'est pas *moi* qui l'ai tué. À vrai dire, le combat a déclenché contre lui un déchaînement de magie véritablement terrible. (La jeune femme jaugeait Clare du regard. Oui, elle avait nettement meilleure mine. Elle s'attaqua au poulet avec une détermination qu'il s'empressa d'imiter.) Il s'agissait d'une magie très ancienne, mise en œuvre par le pratiquant qui avait opéré à Bedlam autour de Llewellyn. Notre exhibeur n'appartenait pas lui-même au sérail, et… la force l'a réduit en charpie. Telle était d'ailleurs sa fonction. Ou, du moins, *une* de ses fonctions. Elle était aussi censée incapaciter d'éventuels visiteurs, de manière à ce que l'employeur de l'exhibeur sache qui s'occupait de ses affaires.

— L'employ*eur* ?

— Il me semble très improbable qu'il s'agisse d'une femme.

Clare inclinait à partager cet avis, mais Mikal ne pouvait apparemment en supporter davantage. Il contemplait d'un œil fixe la part de poulet posée dans son assiette, les boulettes de pomme de terre baignant dans le beurre doré, les fragments de persil, comme s'il s'agissait d'une masse de serpents grouillants.

— Il vous a *blessée*. Poignardée au poumon et…

— Ne m'interrompez pas, Mikal. (Une petite ride était apparue entre les sourcils arqués de la Prima.) Je ne doute pas que M. Clare soit conscient de l'étendue de mes blessures. Bien. À présent, j'aimerais que vous me donniez votre analyse de mentah, s'il vous plaît.

Clare goûta une boulette de pomme de terre. *Parfaitement délicieuse.*

— J'ai lu les journaux, aujourd'hui. Votre hospitalité est merveilleuse, mademoiselle Bannon. L'*Encyclopaedie* m'a été utile aussi, mais peut-être va-t-il me falloir d'autres textes…

Elle agita la main ; ses bagues étincelèrent. Des opales de feu, cette fois, deux, dans une lourde monture en bronze où étaient également sertis de minuscules diamants bruts – du moins cela y ressemblait fort.

— Demandez ce qu'il vous faut à Finch. Votre analyse, je vous prie.

— Elle ne va pas vous plaire.

— Ce qui n'a rien à voir avec sa justesse.

— Vous êtes très autoritaire pour une femme, mademoiselle Bannon.

Un long silence s'ensuivit, seulement troublé par les tintements légers des couverts de Clare contre son assiette. Le jambon fut apporté et servi, ainsi qu'un plat de haricots verts à la sauce plaisamment acidifiée par le citron. Pas d'huîtres, mais le visiteur ne se sentit pas lésé pour autant.

Il ne prit conscience du malaise qui s'était installé qu'à l'arrivée du sorbet. Quelqu'un de normal aurait en tout cas parlé de malaise. Une atmosphère lourde, froide, quasi… reptilienne. Les pattes de griffon s'agitaient. La surface de la table restait d'une immobilité parfaite, malgré les mouvements fluides qui se produisaient en dessous. C'en était presque assez pour retourner l'estomac de Clare en personne.

L'illogisme de la chose le gênait. Une table n'aurait pas dû bouger de cette manière.

— Mon analyse… commença-t-il.

— Vous prouve que je suis *très autoritaire, pour une femme* ? s'enquit Mlle Bannon d'un ton suave, qui l'alarma assez pour détourner son attention du sorbet au citron exquis, servi dans une coupe en porcelaine de Chine.

Il avait d'ailleurs raison de s'inquiéter, car Mikal s'était raidi, la tête haute, les yeux fixés sur la magicienne avec l'impatience maîtrisée du limier. Quant à elle, le visage voilé par ses boucles, qui retombaient en avant, elle promenait sa petite cuiller en argent dans sa glace en train de fondre.

Ah ! Ah ! Votre armure a donc un défaut, Prima.

— Me prouve que vous en savez bien plus que vous ne m'en dites. Votre invitation à l'analyse est donc un piège. Au mieux, je passerai pour un sot ; au pire, je perdrai un temps précieux.

— Vraiment. (Elle se radossa, pendant qu'on emportait sa coupe. De même que celle de Mikal, à laquelle il n'avait pas touché.) Si vous voulez bien m'excuser, j'ai à faire avant de ressortir. Mais profitez de votre café, monsieur Clare.

Lorsqu'elle se leva, le Bouclier bondit littéralement sur ses pieds.

— J'espère pouvoir vous accompagner, cette fois ? (Clare repoussa sa chaise et se leva, lui aussi.) Après tout, vous avez bien maintenant la conviction que je ne fais pas partie des conspirateurs ?

— Nullement, mais vous pouvez malgré tout m'accompagner. (Elle jeta à Mikal un regard rapide.) Je veux garder un œil sur vous. Nous partons dans une demi-heure.

13

Le pire de Britannia

Emma passa l'essentiel de la demi-heure à faire les cent pas dans son bureau en parcourant du bout des doigts le dos de ses livres reliés cuir, pendant que la meurtrissure de son visage pâlissait. Il fallait qu'elle s'éclaircisse les idées. Le crâne posé sur sa table de travail grinçait à chacun de ses allers-retours ; une fine poussière d'os s'en élevait puis retombait sur ses courbes grimaçantes. Mikal, habitué de longue date à ce rituel, restait planté près de la porte, les mains croisées, dans la posture traditionnelle du Bouclier.

Le crâne était entouré de papiers couverts de l'écriture d'Emma, symboles de charme et de charte, souvenirs d'expériences, notes et schémas classés d'après des critères imperméables à tout autre qu'elle. Un globe de malachite tournait paresseusement sur les épaules contractées d'un Atlas de cuivre ; léger grattement perdu dans le froufroutement des jupes. Les grands rideaux noirs ondulaient discrètement, pendant que les boules de magie enfermées dans de lourdes cages de bronze crachotaient d'imperceptibles étincelles en répandant une vague clarté sanglante – *parfaitement* assortie à l'humeur d'Emma ce soir-là.

Les petits bruits du bureau ne faisaient que souligner le silence de Mikal. Elle finit par s'arrêter près des austères fauteuils de cuir disposés devant la cheminée. En saisit un par son haut dossier, les doigts crispés à en blanchir, la poitrine douloureuse. Serra plus fort encore. La magie de Restauration avait ses limites ; les capacités de Mikal aussi, même si elles n'étaient certes pas négligeables.

La carte de l'Empire accrochée au-dessus de la cheminée, gravée dans le cuivre et encadrée d'ébène de Ceylan, luisait de doux reflets dorés. On pouvait y suivre la course du soleil au-dessus des terres de la Couronne, sur lesquelles il ne se couchait jamais, en effet. Le pouvoir de Britannia s'exerçait largement.

Mais Britannia elle-même n'était ni infinie ni invulnérable.

Emma se raidit, le regard fixe. Elle caressa une seconde l'idée de se retirer derrière les murs de sa propriété, de renoncer à l'action. Dieu savait qu'elle avait payé – bien plus que son prix – la moindre miette qui lui avait été accordée.

Ç'aurait pourtant été une trahison. Abandonner la rcine, la laisser sans mage capable du pire.

D'ailleurs, la déplorable fierté d'Emma relevait la tête. Peut-être existait-il des Prime plus puissants qu'elle ; peut-être même en existait-il de plus présentables – plus convenables –, voire d'aussi loyaux. Un ou deux. Il n'en existait pas de disposés à s'abaisser autant qu'elle au service de l'incarnation présente de Britannia.

Victrix s'était battue avec une habileté et une férocité surprenantes pour échapper à l'emprise de ceux qui cherchaient à l'asservir, mais ce n'était après tout qu'une gamine, propulsée sur le trône par l'essence de l'Empire.

Est-ce la manière dont elle a résisté qui me fait accepter le joug sans broncher ? Emma se retourna en décrispant sa main, difficilement. Son regard croisa celui du Bouclier.

Que pouvait-elle bien lui dire ?

— Avant de sortir, ce matin… C'était injuste, Mikal. Mon humeur est… inégale.

Bref hochement de tête. Peut-être acceptait-il les excuses de la jeune femme ; peut-être voulait-il juste lui signifier qu'il avait entendu.

Quelle fierté ! Elle n'avait pas appris grand-chose, ce dernier mois, mais elle avait au moins découvert cette facette de son Bouclier. Les événements de la journée avaient constitué en ce qui la concernait une véritable gifle. Depuis le… la mort de Crawford, elle se consacrait tout entière au service de Britannia. Comme s'il lui suffisait de se réduire à l'état de squelette imbibé de force éthérique pour obtenir une réponse.

Peut-être n'aurai-je plus jamais l'occasion de poser la question.

— Mikal ?

— Prima.

— Pourquoi avez-vous fait… ce que vous avez fait ?

Et quelle preuve puis-je avoir que vous ne violerez pas une seconde fois votre serment de Bouclier, si vous portez un jour sur moi le même jugement que sur lui *? Mais avez-vous porté le moindre jugement ? Je n'en sais pas assez pour deviner quel genre de musique vous émeut. Peut-être devrais-je demander à M. Clare d'en déduire le rythme.*

Elle envisagea un instant d'expliquer au mentah comment elle s'était retrouvée enchaînée dans un Cercle Majeur tracé par une main étrangère, tout près de se faire arracher sa magie jusqu'aux racines. De décrire les bruits qu'avait produits Crawford quand les mains de Mikal s'étaient refermées sur sa gorge : le craquement des petits os et les râles horribles de l'étouffement, mêlés à ses propres cris de panique inutiles.

Une impuissance pareille amenait un Prime au bord de la folie. Voire au-delà. Emma se demandait d'ailleurs si elle avait bien toute sa tête depuis l'événement.

Mikal interpréta mal la question – peut-être volontairement.

— Je n'avais pas le choix : ou je me mettais au service d'un autre Prime, ou j'étais mort. (Calme, pragmatique, impassible.) Vous l'avez dit vous-même. Ils me tueraient, si je n'appartenais pas à la maisonnée d'un mage capable de me protéger, et vous êtes la seule à bien vouloir le faire.

Vous avez au moins appris ça. Qu'y avait-il de dangereux à continuer dans cette voie ? Elle prit son courage à deux mains pour passer en toute logique à l'étape suivante.

— Vous pouvez quitter mon service et continuer à vivre chez moi, si vous voulez. Ma demeure vous servira de sanctuaire. Le Collegia me censurera, mais au moins, vous n'y perdrez pas la vie.

Et je n'aurai pas à me demander quand vous allez m'ôter la mienne, au motif que je vous ai déçu.

— Non.

Bon. Elle avait réussi à lui arracher l'aveu d'une préférence, c'était déjà ça.

— Soit. Vous êtes libre de changer d'avis quand…

— Non. (Les yeux ambrés étincelaient. Elle se demanda pour la énième fois si ce qu'elle soupçonnait des ancêtres de Mikal n'était pas fondé, dans une certaine mesure.) Ne me posez plus jamais la question, Prima.

Très bien. Je me contenterai de rester sur mes gardes, j'ai l'habitude. Et puis j'ai obtenu de cette manière des résultats si satisfaisants... Il fallait toutefois noter que le renégat ne s'était pas encore retourné contre elle.

— Je vous conseille de vous armer de pied en cap, cette nuit.

La lumière cramoisie le transformait en statue ocre, si on oubliait l'éclat de ses yeux.

— C'est fait.

— Déjà ?

La voix d'Emma devait charrier une certaine ironie.

— Je ne prends pas les choses à la légère, quand ma Prima est poignardée au poumon.

Votre *Prima. Vous sentiez-vous aussi possessif vis-à-vis de* votre *Prime, il y a un mois à peine ?*

— Je suis là, non ?

— De justesse. Vous tenez vraiment à continuer sur ce ton, ou vous préférez me remettre à genoux pour gagner du temps ?

Je vous ai présenté mes excuses, Mikal.

— À vous entendre, on dirait que vous n'aimez pas ça.

Le ton sec. Un coup d'épingle à cette fierté de Bouclier, aussi regrettable que la sienne.

Pour une fois, il renonça à sa posture belliqueuse.

— Ni plus ni moins que vous, Prima. Puis-je vous demander où nous allons, cette nuit ? La marée ne va pas tarder à tourner. Il reste moins d'un quart d'heure.

Je sais. Elle jeta un coup d'œil à la grande horloge au tic-tac discret, dont le cadran présentait les heures sous forme de simulacres ornementés des différents âges de l'homme. La magie bouillonnait dans ses entrailles – ses roues, ses engrenages, ses ressorts, qui mesuraient la moindre seconde de l'éternité. Si ses propriétaires en prenaient soin, elle continuerait à fonctionner même quand sa lourde caisse de chêne au châssis de métal tomberait en poussière. Le vendeur avait juré ses grands dieux à Emma que cette merveille sortait du laboratoire d'un alchimiste, il était allé jusqu'à laisser entendre qu'elle avait appartenu autrefois à un auguste personnage – von Tachel en personne. C'était fort improbable… mais la jeune femme adorait son horloge, et les simulacres incrustés de pierreries lui évitaient d'oublier.

Surtout l'ouvrier crasseux de midi qui portait à ses lèvres noircies une chope de bière mousseuse et le miséreux de onze heures qui demandait la charité au gentleman.

La tête de dragon massive gravée au-dessus du cadran, les yeux luisants d'une douce magie, la gueule ouverte sur un rugissement silencieux permanent. *Le temps aussi est une gueule ouverte,* disait-elle. *Vous avez échappé au pire.*

Elle avait raison. Emma avait bel et bien échappé au pire, avant même que Miles Crawford ne lui tende le piège parfait. Sans une facétie du destin, elle serait peut-être devenue une des mendiantes des taudis qu'elle avait parcourus quelques heures plus tôt.

— À Southwark, s'entendit-elle répondre. Nous allons voir Mehitabel.

À sa grande satisfaction, le Bouclier avait pâli quand elle passa devant lui en quittant le bureau.

14

Le quartier où on ne fait pas de quartier

Clare eut beau lui proposer sa main, la magicienne grimpa sans l'aide de personne dans le fiacre, ses jupes curieusement silencieuses.

— Tout de même, mon brave. Il ne devrait pas être nécessaire de se jeter sous les roues d'une voiture pour attirer l'attention du cocher… lança-t-il audit cocher, avant de se retourner vers la maison.

Obscure, manifestement bouclée pour la nuit, le portail de l'allée fermé à double tour par des mains invisibles.

— Je m'arrête quand on m'appelle, oui oui. (Le nez et les joues du conducteur, enluminés par le gin, brillaient littéralement dans la lumière rougeoyante du crépuscule. Le soleil disparaissait rapidement, alors que le brouillard faisait son apparition – une vraie purée de pois londinienne, rampant sur la Themis.) Vous trouverez personne pour vous emmener sur c'pont-là, non, monsieur. Pas dans un quartier pareil, quand la marée va tourner. Vous avez d'la chance, vous savez.

— Beaucoup de chance, en effet, surtout que nous payons double tarif.

Cet homme n'était qu'un piètre matériau à déduction : un coquin de cockney, affecté d'une blessure de guerre à la jambe gauche et dont l'épouse, originaire de Stepney, ornait la boutonnière du ruban traditionnel.

— Monsieur Clare. (La magicienne se penchait à l'extérieur. L'enflure et la meurtrissure de son visage s'étaient remarquablement atténuées, mais une ride d'agacement lui plissait le front.) Montez, au lieu de discuter.

Clare obéit, la portière claqua, et les flancs de cuivre onduleux des chevaux mécaniques tintèrent sous le fouet. *Des chevaux Altérés et un exhibeur Altéré. Rien à voir,* murmura son esprit. *Sois raisonnable.*

Il était mal à l'aise. À cause des pattes de griffon supportant la table du dîner, évidemment. L'irrationnel le gênait comme il gênait *n'importe quel* mentah. Voilà tout.

Non, il y a autre chose. Je n'ai pas assez d'informations. Bon... un peu de patience. Il était toutefois difficile de faire preuve de patience, quand Mlle Bannon évitait avec une telle constance de parler des mutilations des mentahs non enregistrés.

Un sujet qui le touchait d'un peu trop près, à vrai dire.

Mikal avait disparu, mais Clare ne doutait pas de le voir reparaître au moindre problème. Le Bouclier était un peu moins blême et renfermé, malgré son air sinistre, alors que son employeuse restait d'une pâleur inhabituelle et tressaillait toujours à certains mouvements. Sa blessure aurait très bien pu être mortelle.

Ce n'est pas moi qui l'ai tué, s'était-elle empressée de dire, comme si son invité risquait de la soupçonner d'une chose pareille. Le tiroir mental consacré à Mlle Bannon s'était transformé en gros bureau plein de coins et de recoins : elle fournissait nettement plus de matériau aux facultés déductives que la conspiration en cours.

Laquelle commençait évidemment à se parer de caractéristiques troublantes.

Le fiacre tressauta. La jeune femme vacilla, tandis que Clare murmurait des excuses.

— Nous sommes un peu à l'étroit.

— En effet. (Elle était d'une pâleur alarmante, sous ses boucles oscillantes.) Je n'ai pas été tout à fait franche avec vous, monsieur Clare.

— Non, bien sûr. Vous ne l'êtes avec personne. Vous avez appris à ne pas l'être.

— Encore une déduction.

— Avez-vous lu ma monographie, madame ? La déduction est ma vie. La vie de tous les mentahs, d'ailleurs, mais la mienne plus particulièrement. (Il se permit d'arquer un sourcil sardonique, jeta un coup d'œil à son interlocutrice et eut la satisfaction de la voir sourire, à peine.) Je déduis que votre malchance vous exaspère bien davantage que votre Bouclier ou ma personne. Je déduis que vous êtes orpheline et que vous avez appris très jeune ce que coûte le luxe. Je déduis aussi que cette *conspiration* recouvre en réalité un désaccord au sujet d'un artefact dont les mentahs avaient…

— Une minute.

Elle pencha la tête de côté, leva une main gantée, frissonna. Clare consulta sa montre de gousset.

La marée tournait.

Des symboles de charte d'un or scintillant rampaient sur la peau de la magicienne. Un bouillonnement d'étincelles traversait ses bijoux ; son camée éclairait tout le fiacre, véritable lampe miniature à la lumière nacrée. Les symboles replongèrent dans sa chair sous le regard fasciné de son compagnon, pendant qu'une poussière de magie égarée s'élevait en nuages des plis de sa robe avant de s'évanouir dans l'air. De nouveaux caractères mystérieux apparurent sur ses traits, les badigeonnant d'une écriture incompréhensible pour le commun des mortels.

Elle exhala brusquement ; les lumières pâlirent. Lorsqu'elle agita les mains, des étincelles jaillirent de ses doigts. Un des chevaux mécaniques hennit ; le fiacre tressauta.

— Ça va *beaucoup* mieux, murmura-t-elle.

Quand ses yeux sombres se reposèrent sur Clare, l'horrible meurtrissure avait totalement disparu de son visage et de sa gorge. La secousse suivante ne la fit même pas tressaillir.

— Vous disiez ?… Un artefact…

— Un artefact dont les mentahs avaient entrepris la construction, par morceaux, de sorte qu'aucun d'eux ne le connaissait dans son entier.

Il rangea sa montre avec soin. Un linge d'excellente qualité était apparu par magie dans ses appartements. Un charme de mesure permanent lui avait été appliqué, ainsi qu'à ses vêtements. Son valet se révélait adroit, pour dire le moins, et ne cherchait pas à engager de conversations inutiles.

Bref, l'hospitalité de Mlle Bannon était digne d'entrer dans la légende.

— Hmm.

Ni acquiescement ni protestation.

— Un artefact dont l'existence a été délibérément cachée à Lord Grayson. (*Du moins l'espérez-vous.*) J'en déduis que vous avez eu affaire à ces mentahs avant leur mort et que vous prenez en effet vos ordres ailleurs.

— Et qui, à votre avis, pourrait bien me donner des ordres ?

Une embardée. La jeune femme leva la tête, mais se détendit aussitôt. Le ventre de Clare se noua… peut-être à la perspective d'une nouvelle partie du jeu découvert la veille.

— J'ai vu que le sceau royal figurait sur plusieurs des volumes de votre excellente bibliothèque, où je me suis servi juste avant notre départ. La statue de Britannia en argent massif qui orne votre vestibule porte l'imprimatur royal. Je ne doute pas que vous ayez rendu de grands services et qu'on vous ait offert cette œuvre en témoignage de reconnaissance... mais vous continueriez à servir, même sans cela. Votre respect pour Dieu et Sa Majesté est sincère... et profond, semble-t-il.

Elle pinça les lèvres. Et joignit les mains, cérémonieusement posées sur ses genoux, ainsi que le voulait la bonne éducation. Malgré le froid qui menaçait ce soir-là, elle n'avait pas pris de châle. Ni de chapeau, contrairement à ce qu'avait pensé Clare. Peut-être s'attendait-elle à quelque désagrément qui aurait fait d'un couvre-chef une gêne.

Observation qu'il ne trouva pas le moins du monde réconfortante.

Le silence s'étira, seulement rompu par le claquement des sabots renforcés et les coups de sifflet joyeux, quoique étouffés, du cocher qui prenait au sud. Des confrères lui répondirent. Les rues encombrées des alentours produisaient un grondement marin bas, marmonnant. La marée venait de tourner ; voilà pourquoi la ville évoquait une pâte en fermentation, travaillée par la levure, surtout près de la Themis.

— Admettons que vous soyez digne de confiance. (Mlle Bannon regardait par la fenêtre la foule tourbillonnante.) Et alors ?

— Alors nous découvrons qui a tué magiciens et mentahs, nous récupérons les pièces manquantes de l'artefact, nous dévoilons l'identité des traîtres à Sa Majesté qui cherchent à voler ledit artefact et, peut-être bien, à s'en servir contre l'incarnation actuelle de Britannia et…

— Et nous sommes de retour chez nous à l'heure du thé ?

La question le désarçonna, de même que son propre rire sifflant, qui se calma presque aussitôt. Le fiacre ralentit à l'extrémité nord du pont de Fer, car il allait maintenant à contre-courant.

— Espérons-le.

— En effet. Nous pouvons continuer dans cette voie, sans oublier un détail, monsieur Clare : je suis responsable de votre sécurité. Ni la désobéissance, ni l'incompétence ne sont excusables à mes yeux. Vous êtes relativement compétent ; puis-je vous faire confiance pour ne pas discuter mes ordres ?

Excessivement *autoritaire, pour une femme.*

— Vous pouvez, mademoiselle Bannon. Jusqu'à plus ample informé. À condition que vos exigences restent dans les limites de mes capacités.

— Parfait. Nous arrivons au pont. Le cocher va refuser d'aller plus loin. Vous êtes un gentleman, mais je vous prie de me laisser descendre la première. Vous êtes nettement plus vulnérable que moi.

Un agacement aigu le traversa, qu'il eut du mal à écarter.

— Très bien.

— Merci.

Elle rassembla dignement ses jupes. Comme s'il s'agissait d'un signal, le fiacre s'arrêta.

Le pont de la Reine – ou encore pont de Southwark ou pont de Fer, comme on disait pour contrebalancer le pont de Pierre, autre artère essentielle de Londinium – les dominait dans le crépuscule. Ses extrémités massives disparaissaient dans le brouillard, son acier noir luisait d'humidité, la Themis aux ondulations dorées brillait sous ses arches, pendant que la marée descendante retournait à la mer en se répandant alentour. C'était peut-être l'ouvrage le plus laid de la ville, avec les touches vermillon qui s'y mêlaient aux symboles de charte dont il était parcouru sur toute sa longueur. On racontait que les ponts servaient à dompter la Themis en ligotant l'antique demi-dieu affamé endormi dans ses profondeurs.

Malgré le manque de logique criant de cette légende, le métal froid apportait au passant un réconfort superstitieux.

À l'extrémité sud du pont de Fer s'étendait le Wark, d'où s'élevaient des colonnes de fumée dense soulignées d'une lueur cramoisie. Les fonderies insomniaques se faisaient entendre jusque de l'autre côté. La pluie de cendre évoquait la neige de la nuit des Rois. Le métal vibrait sous le pied d'une manière fort désagréable.

— J'vais pas plus loin, messeigneurs. (Le cocher avait pâli sous ses couleurs de gin.) Le Wark Noir est nerveux, ce soir. Ça s'sent dans l'pont, vous savez.

Mikal venait d'apparaître près de Mlle Bannon, ses yeux d'ambre emplis de la lumière mourante de la Themis. Il chuchota quelque chose à la magicienne, qui répondit d'un brusque hochement de tête, animant ses boucles d'oreilles.

— Donnez-lui une demi-couronne de plus, Bouclier. Il nous a bien servis. Venez, monsieur Clare.

— Merci, mon brave. (Clare épousseta son chapeau. Peut-être les cendres du Wark allaient-elles le gâter.) Et bien le bonsoir. Mais vous savez, ajouta-t-il, à l'adresse de Mlle Bannon, je n'ai toujours pas la moindre idée des raisons pour lesquelles il est si difficile de trouver un fiacre.

La lumière diffuse rendit indiscernable la pichenette par laquelle Mikal lança son dû au cockney, lequel attrapa pourtant au vol sa demi-couronne supplémentaire, qui disparut aussitôt. Il salua la magicienne d'un petit coup de chapeau, cligna de l'œil puis agita les rênes.

— Conspirateur.

Mlle Bannon observait le fiacre exécuter un demi-tour serré. Lorsque les sabots Altérés du cheval mécanique mordaient la surface du pont, des étincelles de magie égarée brillaient brièvement dans leur sillage. Le fouet claqua. Le cocher s'éloigna.

— Peut-être.

L'estomac de Clare ne lui semblait pas aussi bien accroché qu'il l'aurait aimé. Il rejeta les épaules en arrière, dans l'espoir d'atténuer l'inconfort d'une digestion difficile.

Le centre du pont était désert, alors que Londinium bouillonnait à ses deux extrémités. Entrepôts et immeubles miteux entouraient le terminus de Queen Street, sur Upper Themis Road. Des lumières vacillantes y brillaient, flammes du gaz et boules de magie occasionnelles. De l'autre côté régnait la clarté sanglante de Southwark, au bourdonnement bas mélancolique.

Mlle Bannon se détendit quand la voiture eut disparu sur Upper Themis Road, et sa tension diminua, sans toutefois s'évanouir.

— Nous sommes aussi en sécurité que possible, murmura-t-elle. Venez, monsieur Clare. Je vais vous demander de m'écouter avec attention pendant le trajet.

Il lui offrit son bras. Des cendres voletantes l'entourèrent d'un rideau gris.

— Nous allons entrer dans Southwark…

Elle posa une main gantée au creux de son coude, avec une délicatesse et une correction parfaites. Pas question de s'appuyer sur lui. Mikal s'écarta, pivota d'un mouvement élégant et suivit, de l'autre côté de la jeune femme.

— Manifestement.

— Ne m'interrompez pas. À partir du moment où nous quitterons le pont, quoi qu'il arrive, si important que ce soit, ne prenez pas la parole sans ma permission expresse. La… la dame à qui nous rendons visite est fort excentrique, elle a des oreilles dans la majeure partie du Wark, et elle est aussi *excessivement* dangereuse.

— Si elle est assez dangereuse pour vous causer autant d'inquiétude, mademoiselle Bannon, ne doutez pas que je suivrai vos instructions à la lettre. Qui est-ce ?

— Elle s'appelle Mehitabel. (La jeune femme serrait les dents. Elle avait pâli.) Mehitabel la Noire.

— Drôle de nom. Faut-il en avoir peur, mademoiselle Bannon ?

Le visage enfantin au nez aristocratique était grave. Un petit sourire crispé joua sur ses lèvres.

— Vous êtes lucide, monsieur Clare. Ce qui signifie *oui*.

Au cœur de Southwark se trouvait le Wark Noir, constitué en réalité d'une mosaïque de gris et de rouge. Le gris des cendres, que les marcheurs de scories au pas traînant repoussaient en tas de leurs longs balais plats et que les charrettes emportaient aux savonneries sur leurs roues de bois traditionnelles au grondement puissant. Le rouge des fonderies brûlantes, ce cœur qui battait sous le costume d'Arlequin des rues et des allées enchevêtrées. Les becs de gaz rouillaient vite, à cause des pluies de cendre. Un brouillard jaune étirait ses minces tentacules inquisiteurs le long des pavés, mais reculait devant la clarté rouge, se blottissait dans les coins, s'accumulait dans les poches d'ombre.

Entre les ponts de Blackfriar et de Londinium, au-dessus d'une Themis obscure, s'élançait le pont de Fer. Les doigts immenses des ouvrages peignaient la soie de la rivière, sur laquelle les fonderies assoiffées crachaient leur production. Ferronnerie ou mecanisterum à Altération – les énormes entrepôts destinés à la fabrication des chevaux mécaniques avaient été construits près de High Borough et de Leather Market. Blackfriar, Great Dover-Borough, High Wellengton et Great Surrey constituaient les limites est et ouest du Wark Noir, borné au sud par Greenwitch. On racontait que seuls permettaient de le contenir les puissants enchantements ensevelis sous ces rues, intégrés à des rails d'argent pur. À en croire la rumeur, il abritait des ateliers aux travailleurs ricanants, bondissants, Altérés au point d'être réduits à l'état de squelettes d'acier ; certaines de ses venelles appartenaient à des mécanismes d'horlogerie au métal noir qui *changeaient* lorsque le brouillard s'épaississait et que la pluie de cendre devenait particulièrement dense.

Les indigènes du Wark étaient de jeunes Altérés. D'innombrables immigrants, pour la plupart originaires de la proche Érin, se déversaient dans ses fonderies et ses entrepôts, s'entassaient à vingt et plus dans une seule de ses pièces puantes, fabriquaient les délicats engrenages et les ferronneries massives qui partaient chaque jour avec la marée, immaculés, étincelants.

Si un gentleman voulait visiter le quartier, il embauchait des guides Altérés, des exhibeurs indigènes qui travaillaient en groupes – une demi-douzaine ou plus – et qui mettaient en général un point d'honneur fruste à protéger qui les payait. Les exhibeurs du Wark inspiraient la crainte jusque dans les pires taudis d'Eastron End. On disait d'ailleurs qu'on leur proposait souvent de commettre des crimes qui auraient répugné à un barbare des Indes.

Au bout du pont, Mikal prit de l'avance. Le voile de cendre s'écarta.

— Un penny par personne, c'est le prix du passage, croassa une voix rauque. Trois pence pour leurs seigneuries !

Un gardien de pont apparut dans le cercle vaguement lumineux d'un bec de gaz, secouant son chapeau pour en faire tomber les cendres. Un homme tout rond, loqueteux, dont un scintillement de métal trahit les Altérations : la pince de homard qui remplaçait la main gauche, acier encroûté de suie, quoique brillant aux endroits dénudés par les frottements, et l'œil de verre jaune à la lueur venimeuse, assorti au brouillard. La curieuse démarche vacillante de l'inconnu éveilla l'intérêt de Clare.

Il a été modifié encore plus profondément. Voyez-moi ça. Des roues. Pas de pieds. Ce n'étaient pas non plus des Altérations de bonne qualité, avec leurs arêtes grossières et leurs engrenages cliquetants, encrassés de graisse et de cendre. Aucune surface lisse, luisante.

Clare eut toutes les peines du monde à tenir sa langue.

La magicienne l'entraîna de l'avant, sans ralentir, en lançant un seul mot :

— Mikal.

— ’Vous faut des guides, Vos Excellences, surtout après le retournement de marée. (Le gardien de pont gloussa.) Avec une dame, en plus !

Quelque chose bougea dans l’obscurité. Clare se raidit, mais Mlle Bannon se contenta de pencher la tête de côté.

— Je n’ai aucun besoin de *guide*, Carthamus. Vous devriez nettoyer votre œil. Dites à vos chiens de battre en retraite, ou vous allez en perdre la plupart quand je vais me fâcher.

La main de Mikal bougea. Trois pence tintèrent sur les pavés, presque perdus dans une bourrasque de cendre. Le Bouclier recula d’un pas quasi affecté, tandis que l’Altéré jurait.

— Surveillez votre langage, lança la magicienne, cinglante. (Ses doigts se crispèrent sur le bras de Clare avec une force surprenante.) Par ici.

— Ils sont nombreux.

Mikal avait parlé très bas.

— Ça ne m’étonne pas. Elle m’attend.

Les visiteurs s’enfoncèrent dans le Wark. Les sens de Clare aiguisés, en alerte. Il regrettait presque de ne pas être resté à Mayefair.

15

Les crocs d'acier

Les chacals les entourèrent sitôt qu'ils quittèrent le pont, mais Emma ne prit pas la peine de héler un pousse-pousse. Les pas de Mikal la suivaient, de même que l'odeur âcre de la poudre – celle d'un homme tendu, prêt à tout, dont l'aura cramoisie tranchait pourtant sur la faible lueur des fonderies. La Vision révélait les runes aiguisées qui frémissaient à la limite du visible dans tout le Wark, langue de charte étrangère râpant la trame et la chaîne de l'antique magie londinienne. Les cendres murmuraient de toutes leurs petites voix brûlantes, de toutes leurs bouches édentées ; Emma regrettait de ne pas s'être munie d'un voile. Des étincelles s'élevaient paresseusement dans le brouillard, car le quartier résonnait encore du changement de marée, telle une cloche géante dont le tremblement se serait prolongé alors que sa voix vibrante s'était depuis longtemps amenuisée jusqu'à devenir inaudible.

La magie avait un goût de métal en ces lieux, où sentir sous sa main un bras solide, bien réel, représentait un véritable soulagement tant les interférences foisonnaient. Or Mikal ne pouvait servir d'ancrage – il aurait beaucoup trop à faire si certains exhibeurs se mettaient en tête de s'en prendre aux intrus.

C'est bien le moment de regretter de ne pas avoir davantage de Boucliers. Pensée disparue aussitôt qu'apparue ; Emma avait d'autres chats à fouetter.

La pluie de cendre changea de direction ; les flocons tourbillonnèrent malgré l'absence de vent. Le brouillard de Londinium rampait toujours alentour, introduisant ses doigts agiles au creux de la moindre fissure, repoussé par l'intelligence à l'œuvre dans l'éclat rouge du Wark.

Brusque virage à droite, sans s'approcher de la gueule sombre édentée des venelles. C'était elle qui décidait de leur trajectoire, et elle décida en effet de gagner les Blackwerks par le nord. Choix raisonnable, car moins longtemps elle resterait dans le Wark au bras d'un mentah, mieux elle s'en trouverait.

Il avait déjà le teint franchement verdâtre. Elle aurait peut-être dû l'avertir que la magie du quartier risquait de le perturber, non seulement par son illogisme, mais aussi par sa nature profondément *étrangère*.

Des trottinements s'élevaient dans l'obscurité, le tintement d'arêtes aiguës tirées sur la crasse des pavés. Sur les toits se devinaient des murmures, des yeux scintillants. Une petite fonderie s'ouvrait à droite des intrus ; on y transvasait d'un gigantesque chaudron à l'autre un métal éclatant, dans un grand nuage d'étincelles voletantes où se découpaient les ombres chinoises des ouvriers. Les paires de points lumineux postées derrière les grilles ou rassemblées dans les venelles montraient que les rats étaient sortis en masse, flancs lisses soulevés par un souffle haletant, queues nues laissant dans leur sillage une traînée de limace opalescente.

Emma dut aiguillonner Clare, qui ralentissait le pas, le cou tordu pour tout voir. Il cherchait manifestement à donner un sens aux flux et reflux de la pluie de cendre, aux réactions inadéquates de la lumière, aux grattements/glissements discrets qui s'élevaient dans le noir.

— Contentez-vous d'observer, lui souffla-t-elle, comme à un apprenti Bouclier à qui elle aurait dû enseigner le Gant. N'essayez pas d'analyser.

Il la regarda avec des yeux ronds qui trahissaient sans doute la stupeur et le saisissement.

La Dame Noire ne s'y tromperait probablement pas. Lorsqu'ils négocièrent le virage abrupt de Park Street, l'éclat des becs de gaz faiblit – ce n'était pas un simple effet de l'imagination d'Emma. Le rideau de cendre les enveloppa de plus près. Les minuscules lueurs jumelles quittèrent l'ombre des ruelles pour se rapprocher, flancs luisants, comme humides, sous les cendres lisses.

Pour l'amour du Ciel ! Elle marmonna quelque chose de fort grossier, jeta un coup d'œil à Mikal et leva brusquement sa main libre, les doigts tors, pendant qu'une demi-mesure de chant s'échappait de ses lèvres pour s'enfoncer, sanglante et complète, dans l'obscurité profonde.

Une lumière argentée flamboya. Un cercle de magie fumant apparut autour d'eux, symboles de charte familiers qui se contorsionnaient, étincelants, sous la pluie de cendre. Les rats détalèrent. Altérés, eux aussi – engrenages tournoyants de l'arrière-train, éclaboussures de graisse jaillies des rouages, minuscules griffes de diamant égratignant les pavés.

— Il suffit ! lança Emma d'un ton sec. (La flamme des becs de gaz reprit brusquement de l'éclat, tandis que le brouillard s'agitait ; ses tentacules s'épaissirent.) Je ne suis pas un jouet, Mehitabel !

Tout se figea. Les cendres s'immobilisèrent en l'air dans leur lent tournoiement traversé d'étincelles. La lumière faiblit à nouveau. Une boule de magie apparut soudain derrière Emma dans une modeste explosion puis pâlit légèrement quand la jeune femme en détourna son attention. Lorsque le monde se remit en branle et que le temps reprit son cours, un exhibeur se tenait à la limite exacte de la sphère de normalité, comme elle s'y attendait, chapeau haut de forme incliné sur l'oreille, veste de velours pourpre miteux brossée avec soin. Sa main droite avait été remplacée par une merveille d'Altération, dont l'acier noirci reproduisait quasi à l'identique l'appendice originel. Emma connaissait bien les motifs métalliques gravés dans le jeune visage sans âge.

L'arrivant était un des favoris de Mehitabel qui conserverait sans doute longtemps son statut. Tant qu'il aurait de bons réflexes et que sa cruauté plairait.

— Le nom de ma dame. (Il sourit de tous ses éclats d'acier. Sa main droite se plia avec un bruit léger, à la fois sec et huileux. Mikal fit un pas de plus, un seul, mais il n'en fallait pas davantage. L'exhibeur lui jeta un coup d'œil avant de reprendre, toujours pour la visiteuse :) Z'avez dit l'nom d'ma dame. Billybong à vot' service, m'dame.

— Elle connaît le mien aussi, riposta Emma d'un ton sec. J'ai *à faire*, Petit Malin. Je vais aux Blackwerks, et je n'apprécie pas ce genre d'idioties.

— J'vais vous guider. Gratos. (Il pivota, les clous de ses bottes arrachant aux pavés enduits de crasse une unique étincelle cramoisie.) Ma dame 'tend.

Elle se permit un bref gloussement, totalement dépourvu de gaieté.

— Dans le cas contraire, je ne me permettrais certainement pas de venir la trouver. Montrez-nous le chemin, Petit Malin, et soyez prudent. Votre dame n'aimerait pas vous perdre.

— Ouais, ouais. J'suis l'plus rapide. J'pique vos sous à trois pas, j'laisse les chiffons aux fumeux.

Il agita sa main inAltérée – aperçu fugitif d'une peau pâle douteuse.

Emma serra à nouveau le bras de Clare. La boule de magie étincela.

— Il veut dire qu'il peut vous faire les poches à trois pas en y laissant votre mouchoir pour les voleurs moins doués. Ce n'est sans doute que la stricte vérité. Voilà pourquoi Mikal lui coupera les doigts… *tous* les doigts… si jamais il nous approche. Allons-y. J'ai d'autres rendez-vous cette nuit.

L'exhibeur jeta un coup d'œil à Clare.

— Dur d'la feuille ou d'la comprenette, hein ?

Elle tapota le pavé de la pointe du pied, geste qui produisait moins d'effet sous ses jupes, mais qui, elle l'espérait, exprimait malgré tout son agacement.

— Il n'est ni sourd ni idiot, mais ça ne vous regarde pas. Allons-nous nous mettre en route, ou dois-je bouter le feu à vos cheveux et rendre visite à votre maîtresse de mauvaise humeur ?

Pour toute réponse, il montra une fois de plus ses crocs d'acier. Une vision se présenta à elle, de ces dents aiguisées s'enfonçant dans sa chair – un jaillissement de sang tacherait le métal luisant. Elle réprima un frisson.

Elle avait déjà vu les exhibeurs de Mehitabel se nourrir. Une fois.

Mais le Petit Malin s'ébranla. Lorsque Mikal hocha la tête, les lèvres pincées, l'air sinistre, elle fit repartir Clare le plus simplement du monde, en le tirant par le bras. Ils s'enfoncèrent dans le Wark, suivis du globe de magie argenté oscillant.

Deux pas plus loin, elle s'aperçut que le Bouclier avait disparu.

Parfait.

16

Ne me dites pas que vous aussi

Les Blackwerks l'entouraient de leurs épines de métal noir tire-bouchonnées par la chaleur et la pression. Clare avait l'impression que son crâne lui comprimait le cerveau : il y avait tout simplement trop d'illogisme en ces lieux. Les cendres, pour commencer – les foyers du Wark ne pouvaient en produire autant, malgré leur nombre, c'était tout bonnement impossible, mais il fallait bien pourtant qu'elles viennent de *quelque part*. Quant aux rats… des animaux d'aussi petite taille n'auraient pas dû être Altérés. Leurs yeux brillaient d'une lueur maligne, tandis qu'ils trottinaient avec vivacité, d'une démarche coulée.

Le jeune exhibeur précédait les visiteurs en sifflotant, les mains au fond des poches. Il lui arrivait parfois d'exécuter un curieux petit bond, mais ce genre de mouvement ne semblait affecté d'aucune périodicité. Mlle Bannon communiquait sa tension à son compagnon par l'étau où elle enfermait son bras. S'il s'agissait d'une promenade, elle se déroulait dans un monde infernal, aux perspectives subtilement faussées.

La pensée était à peine venue à Clare que la pression de son crâne se relâcha. Il entreprit de cataloguer les angles entre constructions, mesurés avec soin, de calculer les incohérences subséquentes et de chercher une théorie applicable à l'ensemble. Un travail mental difficile, emperlant son front de sueur, il en eut vaguement conscience, mais qui lui apporta cependant un immense soulagement en lui fournissant une occupation.

Un gigantesque portail hérissé apparut, entrouvert, le sommet torturé par une chaleur inimaginable, entouré d'énormes tas de cendre dont les flocons dérivaient contre un mur de brique décrépit. *Blackwerks*, annonçait une enseigne peinte en fer-blanc. Le jeune Altéré se glissa de l'autre côté des grilles, fit volte-face et s'inclina profondément.

— Entrez, entrez, m'sieurs dames, gloire à ma dame. Entrez donc dans les Werks.

Il tapa deux fois du pied gauche – le talon de sa botte tinta sur les pavés fendus – puis recula en dansant dans un éclat orangé.

La caverne qui se déployait derrière lui exhalait une haleine de four par sa vaste ouverture. La machinerie s'y tordait, les chaudrons s'y inclinaient pour déverser des substances auxquelles Clare préférait éviter de penser. Il entrevoyait des engrenages cliquetants, des roues dentées imbriquées les unes aux autres, d'énormes chaînes noires de suie frissonnantes entrechoquées, parfois tendues… La cendre tombait plus dru. Heureusement qu'il portait son chapeau. À sa grande surprise, les flocons évitaient Mlle Bannon, dont le globe de magie brillait toujours derrière eux d'une lumière argentée, qui rendait ses justes proportions à tout ce qu'elle touchait. Clare se demanda s'il en coûtait beaucoup à la Prima de maintenir cette sphère de normalité, mais préféra s'abstenir de poser la question.

Une silhouette mince se dégagea de l'éclat du brasier en s'avançant d'une longue glissade.

Qu'est-ce que c'est que ça ?

C'était une femme. Ou peut-être en avait-ce été une, autrefois. Longues jupes de bombasin noir, empesées de scories, peau noire en métal poli, crinière – au sens propre – d'un gris de cendre, rejetée en arrière par des épingles de jais mal assurées. Les bras représentaient de pures merveilles d'Altération, avec leurs os en acier et les engrenages délicats de leurs mains, qui s'ouvraient et se refermaient pendant que la chose… la *femme* s'approchait. Le visage était de métal et d'engrenages, comme les membres – nez réduit aux cavernes des sinus, yeux de rubis aussi gros que des œufs, éclairés de l'intérieur par une intelligence maligne.

Mlle Bannon serra à nouveau le bras de Clare en guise d'avertissement. Il resta bouche bée.

Alors que la bouche de la chose – l'ouverture qui lui servait de bouche – s'animait.

— *Prima*.

La voix charriait le crépitement et la danse des flammes. Les jupes noires frissonnèrent quand ce qu'elles recouvraient – quoi que ce puisse être – rencontrèrent une irrégularité du sol.

Une robe à la mode il y a dix ans. Un lorgnon se balançait au bout d'une fine chaînette, à demi dissimulé dans les plis du tissu. *Cette chose lirait-elle vraiment ? Depuis combien de temps a-t-elle cessé d'être humaine ? Lui reste-t-il seulement une once de chair ?*

— Mehitabel. (Simple signe de tête.) Je suis venue chercher ce que je vous avais confié.

Un cri perçant quoique rauque, traversé de claquements, s'éleva dans la poitrine de métal. Il fallut un moment à Clare pour comprendre ce qu'était ce bruit pénible, ce grincement rouillé.

Un rire. Hideux.

Lequel s'interrompit brusquement. Le guide des visiteurs recula d'un pas nerveux, tel un cheval inAltéré auquel parvient l'odeur de fer et de sang de l'écurie. La chose… Mehitabel… tourna la tête ; les servomoteurs de son cou bougèrent avec une grâce terrible. Cette monstrueuse imitation de mouvement humain souleva le dîner de Clare dans ses entrailles.

Mon estomac n'est peut-être pas aussi bien accroché que je le pensais. Il s'aperçut alors qu'il se cramponnait à la main posée sur son bras. Qu'il la tapotait doucement, comme pour calmer une malheureuse femme effrayée. Il avait la gorge serrée.

L'émotion. Ça suffit.

La part irrationnelle de son être fit la sourde oreille.

— Oh, non, Mehitabel. (Si incroyable que ce soit, Mlle Bannon avait l'air *peinée*.) Ne me dites pas que vous aussi.

— *Vous ne connaissez pas vos ennemis, magicienne.*

Des flocons de rouille tombèrent des coudes de la chose lorsqu'elle leva les bras. Sa bouche s'élargit ; une étincelle de braise se dilata au fond de sa gorge. La jeune femme s'avança, échappant à Clare d'une torsion experte du poignet ; l'éclat de la lumière magique s'intensifia, fragile écran d'argent interposé pour les protéger de la pourpre venimeuse des Werks. La machinerie alentour frissonna, craqua. Mehitabel sursauta. Mlle Bannon cria quelques mots, y compris un nom d'organe que Clare n'aurait jamais cru connu d'une dame.

Les craquements s'interrompirent. Mehitabel se figea – complètement.

— Je ne connais peut-être pas mes ennemis, mais je suis une *Prima*, dit la visiteuse d'une voix douce, les mains levées, curieusement tordues, les doigts entrelacés. Tandis que toi, petit drake, tu n'es que toléré ici.

La chose de métal frémit. Clare eut conscience d'un mouvement, mais son avertissement étouffé se perdit dans un courant d'air épouvantablement brûlant. Mikal était là, soudain, écartant la main du jeune exhibeur d'une claque, avec une aisance méprisante. Le scintillement d'une lame mince s'envola, décrivit un grand arc de cercle puis s'évanouit dans la cendre. Un autre geste, un seul, comme après réflexion, et l'Altéré s'envola littéralement, lui aussi, avant de disparaître un peu plus loin dans une brume rouge et un tourbillon de cendre brouillon.

— *Toléré ?*

L'haleine brûlante et puante des Werks portait un gloussement épais et bas, presque une éructation. Une voix terrible, monstrueuse, sèche et écailleuse approximation de la parole humaine aux sifflantes chargées de poussière toxique qui dominait les grincements du métal et les crépitements des flammes.

— *Je ne crois pas, petit singe. Tu es chez moi, tu sais.*

La boule de magie flamboyait, éclat d'argent aveuglant.

— Mikal. (La voix de Mlle Bannon porta, malgré le rire de la chose.) Emmène-le. Vite.

Le déchant écorchait la gorge d'Emma, qui divisait sa concentration pendant que le grand monstre de métal tors luttait contre son emprise. Sa main gauche se crispa, brûlante, sur la corde de sa volonté ; la force dont l'étau emprisonnait le simulacrum de Mehitabel perdit de sa cohésion à la marge. Il fallait choisir : la forme vraie ou l'écho de métal. Les strates des mondes physique et éthérique vibraient tandis que la magie déployait son rayonnement et que le Wark frissonnait, car Emma le soumettait à sa propre volonté.

Je le paierai plus tard. Le tissage du chant donna naissance à un Grand Mot qui s'insinua entre ses syllabes puis se posa sur la forme de métal. Elle s'effondra, recroquevillée, roulée en boule comme un papier dévoré par les flammes.

Un hurlement puissant, déchirant s'éleva de la forme vraie, invisible de Mehitabel. *Ça doit faire mal.*

Mais ça permettait aussi à Emma de se concentrer sur une seule cible, pendant qu'une énergie chauffée à blanc courait dans ses veines. Un bouillonnement de courses et de cris agitait les Blackwerks. Les exhibeurs et les ouvriers-fourmis rampants du drake apparaissaient les uns derrière les autres dans la brume de chaleur de la caverne, images vacillantes brouillées par la pluie de cendre.

Emma tendit les mains, la magie crépita entre ses paumes, puis elle *serra*. Des rubans de fumée s'élevèrent de ses bagues et de ses gants brûlés. Mehitabel hurla, une fois de plus. Les exhibeurs se figèrent, les ouvriers tombèrent. Le chant s'éteignit, car la jeune femme avait affermi sa prise.

— La chair est tout aussi facile à écraser, lança-t-elle.

Les mots couvrirent les crépitements des flammes crachotantes et les cliquetis du métal frissonnant. Le visage du simulacrum fondait toujours, ruisselets d'acier liquéfié, pendant que sa robe démodée brûlait comme une torche.

— Y compris la *tienne*, serpent. Où est-elle, *Me-hi-tabeh-ru-la gu'rush Me-hi-lwa* ?

Les syllabes étrangères transpercèrent l'atmosphère tourmentée, écorchèrent la gorge d'Emma, lui humidifièrent les yeux, tandis qu'elle les martelait une à une de la manière adéquate.

Les heures d'étude et de travail méticuleux, tortueux, payaient soudain. Mehitabel ne se doutait apparemment pas que l'adversaire avait appris son vrai nom, encore moins qu'elle allait l'*utiliser*.

Jamais un drake n'oublierait une chose pareille. Sans parler de pardonner.

Les Blackwerks se… figèrent.

Étincelles et cendre en suspension. Simulacrum en feu, réduit à l'état de tableau aux flammes immobiles, au visage détruit.

Une énorme tête étroite, à la triple couronne et à la langue trifide, s'éleva d'un creuset de métal fondu puis s'approcha sur un long cou sinueux aux écailles noires. Les joyaux de feu qui en constituaient les yeux étaient assortis aux rubis à présent craquelés de l'automate. Des ailes de cuir se déployaient dans son sillage, tranchant de leurs bords aiguisés les flocons de cendre et les étincelles figés par la stase.

Les pointes de la langue frétillaient. Des voiles de fumée curieusement léthargiques enveloppaient le grand corps du drake. Mehitabel maintenait les Werks hors du temps, les ailes frémissantes portées par une atmosphère assoupie. La chaleur immense devenait réellement terrible, pendant que le métal d'où elle sortait en partie bouillonnait bruyamment dans de violents déchirements. Elle tourna la tête – œil rouge étincelant –, mais Emma se rejeta en arrière, les doigts brûlants, la fine laisse de sa volonté passée à la gorge écailleuse.

Ce sont les enfants du temps, avait psalmodié le professeur, il y avait des années de cela. *Des Puissances aux anciens endormis. Nous devrions d'ailleurs nous estimer heureux de leur sommeil, car si ces drakes-là se réveillaient, ils se secoueraient pour se débarrasser de notre île – et de bien plus encore. Un nouvel Âge du Feu s'ouvrirait devant nous.*

La tête de Mehitabel recula d'une secousse. Un œil noir fixé sur la visiteuse, la créature enfonça une patte avant griffue dans le bord du creuset, qui produisit à nouveau un bruit atroce. Ses langues s'agitèrent.

— Tu es *morte*.

— Pas encore. (Emma affermit sa position.) Où est-il ?

— Pas isssssi.

La chaleur léchait les flancs de Mehitabel, dont les côtes flexibles se soulevaient puis retombaient à la manière d'un soufflet.

— *Où est-il ?*

La jeune femme referma les mains, étau appliqué au drake. Serra. La sensation n'était pas la même que quand elle avait écrasé le métal sonore. Elle avait maintenant affaire à quelque chose de très dur, mais aussi de glissant, qui ne cédait que pour mieux résister et cherchait à lui échapper. Le dragon pouvait certes produire un autre simulacrum, mais sa forme vraie n'en resterait pas moins vulnérable… surtout face à une magicienne furieuse qui connaissait son nom.

Être une Prima, c'était ça – entre autres : la capacité de prononcer un Mot d'une puissance pareille, sans que la langue grille et que les yeux fondent en ruisselets brûlants sur les joues. D'aucuns estimaient que seul l'orgueil outrecuidant des Prime les préservait d'un sort aussi cruel. D'autres attribuaient leur résistance à la charge éthérique colossale qu'ils pouvaient plier à leur volonté. Nul n'avait jamais résolu l'énigme – les recherches qu'Emma en personne y avait consacrées s'étaient soldées au mieux par des résultats peu concluants.

Mikal avait-il éloigné le mentah ? Elle l'espérait. Une magie aussi concentrée était dangereuse, et ce qu'elle allait en faire plus encore. Sans oublier que les deux hommes avaient une chance d'échapper aux exhibeurs et autres dangers du Wark *maintenant*, pendant qu'elle tenait le drake en son pouvoir.

Mehitabel siffla, la tête basse, exhibant des crocs d'obsidienne meurtriers au cœur vitreux, traversé d'une fine ligne cramoisie.

— Quelqu'un est venu me délivrer du fardeau. Tremble, petit singe…

Les poings d'Emma tressaillirent. La créature rugit, courant d'air brûlant, gras et rance, qui rejeta en arrière les cheveux de son adversaire, lui peignit les joues de larmes de lave, fit claquer ses amples jupes. Lorsque le dragon se tut, la jeune femme relâcha l'étau. À peine. Sa concentration se précisa, tête d'épingle chauffée à blanc.

— Des noms, Mehitabel. Qui est venu et pour qui ?

— Je te tuerai. Tu vas *mourirrrr*…

Le mot se mua en un hurlement suraigu de papier cristal.

— Des *noms*, Mehitabel ! (La voix d'Emma trancha de sa lame ce matériau cassant, brûlant.) De *vrais* noms… si tu ne veux pas voir à quoi ressemblent tes entrailles, drake de fer !

Les forces apportées par le retournement de marée ne tarderaient pas à manquer. Son camée lui brûlait la gorge telle une goutte de lave, et ses bagues étincelantes achevaient de consumer les lambeaux de chevreau accrochés à ses doigts. Ses opales de feu dégageaient des étincelles qui flottaient trop longtemps en l'air avant de retomber avec une grâce languide, tandis que des symboles de charte scintillants s'élevaient de leurs profondeurs.

Mehitabel haletait. *Pas de feu sans air,* se dit Emma, avant de fredonner un autre chant. Bas et sombre, celui-là, réduit à une unique syllabe de la langue de la Décréation. La première mesure n'était pas terminée que le dragon se déchaînait dans l'étau magique, tandis que son éclat rouge pâlissait.

Elle s'interrompit quand il cessa de bouger, mais pas tout à fait de brûler – il était à présent d'un ambre terne.

— Des noms. (Elle ne reconnut pas sa propre voix, dure et brutale.) De vrais noms. Maintenant.

— Llewellyn, siffla Mehitabel. Llewellyn Gwynnfud.

Je ne peux pas dire que ça m'étonne.

— Qui d'autre ?

— Un de nos…

Oh, non, on ne va pas jouer aux devinettes.

— Le nom, Mehitabel. Le vrai nom.

— Un gros homme. Un imbésssile. Grayssson, il n'en a pas dit davantage…

Un frisson parcourut Emma, dont la sueur se transforma en glace.

— Qui d'*autre* ?

— Un Ancêtre. (Mehitabel glousssa – cri d'acier torturé.) *Lui*, tu ne l'enchanteras pas sssi fasssilement, petit sssinge.

Le chant reprit. La concentration d'Emma se délitait. Retenir un drake prisonnier n'avait rien de facile, même s'il s'agissait d'un jeune, et elle devrait ensuite s'échapper du Wark. Le globe argenté qui flambait derrière elle découpait son ombre noire sur la cendre fine où elle enfonçait jusqu'aux chevilles.

Mehitabel recommença à se débattre, haletante, quoique silencieuse. Du métal fondu dégoulina sur le creuset.

— *Qui* ? répéta Emma, une fois le dragon calmé.

Il ne lui restait que peu de temps. Ses bras tremblaient ; ses jambes aussi. Une goutte de sueur cristalline coulait sur sa joue. Elle avait les cheveux humides. Des perles de sang brûlant se rassemblaient entre ses doigts crispés fumants, imbibaient les lambeaux de ses gants.

— *Vortisss*, siffla la créature. *Vortisss cruca esss.*

Ce n'est pas un nom. La prise d'Emma se relâcha une fraction de seconde. Mehitabel lui échappa…

… et se jeta sur son bourreau, les ailes battantes, éclaboussant les alentours de fer en fusion. La tête la première, la gueule grande ouverte.

17
Incommodant

Entre Clare et l'énorme serpent de métal s'interposait une mince silhouette au calme parfait. Une curieuse sensation s'imposa brièvement à lui, comme si un orage s'annonçait. Ses poils se hérissèrent tandis qu'un étrange vertige s'emparait de lui, à croire qu'il ne pesait plus rien. Une ombre passa à la périphérie de son champ de vision – Mikal – puis disparut aussitôt.

Une seconde plus tard régnait un chaos absolu. Un choc le projeta à terre, une chaleur immonde l'enveloppa d'un courant d'air à la puanteur de sueur grasse rancie, son chapeau s'envola. Dès que son esprit s'éclaircit, il tira sa poivrière en cherchant contre quoi l'utiliser.

Le curieux reptile s'agita quand Mikal bondit de côté puis se servit de ses poignards pour le peinturlurer de traînées vermillon, grisées par la pluie de cendre. Il régnait à présent dans la caverne une agitation de fourmilière, car elle s'était remplie d'exhibeurs loqueteux, aux Altérations étincelantes, et d'ouvriers au pas traînant, mais à la curieuse grâce saccadée – épouvantails aux longues blouses grises informes, aux yeux ternes sans expression. Il n'y restait plus d'immobile que la magicienne, couchée face contre terre dans une congère de cendre, aussi inerte qu'une poupée. Des flocons gris s'accumulaient sur ses mains ensanglantées, mollement immobiles, écorchées presque jusqu'à l'os sous leurs gants déchirés et brûlés.

Clare la rejoignit à quatre pattes, pendant que le monstre produisait un horrible gargouillis et que les lames de Mikal étincelaient, une fois de plus.

Elle était étonnamment légère, son compagnon s'en aperçut en la retournant, le bras glissé sous son corps mince, la manche ruisselante de cendres fumantes. Elle toussa, des larmes perlèrent sous ses paupières closes puis tracèrent des sillons clairs dans la suie de ses joues. Il se vota des félicitations : au moins, elle n'allait pas étouffer.

Un exhibeur en veste écarlate se jeta sur eux. Le bras armé de Clare se leva, le premier canon de sa poivrière cracha, mais la détonation se perdit dans le vacarme assourdissant. Le blessé se plia en deux, son Altération – un bras qui n'en était plus un, après sa transformation en faux d'os et d'acier – jeta un dernier scintillement sanglant, puis il s'abattit dans la cendre. Ses compères hésitèrent, les yeux brillants de minuscules lueurs rouges d'intelligence démente.

Exactement comme les rats. Clare frissonna, mais n'y prêta pas attention. *Il me reste trois balles. Ensuite, il faudra improviser.* Un choc sourd secoua les Blackwerks tout entiers, des éclaboussures de métal fondu décrivirent de grands arcs de cercle aériens brûlants, puis il prit conscience de traîner la magicienne inerte vers l'entrée de la caverne, par laquelle un courant d'air plus frais poussait la pluie de cendre à l'intérieur. Réaction instinctive du corps qui cherchait à se protéger, chose admissible car logique, et…

Mlle Bannon reprit conscience : ses yeux s'ouvrirent brusquement, sa cage thoracique se gonfla sur une longue inspiration haletante. Un second craquement envahissant secoua les Werks. Le camée épinglé de travers sur la gorge de la jeune femme s'emplit d'un éclat argenté.

Mikal poussa un hurlement de défi inarticulé. Elle battit des paupières avant de fixer Clare d'un regard si inexpressif, si terrible qu'il se demanda si elle le reconnaissait. Une épingle tombée des boucles sombres disparut dans la cendre.

Les lèvres de la Prima formèrent un mot inaudible dans le tumulte, mais que son compagnon n'eut aucun mal à déchiffrer.

Mikal ?

Elle se raidit, tendue, puis réussit à se relever. Il l'imita, malgré les secousses qui agitaient leur environnement. Exhibeurs et ouvriers se rapprochaient parmi la machinerie déformée, prêts à se jeter sur elle – et, par extension, sur lui.

Ça ne va pas tarder à devenir franchement désagréable. Comme si ça ne l'était déjà pas assez.

Le Bouclier poussa un second cri, auquel répondit une sorte de déchirement/bouillonnement de métal à demi fondu. Mlle Bannon tendit les mains pour exécuter avec une surprenante vivacité un mouvement compliqué, qui s'acheva par une torsion des doigts vaguement obscène – un geste plus digne d'un leveur de poids ou d'un charmeur des quais que d'une dame de qualité.

La Prima se révélait décidément de plus en plus intéressante.

La magie crépita, une nuée d'étincelles cramoisies jaillit des doigts pâles, puis la jeune femme se pencha en avant comme si elle tirait une lourde charge, le corps arqué, en crachant un unique mot. Des éclaboussures de sang jaillirent aussi de ses mains. Clare sursauta, la gorge serrée par une émotion qui ressemblait fort à de la peur. Il leva la poivrière…

Plus que trois balles. Peut-être la menace suffirait-elle à tenir en respect la foule de plus en plus dense.

Il n'aurait pas dû s'inquiéter, car Mlle Bannon se mit à agiter les bras. Un balancement s'empara de ses jupes, tandis que le grand corps aux écailles noires, rejeté de côté à la manière d'un drap mouillé, s'écrasait sur les exhibeurs et les ouvriers alignés en rangs serrés.

Le Bouclier recula d'une démarche coulée, ses drôles de bottes à semelle de crêpe glissant facilement dans la couche de cendre. Lorsqu'il jeta un coup d'œil à ses compagnons, ses yeux ambrés étincelaient ; une joie sauvage, dévorante illuminait son visage émacié.

Cris, hurlements, rugissements de rage du dragon. Mikal rejoignit Clare et la Prima puis hocha la tête, les cheveux couverts de cendre. Le bonheur terrible répandu sur ses traits était aussi gravé dans son corps tout entier. Mlle Bannon pivota vivement, les mains sanglantes, pleines d'une lueur rouge à l'air plus… propre que l'éclat du Wark.

La lumière grandit dans ses paumes jusqu'au moment où elle la jeta par terre. Un nuage de fumée s'en éleva, roula. L'heure était venue de fuir.

Les poumons en feu, la cage thoracique prise dans un étau, l'haleine sifflante, Clare cherchait désespérément à reprendre son souffle, appuyé au mur de la venelle. La cendre tombait dru, doux flocons tièdes mortels. Les fuyards ne risquaient pas de mourir de froid, mais de suffocation.

Mikal examinait les mains de son employeuse, les tapotait, les malaxait, pendant que des symboles de charte passaient de sa chair à celle de la jeune femme. Clare n'avait aucune envie de regarder les plaies se refermer, en violation de toutes les lois physiques, pas plus qu'il n'avait envie de regarder le petit visage enfantin hagard aux traits tirés. Malheureusement, la lumière magique argentée s'était évanouie, de même que la sphère de normalité. Tous les angles étaient faussés, à un degré ou à un autre, et la pluie de scories n'obéissait plus à aucune règle, sinon celle qui lui faisait suivre une trajectoire descendante. L'aspect de Mlle Bannon constituait encore la gêne la moins importante.

— Je ne peux pas faire davantage.

Les traits sévères de Mikal ne trahissaient plus aucun plaisir. Ses cheveux prématurément blanchis par la cendre étaient bien assortis à son manteau déchiré.

— Il faut quitter le Wark. (Mlle Bannon ferma ses yeux sombres en s'appuyant contre le même mur que Clare, manifestement épuisée.) *Elle* ne va pas tarder à recouvrer la vue.

— Par où ?

Mikal ne lui avait pas lâché les mains. Il examinait ses paumes d'un œil critique. Aux coupures profondes avaient succédé des cicatrices rouges manifestement irritées, malgré le doux éclat orangé des symboles de charte qui recousaient les blessures.

— L'ouest.

Des cernes noirs soulignaient les yeux de la magicienne. Les jupes déchirées, une tache de suie sur la joue, elle n'en échappait pas moins à l'essentiel de la pluie de cendre. Peut-être la saleté qui s'accrochait à ses cheveux provenait-elle de sa chute face contre terre.

— Borough ou Newington. Plutôt Borough ; de toute manière, il faut passer les prisons… qui a priori ne lui appartiennent pas. Pas tant qu'Ethes est là.

— Bon. (Le Bouclier lâcha enfin les mains gantées de sang.) Nos poursuivants ne vont pas tarder.

— Je sais. (Une boucle tomba devant les yeux de la jeune femme, qui fronça son nez aristocratique.) Le mentah ?

— Ça va. (Mikal n'avait pas accordé un coup d'œil à celui dont il parlait.) Voulez-vous…

— Non, Mikal. Merci. (Elle rouvrit enfin les yeux.) Et merci à vous aussi, monsieur Clare.

La respiration de Clare avait enfin consenti à se discipliner, et son point de côté disparaissait lentement.

— Très… divertissant. (La pression exercée derrière ses yeux augmenta encore d'un cran, car il cherchait à discerner une logique quelconque dans les angles faussés et les flocons tournoyants.) Mais j'aimerais changer de quartier, mademoiselle Bannon. Je trouve cet endroit… incommodant.

— Vous avez survécu à votre première rencontre avec un dragon, une créature qui affecte énormément la progression ordonnée du temps. C'est sa présence qui provoque l'illogisme dont vous êtes témoin. (Elle frissonna.) Je ne vous punirai ni l'un ni l'autre pour ne pas vous être enfuis quand je vous l'ai ordonné.

— Bien.

Il déglutit, non sans peine. Un illogisme assez puissant pour affecter le cours du temps ? Cette seule notion suscitait dans ses entrailles une sensation des plus désagréables. *Je ne me plaindrais pas de vivre le reste de ma vie sans renouveler pareille expérience.* Disposer d'une explication de l'étrangeté et des déformations environnantes ne l'en aidait pas moins.

— Parce que nous nous sommes très bien débrouillés, ajouta Mlle Bannon.

Mikal inclina la tête de côté.

— Des pas, chuchota-t-il. Petits et grands.

— Newington, alors. (Elle se redressa. Les restes de ses gants tombèrent à ses pieds en voletant tandis qu'elle rassemblait maladroitement ses jupes déchirées.) Allons, messieurs. Il n'y a pas un instant à perdre.

Les rues du Wark Noir frémissaient tel un frêle animal, encadrées de bâtisses impassibles aux rares fenêtres obscures, aux carreaux pour la plupart brisés, remplacés par des boules de tissu et de papier censées tenir les éléments en respect. Les entrepôts appuyés les uns aux autres s'affaissaient tristement sous la neige caustique. Le silence n'était troublé que par le baiser des cendres à l'atterrissage et, parfois, une glissade murmurante à laquelle un choc discret mettait son point final – lorsqu'une épaisse couche grise tombait d'un toit pointu. Les rares becs de gaz ne diffusaient qu'une maigre clarté orangée, qui posait à leur pied un disque clair maladif.

Clare battit des paupières pour chasser la cendre de ses yeux, avant de partir dans le sillage des jupes déchirées susurrantes, le regard rivé à leur ourlet traînant, dont le tissu se comportait à peu près comme il était censé le faire. Cette vision représentait un certain soulagement, qui desserra l'étau refermé autour de sa cage thoracique et le bandeau de fer entourant son crâne.

— C'est encore loin ? murmura Mlle Bannon.

— À trois rues, je pense. (Mikal se déplaçait dans un silence parfait.) Les rats. Peut-être le Petit Malin. Je ne crois pas l'avoir tué. Un ou deux autres aussi, sans doute.

— Elle pensait que je partirais dans une autre direction. (La magicienne avait l'air pensive.) Je me demande bien laquelle.

— Le Horsemonger est dangereux aussi. Sans parler du Queensbench.

Mikal semblait également pensif. *Eh bien,* se dit Clare. *Il a manifestement beaucoup de respect pour les capacités de Madame. C'est extrêmement intéressant.*

— Ethes ne me pose aucun problème, le capitaine Gall encore moins… mais je vois ce que vous voulez dire. (Elle s'arrêta.) Monsieur Clare… vous vous sentez bien ?

— Pas mal, répondit-il, malgré ses difficultés respiratoires grandissantes. Mais l'atmosphère est irrespirable.

— Seigneur ! (Elle pivota vers lui, claqua des doigts puis marmonna un mot auquel il ne comprit rien. La cendre tomba aussitôt de ses cheveux en tourbillonnant, et la couverture mouillée à travers laquelle il lui semblait respirer disparut.) Ça va mieux ?

— Beaucoup mieux.

Il regardait la pointe des bottes qui dépassait de l'ourlet loqueteux. S'il se concentrait sur les chaussures de la jeune femme, sur la manière dont elles étaient posées dans l'épaisse couche floconneuse – laquelle se conduisait comme prévu autour d'elles –, il parvenait à écarter un instant le reste de son esprit.

Léger raclement assourdi. Métal contre fourreau.

— Allez-y, murmura Mikal, qui s'était raidi.

— Non, emmenez le mentah, répondit la magicienne. Je vais les retarder…

— Pas question. (Le Bouclier n'était pas d'accord *du tout*.) Ils sont là pour tuer, ma Prima. Soyez prudente près de la prison ; j'y serai.

— Mikal… Bordel de merde !

Clare aurait peut-être ouvert des yeux ronds en entendant pareil langage dans la bouche d'une femme, s'il n'avait été aussi occupé à en examiner les bottes. Leur position donnait de précieuses indications. Mlle Bannon se tenait les pieds légèrement tournés vers l'extérieur, l'essentiel du poids reposant sur le droit – elle était donc droitière. *C'est sans doute une bonne danseuse, à la démarche légère. Et capable de se déplacer avec la plus grande discrétion. Je ferais mieux de m'en souvenir.*

La pointe des bottes disparut, car leur propriétaire pivotait en glissant la main au creux du coude de Clare. Lorsqu'elle le tira en avant, il se laissa entraîner.

Un lent crissement les entourait à présent, mais il n'avait aucune envie de lever les yeux.

— Je ne savais pas que vous seriez aussi sérieusement affecté. Mais continuez à marcher, ça ne va pas tarder à s'arranger. Plus nous nous rapprochons des prisons, moins il traîne de magie égarée, susceptible de vous gêner.

— Tant mieux.

Le crâne de Clare comprimait son cerveau en y appliquant une pression de plus en plus forte. Les mesures des angles faussés pratiquées depuis l'arrivée au Wark, les calculs de la vitesse et de la dérive des flocons, rien ne s'agençait de manière à constituer un schéma logique. À quoi rimait ce crissement atroce ? Ce n'était tout de même pas ses dents, même s'il ne parvenait pas à les desserrer ?

— Ne levez *surtout* pas les yeux, dit tout bas Mlle Bannon en pressant le pas.

Leurs chaussures ne produisaient presque aucun bruit dans la cendre, qui leur arrivait à présent au-dessus des chevilles. Nettoyait-on souvent les rues, dans le quartier ? Sans doute, ou les êtres vivants se seraient étouffés.

Le terrible crissement se poursuivait. La magicienne lâcha à nouveau un vocable haut en couleur, puis une bourrasque aussi fétide que brûlante passa, menaçant d'emporter le manteau et le chapeau de Clare, faisant claquer les jupes de sa compagne. Il se garda de lever les yeux, mais son raisonnement n'en bondit pas moins de l'avant. *La rue... la rue bouge.* Il l'*imaginait* sans peine, aux vagues qui soulevaient les étendues de pavés craquelés, creusés d'ornières ; des murs s'éloignaient, d'autres se rapprochaient – le Wark se transformait. Mlle Bannon exhala brièvement, une sorte de petit soupir brusque.

— Trompeur. Très trompeur.

L'estomac de Clare se retourna. Il n'était décidément pas aussi bien accroché que d'ordinaire, mais se calma de manière remarquable pendant que la Prima pressait le pas. Ses talons claquaient à présent sur les pavés enfouis au lieu d'écraser discrètement une épaisse couche de cendre. Elle fredonnait en boucle une curieuse mélodie atonale qui dominait à peu près l'insupportable crissement, mais ne couvrit ni le cri étouffé poussé sur leur gauche ni le trottinement pressé de minuscules pattes métalliques. La main posée sur le bras de Clare se crispa, sans qu'il puisse dire si la jeune femme cherchait à le réconforter ou à se rassurer.

La cendre qu'ils foulaient n'était plus pulvérulente, mais grasse. Une certaine tension se fit jour dans le fredonnement. Le crissement cessa soudain. La magicienne se jeta en avant, entraînant son compagnon dans son sillage. Le corps de Clare résonna tout entier d'une sorte de claquement subliminal, tandis que les bandes d'acier qui lui comprimaient le torse se relâchaient un peu. Lorsqu'il s'autorisa à lever les yeux, la masse grise de la prison de Queensbench se dressait devant lui, scintillante de minuscules points lumineux. Dans la petite cour qui s'étendait devant le portail massif entrebâillé se dressait le gibet, couvert de symboles de charte rouge sang rampants. Les deux fuyards pressèrent encore le pas ; la molle pluie de cendre virait à l'averse de grêle cinglante. Un virage serré à gauche, puis le grondement de la circulation toute proche apprit à Clare qu'ils arrivaient près d'un boulevard. La nuit les entourait, car les becs de gaz brillaient à peine dans le labyrinthe de taudis où ils s'enfonçaient. Un autre cri sur leur droite, interrompu par le claquement de l'acier.

Mikal. Le Bouclier faisait de son mieux pour retarder leurs poursuivants, mais les ombres grouillaient de minuscules yeux rouges et de petits museaux métalliques frémissants.

C'était vraiment un moment terrible, car Clare regrettait que la magicienne n'ait pas davantage de Mikal dans son entourage.

— Mademoiselle Bannon ? chuchota-t-il, pendant qu'ils forçaient encore l'allure.

— Oui ?

On ne pouvait pas dire qu'elle était *patiente*.

— Je crois que nous ferions mieux de courir.

18
Nous nous servons de vous sans vergogne

Emma n'avait jamais été aussi heureuse de voir le brouillard jaunâtre de Londinium lécher les murs et engloutir les voitures. Clare trébucha, les paupières papillotantes, en débouchant sur Greenwitch Road. Les becs de gaz accueillirent les fuyards par de joyeux sifflements, pendant que le Wark bouillonnait dans leur sillage. Des cendres égarées grésillaient, crépitaient en atteignant la rue. La circulation s'était éloignée de leur côté de la chaussée, et la foule des passants prenait grand soin de ne *pas* regarder ce qui pouvait bien sortir de la neige grise.

Le mentah trébucha à nouveau puis tomba lourdement à genoux ; une nausée le secoua. Emma plaqua sa main contre ses côtes, car sa blessure tout juste refermée n'appréciait pas le traitement cavalier qui lui était administré. Si lâche que soit son corset, il ne lui en semblait pas moins insupportablement serré. Elle secoua la tête en crachant entre ses dents un charme de nettoyage. Tant pis si l'énergie dissipée de cette manière lui faisait défaut plus tard ! La crasse du Ward retomba autour d'elle en voiles gris murmurants, décollée par magie.

Il faudrait cependant davantage que ce sortilège mineur pour débarrasser la bouche d'Emma de l'âcreté du métal brûlant.

Un rat mécanique atteignit la rue puis s'y engagea d'un trottinement vacillant, en butte aux contraintes du temps normal. Elle leva la main, son anneau d'or brilla… mais Mikal apparut. Coup brutal, hurlement de métal torturé, bouffée de fumée cramoisie à la puanteur répugnante : la bestiole n'était plus qu'un débris d'acier tordu, couvert d'un lambeau de fourrure mitée. Les yeux du Bouclier étincelaient de rage, des gouttelettes de sang et de fluides divers embrumaient son manteau sale, mais il avait l'air en pleine forme, quoique couvert de cendre.

Emma frissonna. Une nouvelle nausée ébranla le mentah.

— Un éventail ! s'étrangla-t-il. De trente-trois à quatre-vingt-neuf pour cent. Ça ne s'explique que par un *éventail* !

Seigneur, ne me dites pas qu'il cherche à analyser Mehitabel ? Ou les rats ?

— Clare… (Une quinte de toux la secoua, mais elle finit par reprendre son souffle. *Il semblerait que nous ayons survécu. Peut-être.*) Arrêtez, Clare. Nous avons d'autres problèmes à vous soumettre.

— Prima. (La main de Mikal sur son épaule, véritable pince d'acier.) *Emma.*

Elle vacilla, à peine.

— Vous vous êtes bien débrouillé.

Bien ? Magnifiquement *serait plus exact. Un seul Bouclier, une petite armée d'exhibeurs, les rats… Je me demande comment nous ne sommes pas morts tous les trois.*

Soit elle avait fait beaucoup plus de mal au drake de fer qu'elle ne le pensait probable ou même possible, soit Mehitabel s'attendait à la voir partir dans une autre direction, peut-être au nord, puisqu'ils étaient arrivés par là. Ou alors Mehitabel la Noire les avait *laissés* s'enfuir pour une raison tortueuse, une raison de dragon, nonobstant le fait qu'Emma s'était servie de son vrai nom. Hypothèse terrifiante, mais qu'on ne pouvait écarter d'office.

— Des proies faciles. (La bouche de Mikal se releva au coin, grimace malicieuse. La cendre le dotait d'une chevelure de vieillard, grisait ses sourcils, tombait paresseusement jusque sur ses épaules.) Les troupes de la dame sont aussi maladroites que bruyantes. Et elles devaient surveiller le moindre endroit sombre.

— *Quels* problèmes ? réussit à demander Clare, malgré ses nausées. Jamais, *jamais* plus.

— Oh, nous affronterons encore le Wark, si le devoir nous l'ordonne. (Emma poussa un soupir tremblant. Elle se réjouissait à l'idée de rentrer chez elle, de jeter son corset au feu et de le regarder brûler.) Mais pas cette nuit. Nous sommes à présent à Greenwitch, où vous allez m'aider à trouver un fiacre.

— Merveilleux, gémit le mentah. Sublime. Et pourquoi donc, je vous prie ?

— Pour qu'il nous transporte, génie de la déduction que vous êtes, riposta-t-elle d'un ton plus acerbe qu'elle ne l'aurait voulu. Nous avons des informations à transmettre.

Il était plus de minuit. L'écurie sentait le foin, mais à cette odeur s'en mêlait une autre, animale, à la fois sèche et grasse. Des mouvements incessants se devinaient dans les stalles spacieuses, des yeux mi-clos, une quasi-immobilité froufroutante sur les perchoirs installés en hauteur.

Les griffons étaient nerveux : leur plumage irisé se hérissait de barbelures, le claquement de leur bec d'ambre ou d'obsidienne tranchant brisait parfois le silence, leurs muscles se contractaient sous leur robe cuivrée ou d'un noir charbonneux, leurs serres se crispaient dans l'obscurité. Emma se tenait au beau milieu de l'allée centrale, parfaitement immobile, les jupes rassemblées contre les jambes. Mikal la serrait de si près qu'elle percevait sa chaleur.

Clare regardait par-dessus la porte d'un des box, les yeux écarquillés.

— Fascinant, souffla-t-il. La tête sous l'aile. Effectivement. Une musculature magnifique. *Magnifique.*

La pénombre régnait dans la longue bâtisse haute de plafond, mais pas la nuit totale. Les fières montures de Britannia avaient une conscience somnolente des visiteurs et de l'odeur de la Prima. Voilà pourquoi elles s'agitaient.

En tant que carnassiers, les griffons avaient une préférence marquée pour la viande aromatisée à la magie.

La main de Mikal se posa sur l'épaule d'Emma, fardeau bienvenu. Une porte s'ouvrit sans bruit au fond de l'écurie. Le parfum des roses parvint aux visiteurs, dominé par celui des violettes, charriant un léger froufroutement. Emma se raidit. Clare resta penché au-dessus de la porte de la stalle comme un enfant fasciné par une confiserie.

— *Arrêtez*, nom de Dieu, lui chuchota-t-elle. Ce sont des créatures dangereuses.

— En effet, acquiesça une voix de femme, jeune et aiguë, quoique marquée à chaque syllabe du sceau de l'autorité. Non non, pas de révérence. Nous savons que vous êtes mal à l'aise, ici.

Emma n'en plongea pas moins dans une profonde révérence, ravie des charmes de nettoyage auxquels elle s'était soumise, ainsi que ses compagnons. La main de Mikal resta posée sur son épaule, tandis que Clare bondissait dans l'allée en se découvrant avec empressement.

— À qui avons-nous le plaisir de… Seigneur Dieu ! (Il plongea à son tour dans une grande révérence.) Votre Majesté !

Alexandrina Victrix, la nouvelle reine et incarnation de Britannia, repoussa en arrière son profond capuchon de velours beige. Ses grands yeux bleus brillaient de gaieté, mais ses lèvres se pincèrent.

— Ce monsieur serait-il un mentah ?

— Oui, Votre Majesté. (Emma contraignit ses jambes à se raffermir.) L'un des rares qui restent à Londinium, M. Archibald Clare.

— Votre Majesté…

Clare avait bel et bien rosi sur les pommettes, mais sans doute personne, à part une magicienne comme elle, n'avait-il l'œil assez perçant pour s'en apercevoir.

Sa bouche faillit frémir, avant que les circonstances ne chassent jusqu'à la moindre trace de son amusement.

— J'apporte de graves nouvelles à Britannia.

— N'en est-il pas toujours ainsi ? Vous êtes Notre oiseau de mauvais augure. Nous devrions demander à Dulcie de vous confectionner un manteau de plumes noires. (Le visage juvénile de la reine ne pouvait conserver longtemps un air aussi sérieux, mais une ombre passa au fond de ses yeux.) Nous plaisantons. Ne croyez pas que Nous vous sous-estimions.

— Je ne me le permettrais pas, répondit Emma, un peu guindée. Je… j'ai failli, Votre Majesté. Le noyau a disparu.

La souveraine resta un instant silencieuse. Les deux tresses sombres brillantes enroulées au-dessus de ses oreilles semblaient vaguement ébouriffées, comme si on venait de la tirer du sommeil, mais des perles ornaient malgré tout ses délicates oreilles et son cou mince. L'ombre crût dans ses yeux, tandis que son visage enfantin changeait, à peine, quoique de manière essentielle.

— Disparu ?

— Je l'avais confié à Mehitabel. (Emma gardait la tête haute.) On l'a emporté avec son consentement. Elle m'a donné des noms.

— Les dragons sont impliqués ? Voilà qui est fort intéressant.

La reine se tapotait les lèvres d'un fin doigt blanc. La robe rouge que recouvrait sa cape s'ornait d'un motif fleur-de-lysé brodé au fil d'or. L'ombre de l'âge et de l'expérience s'affirma plus nettement sur ses traits, qui se brouillèrent comme un masque d'argile sous l'eau. Le sceau de l'anneau sigillaire qu'elle portait à la main gauche flamboya, car son unique symbole de charte étincelait brièvement avant de revenir à sa discrétion habituelle.

— C'est Nous qui Nous sommes trompée dans Nos estimations, Prima. La Dame Noire s'était révélée digne de confiance par le passé ; il est… déconcertant de découvrir qu'elle ne l'est plus. Quels noms vous a-t-elle donnés ?

Des noms fort gênants.

— J'ai presque peur de vous les répéter.

— Peur ? Vous ? (La reine se mit à rire, signe sans âge d'amusement.) Quelle surprise ! Non, vous aimeriez avoir davantage de preuves et mener cette affaire à une conclusion satisfaisante pour vous, sinon pour Nous.

Emma retint de justesse une grimace. Britannia était aussi sage que vieille. L'esprit du royaume avait vu apparaître et disparaître bien des gens comme elle. En tant que

Prime, elle incarnait la puissance de l'Empire… mais elle n'en restait pas moins au bout du compte une simple servante humaine.

— Elle a parlé du Chancelier de l'Échiquier, de Llewellyn Gwynnfud, Lord Sellwyth, et d'un troisième larron. *Vortis*.

Le murmure des plumages qui s'éleva à cet instant évoquait un champ de blé sous la brise estivale. L'attention des griffons s'éveillait. Des yeux luisants s'ouvraient, d'une phosphorescence poudreuse. Les doigts de Mikal se crispèrent, soutien silencieux.

Une petite voix s'obstinait pourtant à chuchoter dans la tête d'Emma que les exhibeurs de Mehitabel n'avaient pas pourchassé les fuyards autant qu'ils l'auraient dû, très loin de là. Et celle de Llewellyn subsistait aussi, évidemment. *Combien de temps avant qu'il vous étrangle comme il a étranglé Crawford ?*

— Un nom… qui Nous est mal connu, mais qui Nous rappelle malgré tout quelque chose.

Des rides profondes s'étaient creusées dans les joues délicates de la reine. Les poils des bras, des jambes, de la nuque d'Emma se hérissèrent, tandis qu'un chatouillis lui courait sur la peau, à croire qu'elle se trouvait sur le chemin d'une Œuvre Majeure ou d'une Discipline libérée. Les griffons s'agitèrent à nouveau. Une étincelle bleue dansait dans les pupilles royales, car la puissance de Britannia s'éveillait davantage pour regarder par les yeux de son réceptacle.

— Et le Chancelier, avez-vous dit… Grayson ?

— La parole d'un drake… commença aussitôt Emma, mais elle ravala le reste de la phrase dès que son interlocutrice leva le doigt.

— S'il est innocent, il n'a rien à craindre de vous, Prima. Votre jugement sera bien informé mais, surtout, *infaillible*.

L'éclat de l'étincelle bleue s'intensifia, grandit jusqu'à occuper entièrement les pupilles dilatées.

Un avertissement moyennement subtil, songea Emma, la bouche sèche. Elle avait en effet menti à la reine, donc à Britannia, au sujet de Crawford. Soit l'esprit régnant avait décidé d'ajouter foi à la version des événements qui lui avait été confiée, soit – plus probablement – il avait deviné ce qui s'était passé dans la petite cave circulaire, mais réservait son jugement tant que sa magicienne lui était utile.

— Je suis mal à l'aise, Votre Majesté. Il y a trop d'inconnues.

Britannia se retira telle la marée dans la Themis, poids mouvant plus sensible qu'audible. Victrix cligna des yeux en resserrant autour de son corps les plis de sa cape.

— Il ne vous reste qu'à les percer à jour. Quant au mentah…

— Madame ? (Clare se redressa de toute sa taille, longue silhouette efflanquée droite comme un I.) Votre Majesté ?

Un franc sourire rendit sa jeunesse à la souveraine.

— Est-il digne de confiance, Prima ?

Ce n'est pas à moi qu'il faut demander une chose pareille, ma reine. Je ne suis pas sûre d'être moi-même digne de confiance.

— Je le crois. En tout cas, il a affronté le drake de fer avec une grande présence d'esprit.

— Dites-lui tout. Nous ne viendrons pas à bout de cette histoire sans l'aide d'un des siens. Il semble que la chance sourie à Britannia, en matière de mentah comme de magicienne. (Une pause.) Toutefois…

Le pouls de la visiteuse s'accéléra. L'entraînement dut s'imposer à son corps, qui la trahissait.

— Votre Majesté ?

— Soyez prudente, Emma. Si le Chancelier est impliqué, la protection de Britannia risque de s'en trouver… affaiblie. Et Alberich, Notre consort, ne tient pas les mages en haute estime. Vous Nous comprenez ?

Britannia règne, mais nous ne pouvons nous en prendre ouvertement au Chancelier de l'Échiquier sans compromettre le Cabinet tout entier. Or votre mère ne serait que trop heureuse d'imposer une autre de ses créatures dans ledit Cabinet. Quant à votre consort, il ne manque pas seulement d'influence, il voue aussi aux mages une haine quasi religieuse. Voilà pourquoi la discrétion est de mise, si meurtrières que soient ces luttes feutrées. Il faut éviter autant que possible de faire des vagues.

— Oui, Votre Majesté.

D'autant plus que, si jamais un scandale éclatait, c'est moi qui en subirais les effets – le détail a son importance.

— Nous Nous servons de vous sans vergogne.

La reine recula dans un lourd froufroutement de velours. Les griffons s'agitèrent dans un susurrement de plumes aussi aiguisées que des rasoirs.

— Je suis la sujette de Britannia. (Emma exécuta à nouveau une révérence guindée.) Je suis là pour servir.

— Si seulement…

Victrix s'interrompit en secouant la tête. Ses tresses sombres oscillèrent. Déjà, elle avait disparu. Un courant d'air effleura les visiteurs, chargé des parfums nocturnes du jardin auxquels se mêlait celui de violette qu'affectionnait la souveraine. La porte se referma doucement.

À la grande surprise d'Emma, Clare restait bouche bée.

— C'était la *reine*, finit-il par lâcher, un instant plus tard, manifestement abasourdi.

En effet.

— Nous avons l'habitude de nous voir ici, quand les circonstances l'exigent.

Seigneur, quel ton orgueilleux. L'orgueil – un des plus grands défauts d'Emma.

— Petite sorcière…

Bruissement de plumes ébouriffées. Voix grave et râpeuse, aux tranchants aiguisés malgré le ton bas. Un bec ambré apparut au-dessus de la porte du box le plus proche. Les jambes d'Emma devinrent soudain étonnamment flageolantes.

Les yeux, puits de nuit cerclée d'or, regard d'aigle dans un crâne plus large qu'un torse humain. Le cou puissant, d'un noir d'encre, disparaissant dans l'ombre de la stalle. Mikal se tenait maintenant devant sa maîtresse, à qui ses larges épaules dissimulaient le griffon qui claquait du bec, un coup – le son évoquait le heurt de deux blocs de bois dense laqué.

— Reste où tu es, cousin céleste, dit le Bouclier sans élever la voix.

— Juste une petite bouchée. (La créature se mit à rire.) Mais je n'ai pas grand-faim, cette nuit, pas même de magie. Écoutez…

Clare s'approcha, comme hypnotisé, les yeux rivés à la patte avant gauche de la bête, posée sur la porte du box qu'elle agrippait avec force, serres d'obsidienne polie plongées dans la planche épaisse.

— Une musculature fabuleuse, murmura-t-il.

Le griffon claqua à nouveau du bec, l'air… amusé, une lueur cruelle au fond des yeux.

— Monsieur Clare, murmura Emma, horrifiée, la gorge sèche. Ils sont *carnivores*.

— Mais bien nourris, ça se voit. (Le mentah pencha la tête de côté, son visage émacié illuminé par ce qui ressemblait fort à de la joie.) Oui oui, c'est bel et bien un bec d'oiseau de proie.

— Il suffit. (La créature tourna la tête de manière à fixer Emma d'un seul œil brillant.) Nous connaissons Vortis depuis bien longtemps. (Les serres se crispèrent.) Tu vas donc chasser le drake.

C'était l'antique alliance des griffons et de Britannia qui avait permis à l'île de conserver sa stabilité pendant que l'Âge du Feu s'étouffait dans ses propres cendres et que les dragons se rendormaient. Ainsi le voulait la légende. En tout cas, l'étude de ces êtres hybrides était suffisamment dangereuse pour que peu de mages s'y risquent. Emma contempla le bec géant aux bords coupants et les lueurs jumelles vacillantes qui dominaient les narines incrustées dans le crâne. Quant à savoir comment les griffons parlaient, sans lèvres adaptées à une telle opération, le mystère subsistait : on ne disséquait pas leurs cadavres.

Parce qu'ils *mangeaient* leurs morts. Elle réprima un frisson, heureuse que Mikal se soit posté entre elle et la créature.

— Peut-être. La parole d'un drake a autant de valeur qu'un château de sable.

— Ou d'air. (La noble tête s'abaissa en une terrifiante approximation d'acquiescement.) Tu devrais avoir davantage de Boucliers, sorcière.

— J'en ai autant qu'il m'en faut pour le moment.

Le drake de fer m'aurait tuée sans Mikal. Il n'empêche.

— Nous sommes nombreux, et une friandise telle que toi est fort tentante. (Le rire de la bête évoquait le frottement crissant des rochers.) Mais nous avons sommeil. Tu devrais t'en aller, maintenant.

Je suis bien d'accord. Elle avait en effet remarqué la tension subtile de la patte, plumes d'encre se fondant à une fourrure d'un noir bleuté.

— Merci. Venez, monsieur Clare.

— Un nouveau champ d'étude…

Le mentah s'approcha encore de la stalle. Ses yeux bleus perçants brillaient d'un éclat quasi fiévreux.

Mikal se jeta sur lui. Le bois de la porte grinça, des échardes volèrent, mais le Bouclier tira brutalement Clare en arrière, déchirant son manteau déjà bien abîmé. Les serres imposantes se refermèrent dans le vide. La créature gloussa.

— Il suffit, dit Mikal d'un ton aimable. Restez près de ma Prima, ajouta-t-il à l'adresse de Clare, sans quitter le griffon des yeux. Ce n'était pas une chose à faire, cousin céleste.

— De toute manière, il n'aurait guère représenté qu'une bouchée, et fade, qui plus est. (Les yeux de la bête se refermèrent.) Peu importe. Emmène-les, *Nagah*. Que les vents te soient favorables.

— Que ton vol soit agréable. (Le Bouclier recula.) Prima ?

— Par ici, monsieur Clare. (Elle se força à desserrer les poings pour prendre le mentah par la manche.) Et ne passez pas trop près des stalles.

Il ne répondit pas, mais ne traîna pas non plus. Lorsque enfin ils franchirent la porte nord de l'écurie pour retrouver l'épais brouillard de la rue et de Greens Park, au-delà, Emma s'aperçut qu'elle tremblait.

19

Pour ma petite personne

Dans le parc désert, la brume jaunâtre qui léchait les pelouses et les arbres enchevêtrés virait par endroits à la nuit impénétrable. Ni voleurs ni voyous ne s'aventuraient à proximité du palais, malgré l'obscurité, même s'il en allait différemment dans les autres espaces verts de Londinium.

Les trois visiteurs gagnèrent Picksdowne Street à pied, malgré la distance qui les en séparait. Clare passa une bonne partie du trajet à parler tout seul de musculature – absolument *fascinante* – et finit par s'interroger sur les découvertes que ne manquerait pas de faire un mentah si jamais un corps de griffon apparaissait dans son atelier. Ce qu'il savait de ces créatures se résumait à peu de chose : c'étaient les seules dignes de tirer le carrosse de Britannia, elles ne servaient de montures qu'à des officiers bien entraînés, certaines de leurs unités avaient servi de cavalerie céleste lors des batailles contre ces satanés Corses…

À un moment, la magicienne s'éclaircit la gorge. Elle s'efforçait de remettre de l'ordre dans les lambeaux déchiquetés de ses gants.

— Ah, oui. (Clare venait d'entrevoir un domaine inexploré qui l'avait intrigué au point de lui faire oublier la jeune femme – enfin, presque. D'autant plus que ce champ inconnu obéissait à des lois précises et chassait de son esprit le souvenir affreux de Southwark.) Vous avez sans doute des choses à me dire, mademoiselle Bannon.

— En effet.

Le ton n'était-il pas un peu hésitant ? D'ailleurs, le Bouclier au pas léger ne marchait-il pas un peu plus près d'elle que d'habitude ?

La visite aux griffons l'avait visiblement ébranlée. Elle était pâle comme du papier et se frottait nerveusement les doigts en cherchant à remettre ses gants d'aplomb… ce qui ne l'empêchait pas de continuer son chemin dans l'allée gravillonnée, sans ralentir le moins du monde.

— Avez-vous déjà entendu parler de Masters l'Ancien et de Throckmorton ? reprit-elle enfin.

— Non, je ne les connais que de nom. Les mentahs ne se fréquentent pas entre eux, mademoiselle Bannon. Je peux me livrer à des suppositions, mais vous m'avez demandé une analyse : c'est un piège. Peut-être devriez-vous juste m'éclairer.

Elle réussissait parfaitement à exprimer par un simple soupir un chagrin et un bouleversement immenses.

— Peut-être, en effet. De toute manière, la reine me l'a ordonné…

— Elle n'est pas là pour faire respecter ses ordres.

Coup au but évident, car la magicienne se raidit légèrement avant de reprendre, avec une politesse rigoureuse :

— Je vous serais reconnaissante de ne pas m'insulter, monsieur. Masters l'Ancien participait à la construction d'un noyau. Throckmorton avait réussi en la matière quelques percées significatives, qui nous avaient persuadés de le mettre en contact avec Smythe, malgré les risques que cela comportait. D'où d'autres avancées.

Les explications s'interrompirent, à la grande exaspération de Clare… quoique. Peut-être n'en était-il pas si contrarié, en fin de compte car, déjà, ses facultés se jetaient sur le nouveau problème, l'engloutissaient, imprimaient à ses nerfs une détestable secousse supplémentaire – qui s'ajoutait à tous les désagréments endurés cette nuit-là.

— Un noyau ? Vous n'allez pas me dire…

Une curieuse sensation de froid lui parcourait la colonne vertébrale. Certes, son manteau était déchiré, mais ce qu'il éprouvait ressemblait fort à de la peur. Il en prit conscience puis chercha à rejeter cette émotion importune.

Elle résista.

— Avec le noyau de Masters, Throckmorton et Smythe ont réussi l'impossible. (Mlle Bannon se tut, peut-être parce que les pieds de Clare restaient cloués dans l'allée. Le brouillard de Londinium l'étreignait. Les yeux ambrés du Bouclier brillaient dans le noir, rivés à la jeune femme.) Ils ont créé une machine logique stable, puissante, capable d'émettre.

Le brouillard avait-il chassé tout l'oxygène du parc ? Clare recula d'un pas – crissement du gravier sous ses bottes maltraitées. Il fixait la magicienne, lui aussi. Elle ne savait manifestement pas ce qu'elle racontait. Il la fixait même avec des yeux ronds, bouche bée.

— Une machine de ce genre… commença-t-il enfin, avant d'humecter ses lèvres sèches. Une machine de ce genre est réalisable. En théorie, veux-je dire. C'est une tâche d'une difficulté extraordinaire qui n'a jamais…

— Je sais *pertinemment* que ça n'avait encore jamais été fait. Je ne suis peut-être pas un mentah, mais j'ai certaines capacités d'organisatrice, d'intermédiaire ; la plupart des travaux scientifiques auxquels s'intéresse la reine sont menés en toute discrétion. Je suis responsable de ce genre d'arrangements. Les mentahs tués ces derniers temps étaient tous impliqués dans la construction de la machine en question, d'une manière ou d'une autre. Les autres… bon. À mon avis, la plupart ont été assassinés à cause d'un commentaire écrit de Throckmorton sur la nature étonnante des machines logiques. Elles ne sont utilisables que par des mentahs.

— Évidemment.

Clare frissonna, alors qu'il n'avait pas froid. Si un banal être humain cherchait à faire fonctionner une machine logique, il serait réduit à l'état d'automate à la cervelle liquéfiée, abîmée par l'amplification au point de réduire à néant le moindre espoir de guérison. Lovelace avait été la première à survivre au branchement sur un engin d'ailleurs peu performant ; nombre de ses confrères en avaient aussitôt conclu que si une *femme* supportait une chose pareille, un homme n'aurait aucun mal à faire mieux, même si ses facultés intellectuelles n'avaient rien d'extraordinaire.

Les pertes résultantes avaient alimenté la réflexion et déchaîné le scandale, au point que d'aucuns y attribuaient en partie la mort précoce de Lovelace. D'autres en avaient cependant accusé les faiblesses de la machine – l'œuvre de Babbage, certes, mais peut-être pas de la qualité requise. Somerville en personne avait écrit un petit article caustique dans lequel il défendait sa pupille aux dépens de Babbage. À la suite de cette histoire, on avait exigé des rares mentahs du sexe faible qu'ils se fassent enregistrer par la Couronne puis restent sous la responsabilité de la cour jusqu'à leur mariage.

La voix de Clare parvint à ses oreilles, étrangement forte et nette.

— Une… machine logique émettrice. Pour des machines réceptrices, je suppose. L'amplification éviterait à d'éventuels assassins la peine de s'attaquer au mentah qui se brancherait sur une chose pareille.

Les mentahs non enregistrés ont été mutilés. Il n'arrivait pas à se débarrasser de cette pensée, excessivement déplaisante.

— Les tests ont été effectués dans la fameuse propriété campagnarde du Surrey. À en croire le témoignage des participants, les résultats ont été spectaculaires. La machine est inutilisable sans le noyau de Masters. Voilà pourquoi j'ai pris la précaution de l'emporter dans le Wark, où Mehitabel a accepté de s'en charger. Imaginez ma surprise quand on a découvert les corps de Masters et de Smythe… Ils n'étaient même pas censés se trouver à Londinium. La machine avait disparu. Il semble maintenant que le noyau aussi. (Une pause.) Sa Majesté est inquiète.

Elle a bien raison. Mon Dieu !

— Je suppose que vous partagez ses inquiétudes, murmura Clare, un peu assommé.

— Oh, oui. Le Chancelier de l'Échiquier, votre condisciple d'Yton, fait peut-être partie des conspirateurs. Llewellyn en était peut-être aussi. Autant que je sache, il a très bien pu tuer Throckmorton de ses mains. Mais il subsiste des incohérences de détail. Ces travaux étaient purement théoriques. Une machine logique a de la valeur, j'en conviens, mais les indices dont nous disposons tendent à prouver que les comploteurs la destinent déjà à un usage précis.

— … C'est exactement ça. Je veux dire, en effet.

Clare commençait vaguement à se remettre du choc.

— Je pencherais pour un usage militaire.

Elle s'exprimait à présent d'un ton patient, comme si elle s'attendait de la part de son interlocuteur à d'autres réactions.

Il cligna des yeux.

— Sans doute, oui.

— La question est de savoir *lequel*. Vous voyez où est le problème.

Les mains de la jeune femme s'agitaient toujours, en contradiction avec son calme et sa logique. Les opales de feu qui ornaient ses doigts luisaient d'un terne éclat orangé.

— Britannia ne manque pas d'ennemis, déclara-t-il. Aucun n'hésiterait à se servir d'une machine de ce genre… *mais qu'en ferait-il au juste ?* Elle n'a pas *encore* d'usage militaire, c'est un fait. Il n'empêche que sa seule fabrication en masse aurait des conséquences énormes… y compris dans l'Altération. (Si l'estomac de Clare ne s'était pas déjà totalement vidé, peut-être les restes de son dîner auraient-ils essayé de s'en échapper à ce moment-là, tant cette dernière pensée lui répugnait.) Les mentahs non enregistrés… Leurs corps ont bien été mutilés ?

— Il en manquait certaines parties. L'Altération n'est pas à écarter, mais je n'en sais pas assez pour affirmer quoi que ce soit. (Les yeux sombres de Mlle Bannon brillaient.) À partir de maintenant, monsieur Clare, c'est la guerre. Je ne tolérerai pas que quiconque trahisse le réceptacle de Britannia ni lui fasse courir le moindre danger.

— Admirable fidélité, marmonna-t-il. Je comprends que vous m'ayez bouclé chez vous.

Pour ma sécurité, certes. Mais aussi parce que tous les mentahs sont suspects. Personnellement, je ne reculerais devant rien ou presque pour m'emparer d'une machine pareille. Elle m'ouvrirait des possibilités de recherche... étourdissantes, ni plus ni moins.

Il valait mieux cependant s'abstenir de formuler à voix haute ce genre de pensée.

— Vous risquez de vous révéler extraordinairement *nécessaire*, monsieur Clare. (Mlle Bannon cessa enfin de tirailler les restes de ses gants en loques.) Mais même dans le cas contraire, vous êtes à tout le moins utile. Quoi qu'il en soit, il faut absolument vous protéger.

— Je ne puis discuter ce sentiment.

— Voilà pourquoi il nous reste à rendre une petite visite.

Elle laissa ses mains pendre de chaque côté, mais garda le regard rivé droit devant elle d'une manière assez déconcertante. Il fallut un instant à Clare pour mettre le doigt sur la cause exacte de son malaise.

Une femme ne devrait pas avoir l'air aussi... déterminée.

— Vous voulez vous assurer une autre forme de protection pour mon humble personne ?

Sa désinvolture de façade lui donna l'occasion de se ressaisir. Les émotions le touchaient énormément par leur irrationalité, et il aurait aimé se calmer les nerfs en profitant d'un moment de tranquillité.

— C'est cela même. Le trajet va vous permettre de consacrer vos admirables facultés à la localisation du noyau et de la machine logique émettrice. Mes méthodes personnelles n'ont donné que de piètres résultats, si coûteuses soient-elles, et j'ai une autre énigme à résoudre.

Clare s'aperçut alors qu'il pouvait reprendre son chemin. Malgré le silence total qui régnait dans le parc, le grondement de fauve de Londinium s'élevait au loin. Le palais posait derrière la bouillie du brouillard un badigeon de lumières indécises. Si Mlle Bannon faisait quatre pas supplémentaires, il risquait de la perdre complètement de vue. Voilà pourquoi il s'empressa de la suivre, son manteau déchiré flottant au vent.

— Quelle énigme, je vous prie ?

— La charade d'un dragon. Allons, venez.

En prenant au nord-ouest depuis St. Gilles, on arrivait à Totthame Road, couverte d'un gros édredon jaune bouillonnant. Les magasins fermés à double tour tenaient en respect le brouillard étouffant, sauf les boutiques de certains revendeurs, aux portes éclairées par des boules de magie ternes emprisonnées dans des cages de cuivre. Un ou deux exhibeurs chargés d'éviter la disparition du métal se vautraient sur la plupart des perrons. Les portes plus discrètes des réduits individuels où les nécessiteux de meilleure extraction marchandaient en privé étaient aussi verrouillées, à cette heure tardive, mais on distinguait des mouvements furtifs dans l'obscurité au-delà.

Le cheval mécanique au dos creusé et aux flancs ternes ne remua même pas sa queue miteuse quand les deux passagers descendirent du fiacre. Le cocher, emmitouflé jusqu'au nez dans une tenue de bric et de broc, ne posa pas davantage de problème, car il dissimulait de son mieux les Altérations de sa jeunesse frivole. Clare le catalogua parmi les natifs du Sussex venus tenter leur chance à Londinium, mais qui regrettaient à l'âge d'homme d'avoir quitté l'endroit qui les avait vus naître. Ses vêtements le prouvaient, ainsi que l'accent prononcé des quelques mots lancés pour s'assurer la clientèle des deux voyageurs puis leur communiquer ses tarifs. Mikal surgit de nulle part, une fois de plus, et paya la course avant qu'ils ne mettent pied à terre. Toujours plongée dans le profond silence qu'elle n'avait pas rompu une seule fois durant le trajet, Mlle Bannon entreprit de traverser Totthame Road d'un pas aussi vif que léger.

Mikal la suivit, également silencieux, non sans jeter un coup d'œil à Clare, qui pressait le pas pour ne pas se laisser distancer. Le brouillard écartait devant la magicienne ses doigts implorants. Comme elle se dirigeait droit vers la porte d'un revendeur, les deux jeunes exhibeurs qui se prélassaient sur le perron se poussèrent du coude. S'ils avaient le teint également sombre, le visage du plus mince disparaissait à demi sous une feuille argentée, tandis que son compagnon, plus trapu, s'était fait remplacer la main gauche par des tentacules au métal luisant. Le premier ouvrit la bouche en ricanant pour s'adresser à la jeune femme.

Mikal pressa le pas, mais un simple coup d'œil à Mlle Bannon coupa court aux paillardises des deux voyous. Ils bondirent de côté, maladroitement en ce qui concernait le plus volumineux, et elle passa entre eux tel un yacht élégant entre des vaisseaux de guerre.

— Pas bêtes, marmonna Clare en grimpant les quelques marches brunes.

Les tentacules se frottèrent les uns aux autres dans un grincement sec, tandis que le métal écailleux laissait échapper une unique goutte d'huile d'un or venimeux qui s'écrasa sur des culottes bleues. L'exhibeur lâcha un juron.

Dans la boutique régnaient de lourds relents de tabac suave, de poussière et de papier, auxquels s'ajoutaient les effluves des marchandises moisies entassées un peu partout en véritables montagnes. Outils de charpentier échoués contre la vitrine, accessoires d'équitation en cuir empilés sous les rênes et les brides accrochées au plafond, nuage de mouchoirs dont l'écume se répandait sur le long comptoir disposé devant une porte – qui menait sans doute aux réduits où les plus timides cherchaient à vendre leur marchandise.

Mlle Bannon fit sur elle-même un tour complet, les poings serrés, les saphirs de ses boucles d'oreilles étincelants.

— Tord-l'Aiguille ! appela-t-elle.

Un tas de vêtements bougea, dans les tréfonds du magasin. Les étagères grinçaient sous le bric-à-brac pesant dont elles étaient couvertes – porcelaine, métal, tissu, une paire de pistolets de duel enfermée dans une longue boîte en verre poussiéreuse, un monticule de bijoux bon marché en pâte de verre et de tabatières à peine plus chères qui menaçait d'engloutir les canons luisants. Des schémas logiques se formaient à la vitesse de l'éclair dans le cerveau de Clare, qui se saisissait de cette surcharge sensorielle inattendue et cataloguait, déduisait, triait à toute allure les pièces du puzzle.

Pour la première fois de cette longue nuit, il se sentait rasséréné.

— Pas la peine de crier, lança une voix agacée, quoique fluette. (De petits nuages de fumée s'élevèrent derrière le poêle.) Je suis vieux. Je dois me reposer.

— Alors ne m'énervez pas. Ludovico. J'ai besoin de lui.

— Comme bien d'autres, comme bien d'autres.

Un large faciès de batracien à l'air maussade apparut au-dessus d'un cache-nez rose, s'élevant de ce que Clare avait pris pour un ballot de tissu sans âme. Le cuivre d'une boucle d'oreille brilla. Un petit homme rondouillard repoussa une écume de jupons en dévoilant dans un grand sourire des chicots pourris. La pipe qu'il tenait dans sa main brune grassouillette dégageait une fumée extravagante ; des bagues brillaient à ses doigts épais – y compris un diamant véritable, Clare en prit bonne note.

— Qu'est-ce que vous m'offrez, mademoiselle ? Rien n'est gratuit, ici, pas même pour mes préférés.

— Mikal.

Le ton était d'un calme meurtrier.

Le Bouclier s'enfonça dans la boutique d'un pas feutré. La grenouille humaine se recroquevilla en levant ses mains potelées.

— Non non, pas ça ! Il est en haut. Il doit dormir.

Son accent était parfaitement reconnaissable – cet homme ne s'était sans doute pas aventuré de toute sa vie à plus de cinq cents mètres de Totthame Road. Pendant que la déduction progressait sous la surface du moindre objet entassé dans l'étroite caverne, Clare se demanda pourquoi il n'avait encore jamais rendu visite à un revendeur : un seul magasin l'aurait occupé des semaines durant. Et chaque enchaînement logique l'éloignait un peu plus de Southwark, qui s'évanouissait comme en rêve.

Quelque chose bougea derrière une rangée serrée de redingotes de couleurs accrochées au mur, légère agitation du tissu. *Une porte.* L'évidence s'imposa aussitôt à Clare, mais ce fut Mikal qui réagit, écartant d'une gifle le poignard qui filait droit vers eux. La lame brouillée par la fumée s'enfouit dans le tas de gilets tombé de trois étroites étagères en bois.

Des traces brunâtres en maculaient encore certains. Les visiteurs n'étaient donc pas chez un simple revendeur. Le sang de Clare se glaça.

Un pilleur de tombes.

— Ah ! (Mlle Bannon avait l'air plutôt amusée.) Vous êtes là.

— Rappelez votre charmeur de serpents, *signora*. (Les redingotes s'agitèrent à nouveau.) J'ai d'autres couteaux, je m'en sers, hein ?

Naples. Vingt-six ans, grand maximum. Et plus effrayé par le Bouclier que par la magicienne.

Intéressant.

— Il n'aime pas que vous me lanciez des couteaux, *signor* Valentinelli. (La jeune femme ne bougeait pas ; Mikal se frayait à présent un passage entre deux tas de vêtements en ballots étiquetés.) Ça l'exaspère. Je ne suis pas sûre de devoir le calmer.

La voix répondit par un véritable torrent de jurons crachés dans un italien de caniveau, mais Mlle Bannon se contenta de hocher la tête en s'approchant des gilets. La bouche pincée, elle récupéra le poignard perdu, pendant que Mikal se plantait devant les redingotes, aux aguets, prêt à tout.

Les jurons s'interrompirent.

— Il y a de l'argent à gagner ?

La magicienne se redressa.

— Ne vous ai-je pas toujours bien payé pour votre peine, *signor* ? Soyez gentil, mettez une bouilloire sur le feu. Une tasse de thé me ferait le plus grand bien après la soirée que je viens d'avoir.

Une tête sombre aux cheveux lisses apparut entre les redingotes avec un mouvement vaguement reptilien. Le visage du nouveau venu conservait une beauté fruste, malgré les cicatrices de la variole et les ravages d'une vie difficile. Ses yeux rapprochés parcoururent vivement la boutique.

— De quoi on parle, là ? Couteau, *pistole*, garrot ?

Napolitain, oui. Clare était satisfait de la manière dont il avait identifié l'accent. Mlle Bannon avait décidément des relations extraordinaires.

— Rien de tel, à moins que ce ne soit le tout et plus encore. (Elle avait à nouveau l'air amusée.) Je vous offre une chance de vous faire mal d'une manière inédite et intéressante. Vous tenez vraiment à en discuter ici ?

Valentinelli laissa échapper un aboiement rauque qui se rapprochait d'un rire.

— Venez, alors. Mais le *serpente* reste ici. Il me rend nerveux.

— Mon pauvre Ludovico. *Nerveux*. Mikal, ne le quittez pas des yeux. (La jeune femme tenait le poignard à l'écart de ses jupes, délicatement. Elle chassa en secouant la tête la boucle égarée devant son visage.) Ce serait trop dommage qu'il s'évanouisse.

Le visage de l'Italien se tordit en un masque de dégoût puis disparut dans le grincement de charnières en cuir. Mikal écarta les redingotes, et la magicienne fit signe à Clare d'avancer.

— Venez, monsieur Clare. Le *signor* Valentinelli va vous servir d'ange gardien !

20

Plus si je meurs

La chambre de Ludovico lui ressemblait : une cage de singe, sombre et étroite, meublée en tout et pour tout d'une paillasse et d'un petit coffre en cuir. Une bougie à la cire baveuse jetait des ombres dansantes sur le plâtre écaillé. Mikal vérifia d'un coup d'œil qu'il n'y avait rien à craindre puis fit signe à ses deux compagnons d'entrer. Emma en profita pour lui remettre le poignard, qu'il escamota sans changer d'expression.

Le Napolitain se jeta aussitôt sur la paillasse, des yeux évaluateurs fixés sur la jeune femme. C'était un petit homme vif, dont les mouvements efficaces, mais sans grâce, trahissaient une grande habitude de la violence physique. Cheveux sombres et lisses, yeux sombres et rapprochés, dans un visage ravagé par les cicatrices – la variole de l'enfance lui avait été cruelle. Il s'étira en bâillant, les bras tendus au-dessus de la tête, puis laissa ses épaules adopter une position plus confortable. Son allure de brute s'accommodait bien de sa chemise et de ses bretelles usées mais solides, de son pantalon grossier et de ses bottes poussiéreuses.

Ce fut Emma qui ouvrit le bal.

— Comment ! Pas même une tasse de thé. Votre hospitalité laisse à désirer, *signor*.

— Vous vous présentez après la fermeture, *signora*.

— Vous ne fermez jamais. Ne commencez pas à m'énerver. Voilà l'homme sur qui vous allez veiller.

Ludovico se gratta les côtes d'une main, son autre bras sous la tête.

— Pourquoi ? Qu'est-ce qu'il a fait ?

— Vous n'avez pas à le savoir. Débrouillez-vous juste pour qu'il demeure en un seul morceau, pendant que je m'occupe du reste. (Elle s'interrompit tandis que Mikal se raidissait. La flamme de la bougie vacilla puis se redressa.) Peut-être sera-t-il nécessaire d'éliminer pour ce faire un ou deux mages.

L'effet de ces paroles fut aussi immédiat que gratifiant. Valentinelli se redressa, les yeux plissés, tandis qu'un stylet à la lame terne apparaissait dans sa main gauche. Lorsqu'il le fit tournoyer sur ses doigts, Emma s'aperçut que ceux de Mikal se crispaient légèrement.

Grand compliment, de la part du Bouclier.

— Pourquoi vous ne lui demandez pas à *lui* de veiller sur *il bambino,* hein ?

L'Italien pointait sur Mikal un index agressif, sans cesser de jouer de l'autre main avec son poignard, dont il finit par attraper le manche au passage. La crasse incrustée sous ses ongles rongés en demi-lunes noires se logeait aussi dans le pli sale de son cou.

Emma se retint de déglutir à sec.

— Ça ne vous regarde pas non plus. Faut-il que j'aille voir ailleurs, *signor* ?

— À une heure pareille ? Ah, Valentinelli est le meilleur. Je protège d'*il Diavolo* lui-même. Vous payez ; en or.

— En guinées, oui. (Elle craignait que le sourire vissé sur ses lèvres ne soit un brin déplaisant, mais il lui permettait de dissimuler une grimace figée de quasi-dégoût.) Parce que vous êtes un gentleman.

Il tendit brusquement deux doigts vers elle.

— Je ne laisse pas une femme se moquer de moi, *strega*, même si elle paie en or.

Elle s'arma de patience, une fois de plus.

— Je ne me moque pas, *assassino*, mais je ne me répéterai pas. Faut-il que je m'adresse ailleurs, oui ou non ?

— Je prends. (Haussement d'épaules suprêmement indifférent.) Vingt guinées, plus si je meurs.

— Bon. (Il cligna des yeux, surpris qu'elle accepte ses exigences sans discuter. Bien sûr, elle aurait dû marchander, la tradition l'exigeait, mais au point où elle en était, elle n'avait que faire de la susceptibilité de son hôte.) Approchez, *signor*. Je vais vous enchaîner.

— Oh ! Vous êtes sérieuse. (L'Italien se leva de son lit et s'approcha d'elle d'une démarche sans grâce, mais silcncicusc.) Qu'cst-ce qu'il a fait ? Vous voulez vraiment le garder en vie, hein ?

— Ça ne vous regarde toujours pas. (Elle restait immobile, très consciente brusquement de la distance qui la séparait du Napolitain. Les yeux de Mikal étincelaient dans la pénombre, aussi brillants que la flamme de la bougie.) Venez aussi, monsieur Clare, s'il vous plaît.

Le mentah regardait Valentinelli, les paupières mi-closes malgré la faible lumière vacillante. Il avait repris des couleurs, signe qu'il se remettait plutôt bien du choc subi dans le Wark.

— Vous avez été marié, monsieur, lâcha-t-il soudain.

Le spadassin se figea. Emma aurait volontiers traité sans façon son protégé de toutes sortes de noms d'oiseaux.

— Elle est morte, dit le Napolitain. Vous êtes quoi, un *strego* ? Un *inquisitore* ?

— Ni l'un ni l'autre. (Les paupières de Clare s'abaissèrent davantage encore.) Votre accent est tout simplement admirable. Quoiqu'un peu…

— *Monsieur* Clare. (Emma s'approcha de l'Italien pour cueillir entre ses doigts le stylet à la lame noircie.) Taisez-vous et venez ici. Vous connaissez votre rôle, Ludovico.

— Si c'est un *inquisitore*…

La voix de l'assassin avait gagné en force, mais aussi en brièveté, perdant son doux accent napolitain chantant. Elle trahissait à présent l'homme à la fois cultivé et dangereux.

— Ce n'est *pas* un de ces chiens de Dieu. Juste un mentah. Soyez raisonnable ! Donnez-moi votre main, monsieur Clare.

— Je ne vois pas ce que vous voulez dire par *juste* un… (La peste soit de cet homme ! N'avait-il pas l'air *exaspéré* ? Elle lui prit la main, le poignard voleta, et la morsure de la lame déclencha un véritable glapissement.) Mais qu'est-ce que vous faites ?

J'assure votre survie, malgré votre stupidité.

— Vous êtes un exécrable casse-pieds, monsieur. Votre main, Ludovico.

Mikal se rapprocha d'un pas coulé. L'Italien lui jeta un coup d'œil, les dents serrées, ses doigts sales crispés, comme s'il serrait un cou entre ses mains. Une goutte de sueur parcourut l'épine dorsale d'Emma, froide et parfaitement distincte.

— Un mentah ? *Mentale* ? Ah. (Le spadassin sentait le cuir et le mâle, mais aussi d'âcres relents de grappa et de sueur rance.) Je lui pardonne, alors.

Sa paume en coupe était curieusement propre, par rapport à ses ongles, mais la visiteuse l'avait déjà vu sous bien des aspects ; celui qu'il offrait maintenant n'était qu'un des éléments d'une longue liste.

Le souffle de la jeune femme se bloqua dans sa gorge, son pouls faillit s'emballer, mais elle invoqua son invincible maîtrise d'elle-même. Cet homme la mettait mal à l'aise.

Ou, plus précisément, lui rappelait certains événements de son enfance... des événements qu'il valait mieux oublier aux confins de la mémoire, inutiles, superflus.

— Vous êtes bien aimable, murmura-t-elle.

Le couteau mordit à nouveau la chair, traçant dans la paume du Napolitain une entaille sanglante assortie à celle du mentah. Emma pressa leurs deux mains l'une contre l'autre. Ludovico avait déjà connu ce genre de choses, mais Clare résista ; elle dut lui jeter un regard menaçant en émettant un petit *Tss, tss !* mécontent.

Une fois leurs paumes réunies, une âcre odeur de cuivre, l'odeur du sang frais, monta à son nez sensible. Elle ferma les yeux. Ses doigts maintenaient les leurs dans une frêle cage blanche.

— *S*... ! souffla-t-elle.

Un Grand Mot d'Enchaînement, qui exprima lui aussi de sa chair une partie de l'énergie dont la marée l'avait imbibée. La force éthérique s'écoula dans les deux hommes, léchant leur sang avec avidité. Lorsque Emma sépara brusquement leurs mains, à la manière d'un pouce-vert secouant son mouchoir, un éclair illumina les murs, à croire que la poudre avait parlé.

Elle vacilla. Déjà, Mikal était là pour la soutenir, comme toujours. Les dents serrées. Elle se demanda ce qu'exprimait son propre visage.

— Voilà qui est fait. (À son grand soulagement, elle arrivait encore à s'exprimer d'un ton affairé.) Présentez-vous chez moi au prochain changement de marée, Valentinelli. À partir de là, M. Clare ne vous quittera plus d'une semelle.

— Combien de temps ?

Le Napolitain examina sa paume. Sur la peau intacte s'entrecroisaient des lignes imperceptibles, souvenirs d'autres enchaînements. Il arqua un sourcil luisant, tandis que ses lèvres s'écartaient sur ses dents.

— Auriez-vous par hasard des rendez-vous urgents ? Aussi longtemps que nécessaire, figurez-vous. Jusqu'à ce que je brise l'enchaînement. Il ne vous reste qu'à espérer qu'il ne m'arrive rien, à moi non plus.

La simple flamme de la bougie blessait à présent les yeux sensibles d'Emma. Ils se fermèrent d'eux-mêmes, pleins de larmes.

— Rentrons, lança Mikal en la tirant en arrière, sans qu'elle cherche à résister.

— Oui. Venez, monsieur Clare.

— Oui, oui. (Le mentah s'éclaircit la gorge.) Archibald Clare, mentah. Ravi de faire votre connaissance.

Elle réussit à entrouvrir un œil. Il tendait la main au Napolitain.

— Ludovico Valentinelli, voleur et spadassin. À votre service, monsieur.

Les yeux sombres brillaient de quelque chose qui ressemblait fort à de l'amusement.

— Sp… (Tout le monde *entendit* Clare se raviser et, en effet, le mot resta inachevé.) Ah. Très intéressant. C'est un plaisir. Je vais raccompagner Mlle Bannon jusque chez elle, où j'attendrai votre visite prochaine.

— Faites donc. Et veillez sur la *signora* ; ce serait dommage de perdre une aussi jolie demoiselle. Rendez-moi mon couteau, *strega*.

— Oh, non. (Les doigts d'Emma se crispèrent sur le manche en cuir. *La lame est sensibilisée, maintenant. Elle pourrait trancher l'enchaînement que je viens de vous imposer. Il faudra réessayer, bandit.*) Ce n'est pas possible, Ludovico. Mais Mikal va vous rendre celui que vous m'avez jeté. Faites de beaux rêves.

Un bruit à la fois sec et sourd retentit quand le poignard se planta dans le mur, de l'autre côté de la pièce. La lèvre de Mikal se retroussa. Les trois visiteurs firent leur sortie, poursuivis par les jurons de l'Italien, mais il était manifestement intrigué.

Parfait.

La force fiévreuse qui avait soutenu Emma après son pas de deux avec Mehitabel l'avait en grande partie abandonnée lorsqu'ils regagnèrent Mayefair. De toute manière, elle ne pouvait continuer à chercher des réponses à ses questions avant le matin, où il lui serait possible de se rendre au Collegia. Le vestibule obscur lui fut un véritable baume, tandis que la maison prenait conscience de son retour sans vraiment se réveiller. Ses appartements devaient être prêts, car les domestiques étaient habitués à la voir apparaître et disparaître à des heures indues.

Il lui arrivait de regretter par moments que la chose soit aussi banale.

— Je vous conseille de vous reposer un peu, monsieur Clare.

Elle avait enfin tout loisir de dépouiller ses mains douloureuses des restes de ses gants.

— Certes, certes, répondit le mentah avec une vivacité surprenante. Je vais bien dormir, je le sens. Vos amis sont très intéressants, mademoiselle Bannon.

Je n'ai pas d'« amis », monsieur Clare.

— Valentinelli ne fait pas partie de mes amis. Plutôt de mes… non-ennemis. Je l'amuse, et je peux lui faire confiance. Surtout après l'avoir enchaîné par un serment de sang.

— Oui, mais enfin, je ne suis pas persuadé du tout d'apprécier l'idée qu'un Italien crasseux me saigne dessus. (Il *renifla* bel et bien.) Toutefois, si vous l'estimez compétent… Je vais donc me fier à lui. Je suppose qu'il viendra à l'aube ou peu s'en faut.

Elle renonça à se débarrasser de ses gants et s'appuya contre Mikal, qui avait posé la main sur son bras.

— Le petit déjeuner sera servi juste après le retournement de marée. J'imagine que vos agiles facultés se concentrent à présent sur la question du où et comment…

— Tout à fait. Je sais à quoi consacrer mes investigations de demain.

Un pincement de remords la meurtrit brièvement… mais elle était trop fatiguée pour s'en inquiéter, Dieu merci.

— Parfait.

Elle risqua un pas en direction de l'escalier ; Mikal suivit le mouvement. La frustration et l'exaspération du Bouclier l'enveloppaient à la Vision d'une aura citron éclatante… et se communiquaient à elle. Ses tempes se mirent à palpiter douloureusement.

— Mademoiselle Bannon ?

Seigneur ! Quoi, encore *?*

— Oui, monsieur Clare ?

— Vous avez soudain décidé que ce Valentinelli suffirait à veiller sur mon humble personne. Soit vous tenez ses capacités en haute estime, soit…

Soit je vous laisse tremper dans l'eau pour voir quels poissons vous attirez. Vous avez entièrement raison de me soupçonner de ce genre de machiavélisme.

— Je suis maintenant beaucoup plus dangereuse que vous pour les conspirateurs, lesquels le savent pertinemment. J'espère que cette pensée vous offre un certain réconfort.

Il n'insista pas, ce qui valait peut-être mieux. Emma se lança dans l'ascension de l'escalier et la traversée des couloirs, traînant dans son sillage ses jupes lestées des cendres du Wark, malgré le charme de nettoyage appliqué avec soin. Mikal n'allait pas tarder à exploser.

Il eut le bon goût de se retenir jusqu'à la porte de la garde-robe, où elle fit mine de lui échapper. Jamais son lit n'avait semblé plus attirant à la jeune femme.

— Emma.

Sans élever la voix.

Oh, non, pas maintenant. Hélas, il avait apparemment décidé que si : l'heure de la discussion avait sonné.

— Un dragon, Emma.

Oui, un sans-temps. Mais un jeune.

— En effet. (Elle fixait une des penderies, qu'on devinait à la faible clarté baignant la garde-robe, à cause de la moquette et des tentures de soie gris pâle.) Vous auriez dû vous enfuir avec le mentah.

— En vous abandonnant à Mehitabel. (Il secoua la tête, une fois, elle le sentit dans la main posée sur son bras.) Vous ne devriez pas me demander des choses pareilles.

— Que devrais-je vous demander, alors ? Je suis fatiguée, Mikal.

— Un *dragon*, Emma.

Vous vous répétez.

— Je suis parfaitement consciente de ce qui s'est passé aux Blackwerks. Le drake de fer était censé me tuer. Or il ne pouvait prendre ses ordres que d'un autre sans-temps, car jamais un dragon ne se plierait à la volonté d'un mage, même pour en éliminer un autre. (Elle ne quittait pas du regard la petite pièce qui l'attendait.) Et Britannia en personne m'a prévenue que si Grayson avait passé alliance avec les drakes, elle ne pourrait peut-être pas me protéger. Ils sont dangereux, l'accord qu'ils ont signé il y a bien longtemps ne tient qu'à un fil… À leurs yeux, nous ne sommes que des visiteurs fugaces, et l'Empire n'a pas plus de consistance qu'un ruban de fumée.

— Alors pourquoi s'intéresser à… (Il comprit brusquement, se raidit, les doigts crispés sur le bras d'Emma.) Ah.

— Quelqu'un s'est *débrouillé* pour qu'ils s'intéressent à cette mécanique. Il faut découvrir qui, puis empêcher les fauteurs de troubles d'agir, sinon l'éventuel usage militaire d'une machine logique n'aura plus en soi aucune importance. Ils représentant une menace pour Britannia. Je suis extrêmement fatiguée. Vous pouvez vous retirer.

La main posée sur son bras ne s'en écarta pas.

— Je ne veux peut-être pas me retirer.

— Allez danser dans la serre ou repeindre la cuisine, alors, peu m'importe. Lâchez-moi.

Il obéit, mais la suivit quand elle s'engagea d'un pas hésitant dans la garde-robe, dont il referma la porte avec un *clic* déterminé, quoique discret.

Les bijoux déchargés qui ornaient le corps épuisé d'Emma étaient devenus complètement ternes, et elle se sentait près de s'effondrer. Si Mikal voulait se libérer de ses entraves pour se mettre au service d'un autre mage, le moment idéal était venu. Elle s'immobilisa, vacillante, dans le carré de lune découpé par les vitres du plafond, sur lesquelles des symboles de charte dérivaient en constellations somnolentes.

Elle attendait.

Un souffle effleura ses cheveux, proximité un peu trop réconfortante. Les yeux clos, elle songea à Ludovico, à ses ongles sales, à sa saine odeur animale où se devinaient l'alcool et la fatigue physique. Mikal, lui, sentait la suie et la magie, un parfum terriblement familier sous lequel perçaient cependant de faibles relents de mâle.

Elle n'y pouvait rien. Lorsque l'impulsion imbécile l'empoigna une fois de plus, elle ne la repoussa pas.

— Thrent, murmura-t-elle. Jourdain. Harry. Namal.

— Ils vous ont trahie. (Chuchotement intime à son oreille. Emma frissonna, vacillante, mais Mikal ne la toucha pas.) Voilà pourquoi ils sont morts.

Thrent, le grand brun. Jourdain, le petit blond agile. Harry, le souriant. Namal, le grave.

— Ils ne m'ont pas trahie. C'est *lui* qui les a tués. (Un dernier nom. Elle humecta ses lèvres sèches, ternies par la fumée, avant de le prononcer pour le dépouiller de son pouvoir.) Miles Crawford.

— Il vous a fait du mal. (Une voix si douce.) Il en est mort. Eux, ils se sont laissé prendre au dépourvu ; une négligence traîtresse. Je les aurais tués de mes mains, s'*il* ne s'en était pas chargé.

Ils ont éliminé ses autres Boucliers pendant qu'il déclenchait son piège contre moi. C'était ma faute, bien sûr. Je me croyais hors d'atteinte.

— Comme c'est réconfortant.

Elle avait le souffle coupé. Mikal se pencha un peu plus, quasi-contact, paradoxalement, exquisément plus intime que ses doigts ne pourraient jamais l'être.

— Vous savez ce que je suis.

À peine un murmure.

Je n'ai aucune certitude.

— Disons que je nourris quelques soupçons.

L'*autre* raison de ne pas lui faire confiance. Car elle avait relevé en lui des caractéristiques troublantes. Et, si les soupçons qu'elle nourrissait en effet se révélaient justifiés, l'aisance avec laquelle il avait étranglé Crawford était fort mauvais signe.

— Il n'est pas difficile d'obtenir une certitude.

— Je préfère peut-être me limiter aux soupçons.

Elle ne reconnaissait pas sa propre voix. Le mordant qu'elle y injectait en principe derrière le moindre mot en avait totalement disparu.

— Vous ne supportez pas le mystère, Prima. C'est… (il la toucha enfin, glissant des doigts chauds sous la masse à demi effondrée de sa chevelure pour lui caresser la nuque)… une bien petite faiblesse.

Heureusement, vous n'avez aucune idée de mes autres faiblesses. Elle releva la tête, les épaules rejetées en arrière, puis s'éloigna d'un pas ferme de la main séductrice.

— Merci, Bouclier. Vous pouvez vous retirer.

Laquelle retomba.

— Voulez-vous que je dorme devant votre porte, comme un chien ?

Le feriez-vous ? Charmant. Les bottes sales d'Emma avaient introduit chez elle des cendres et Dieu savait quoi d'autre encore. Les femmes de chambre devraient s'en occuper au matin. Il fallait ajouter à cela une robe fichue, une de plus. Elle pouvait bien envoyer l'addition à Grayson, elle n'avait aucune chance d'obtenir le remboursement de ses vêtements.

Pour couronner le tout, elle était condamnée à sonner et à tirer du lit une domestique qui l'aiderait à se déshabiller… ou à laisser opérer Mikal. Après tout, un Bouclier était aussi censé servir de valet – ou de femme de chambre, le cas échéant.

— Allez au diable.

Réplique indigne d'une dame, mais Emma avait la chair de poule et sa patience était à bout.

— Cela signifie-t-il oui ou non ?

Il avait l'air *amusé*, que le septième Enfer de Tripurnis l'engloutisse !

Pour toute réponse, elle se dirigea vers sa chambre. Ses jupes loqueteuses lui paraissaient de plomb, ses culottes lui irritaient la peau, et elle aurait réservé à son corset un sort cruel si elle n'avait été aussi parfaitement épuisée. Mikal n'avait qu'à faire ce qu'il voulait, elle était trop fatiguée pour y attacher la moindre importance.

Du moins essayait-elle de s'en convaincre, l'oreille tendue vers les pas qui résonnaient derrière elle.

21

Faire connaissance

Le changement de marée qui se produisit peu après l'aube emplit la ville d'une impression d'attente bourdonnante. Le brouillard ne s'était pas levé, car la pluie battante qui le tenait en respect avait presque cessé. C'était tout juste si quelques gouttes flirtaient encore avec lui de temps à autre. Londinium dégageait une odeur venimeuse qui envahissait jusqu'à la propriété de Mlle Bannon, pourtant scellée par magie.

Il n'empêchait que le petit déjeuner était excellent, comme Clare s'y attendait à présent le matin. Son plaisir ne fut contrarié que par la présence du Napolitain au visage grêlé qui arriva d'un pas nonchalant puis entreprit de faire étalage de ses manières déplorables. Il n'avait plus les ongles sales, et s'était procuré un respectable gilet de laine noire, une chaîne de montre d'exhibeur et une épingle de cravate ornée d'une vilaine petite pierre pourpre complètement dépourvue de valeur, sa chemise à haut col était de bonne qualité, mais il avait toujours l'air d'un charretier mal à l'aise en bonne compagnie. Une façade entretenue avec soin, sans aucun doute.

Les bottes de Valentinelli avaient autrefois appartenu à un gentleman et… Clare s'aperçut soudain qu'il s'était engagé dans des suppositions sans fondement sur la manière dont elles avaient fini par se retrouver aux pieds bruyants du Napolitain.

Quoique parfaitement capable de se déplacer avec la légèreté d'un chat, le spadassin préférait parcourir d'un pas lourd la délicieuse salle à manger bleu et crème du petit déjeuner. Sans doute était-il imperméable au jacquard harmonieux des stores, car il n'accorda qu'un coup d'œil au décor – un peu comme un général sur le terrain –, avant de saluer Clare d'un grognement puis de remplir son assiette de toutes sortes de victuailles en guignant une des servantes. Laquelle lui manifesta son indifférence d'un signe de sa tête coiffée de boucles miel.

Clare en déduisit qu'elle connaissait le visiteur.

Très intéressant.

Valentinelli fourra une saucisse dans sa bouche, y tassa un œuf puis entreprit de mastiquer le tout avec une satisfaction intense. Il but bruyamment un peu de thé, avant de s'essuyer les doigts sur son beau gilet, debout entre deux palmiers en pots dont les globes magiques cristallins émettaient une mélodie erratique tintinnabulante. Clare l'examina quelques instants encore en sirotant pensivement son thé et en grignotant un toast au hareng. L'ameublement de la pièce était étonnamment aérien et féminin. À en juger par la taille réduite des deux tables, Mlle Bannon prenait le plus souvent son petit déjeuner en solitaire.

Mme Noyon était repartie après avoir servi sa première tasse à l'invité de Madame. Sans doute s'occupait-elle de la toilette matinale de sa maîtresse et de la gestion de la demeure. La table en frêne pâle, aux pieds gravés de nénuphars, était couverte d'une nappe d'un blanc aveuglant. La délicate assiette en argent de Clare s'ornait d'un cygne étampé dominé par la foudre. Très grec, dans l'ensemble.

Il acheva de broyer son toast au hareng, évacua les miettes d'une gorgée de thé fort citronné puis décida de tenter une offensive.

— Il me semble que vous êtes de noble extraction, *signor*.

L'Italien lui jeta un coup d'œil menaçant, quoique furtif, arracha une fois de plus une grosse bouchée à sa saucisse et se mit à mâcher, la bouche ouverte. Ses joues grêlées avaient blêmi.

Clare se tapota les lèvres avec sa serviette.

— C'est *merveilleusement* intéressant d'étudier quelqu'un dont l'impolitesse n'est pas innée. On vous a inculqué les bonnes manières. Ce qui vous trahit, c'est que vous en prenez l'exact contrepied.

Le rouge monta au cou du Napolitain. Clare sourit en son for intérieur. Il était si *satisfaisant* de se livrer à des déductions correctes.

— Un noble Campanien… poursuivit-il. L'accent que vous cherchez à déguiser est trop raffiné pour qu'il en soit autrement. Mais vous avez quitté jeune votre mère patrie. Vous avez adopté les us et coutumes anglais en ce qui concerne le thé, et votre chaîne de montre fait à vos yeux partie de votre costume, alors que tel n'est pas le cas pour un charretier ou un débardeur. D'ailleurs, vous avez beau jouer à votre aise de la dague, vous préférez la rapière. Vous venez d'une vieille maison, où ce genre de choses est toujours considéré comme un honneur.

L'Italien grogna, les muscles de ses larges épaules contractés.

À vrai dire, Clare se sentait… pouvait-il vraiment affirmer une chose pareille ? Oui. Il se sentait *enchanté*. Cet homme représentait un mystère soluble, certes dangereux, mais digne de le distraire une matinée.

— Très bien, gardez vos secrets. (Il se demanda en tapant légèrement de la pointe du pied s'il n'allait pas reprendre une tasse de thé.) Ce matin, nous partons en visite. Un ami ou, du moins, une connaissance assez intime. Dans un quartier respectable. Vous risquez de vous ennuyer.

Le spadassin avala une grosse bouchée de victuailles maltraitées avant de répondre, du ton las d'un riche étudiant blasé d'Exfall, crédible jusque dans la sécheresse précisément dosée des voyelles les plus longues.

— Si vous continuez à parler, *monsieur*, l'ennui ne risque pas de me prendre. Mais le dégoût, peut-être.

Il n'y avait plus rien d'italien dans sa diction, car son imitation était quasi parfaite. Il fit la grimace, tirant le plus loin possible une langue chargée de fragments de saucisse et d'œuf au plat.

Ce fut alors que la porte s'ouvrit sur Mlle Bannon, les yeux soulignés de cernes légers. Clare s'empressa de se lever.

— Bonjour. Je vois que vous faites connaissance, tous les deux.

Elle portait ce jour-là une robe de voyage en laine bleu foncé et des bijoux aussi peu remarquables – un nouveau camée au creux de la gorge, quatre anneaux d'argent à la main gauche, un saphir à l'annulaire droit et de longues boucles d'oreilles de jais qu'on aurait jugées vulgaires sur une femme en deuil. Une broche en argent aux lignes fluides, où jouaient des symboles de charte dorés, complétait la panoplie, ainsi que les perles bleues éclatantes qui se balançaient sous ses épingles à chapeau. Le chapeau proprement dit, petit, bleu et exquisément coûteux, était posé avec aplomb sur les boucles sombres. Pas de bonnet,

Clare fut ravi de le constater, par la tangente : le tout était esthétiquement plus satisfaisant de cette manière.

— Je suis enchanté de vous voir en bonne santé, mademoiselle Bannon. Bien le bonjour.

Le Napolitain se contenta d'un vague grognement, avant d'enfouir le groin dans son assiette.

— On dirait que vous avez mis le *signor* Valentinelli mal à l'aise. Allons, Ludovico, venez vous asseoir.

Elle s'approcha sans montrer le moindre signe de douleur, mais tressaillit légèrement en s'installant dans un fauteuil aux coussins bleus, vis-à-vis de Clare. Il se rassit, les yeux fixés sur la théière.

Mikal fit son apparition, cheveux noirs coiffés avec soin et redingote à haut col en velours vert olive, une fois de plus. Ses bottes à semelle de crêpe ne faisaient aucun bruit. Il salua Clare d'un signe de tête puis entreprit de remplir une assiette.

Valentinelli jeta un regard noir à la magicienne en avalant une grosse masse de nourriture.

— Quand vous retirerez l'enchaînement, *strega*, je le tue.

L'accent italien était de retour, chantant sous la surface des mots. La lumière de plus en plus forte du matin, pâle et nacrée, accentuait les cicatrices du spadassin ainsi que les taches de graisse qui venaient d'apparaître sur son gilet.

Mlle Bannon le fixa un long moment, les mains figées sur les accoudoirs sculptés de son fauteuil.

— J'en serais fort marrie, dit-elle enfin d'un ton léger.

Les symboles de charte qui cascadaient sur les vitres du plafond frissonnèrent, s'écartèrent les uns des autres en tournoyant puis se rapprochèrent aussi vite pour constituer de nouveaux motifs. La pluie secoua brièvement les carreaux, mais se transforma aussitôt en vapeur, laissant derrière elle des traînées de poussière.

— Je l'épargnerai peut-être. Pour vous.

Le Napolitain conclut par un renvoi sonore.

— Votre magnanimité m'emplit de gratitude.

La jeune femme s'empara de l'assiette de fruits et de toasts que lui tendait son Bouclier. Une petite meurtrissure livide, toute fraîche, déparait son cou mince près de l'arc délicat de sa clavicule. Clare faillit ouvrir de grands yeux, car cette vision le mettait extraordinairement mal à l'aise.

Ah. C'est une magicienne, elle fait ce que bon lui semble. Il n'empêche.

Mikal restait impassible, égal à lui-même, mais ses doigts effleurèrent l'épaule de son employeuse lorsqu'il pivota, après lui avoir servi le petit déjeuner. D'ailleurs, ses paupières semblaient un peu lourdes sur ses yeux ambrés. L'estimation de leur relation à laquelle en était arrivé Clare évolua de quelques degrés cruciaux. Son organe du souvenir lui fournit aussi une information fort intéressante, car il avait eu le temps de fouiller les caves et celliers poussiéreux de sa mémoire.

Le scandale suscité par Miles Crawford, duc d'Embraith et Prime, ne lui était connu que grâce à un de ses anciens clients, qui y avait brièvement fait allusion. Sur le moment, Clare avait archivé les renseignements obtenus dans son esprit sans s'y arrêter, car ce genre de choses ne l'intéressait pas, même s'il lui était impossible de laisser échapper la moindre information à sa disposition. Le duc avait été pris la main dans le sac alors qu'il détournait l'argent de la Couronne ou quelque chose dans ce goût-là ; il avait été question de *manières déplorables* – expression qui pouvait recouvrir à peu près n'importe quoi, depuis une façon impolie de se moucher à son club jusqu'aux plaisirs de

Sodome. En revanche, il n'avait pas été question de magie, ce qui avait vaguement surpris Clare, quoique pas assez pour mobiliser son attention. La magie le laissait indifférent et, à l'époque, il était… occupé.

À croiser pour la dernière fois le fer intellectuel avec le Dr Vance. Souvenir délicieux et amer. Délicieux, car affronter un adversaire pareil constituait un véritable plaisir ; amer, car Clare avait été battu à plates coutures. Le plaisir et la frustration se livraient en lui une lutte des plus inappropriées.

Mlle Bannon adressa à Valentinelli son *Tss, tss !* habituel.

— Êtes-vous vraiment obligé de vous conduire de cette manière, Ludovico ? J'espère que vous avez passé une bonne nuit, monsieur Clare.

— Aussi bonne que possible. Il y a beaucoup à faire, aujourd'hui.

Gracieux petit hochement de tête.

— Certes. Mikal ?

Le Bouclier lui servit une tasse de thé. Sitôt après la lui avoir remise, il produisit une liasse de papiers qu'il tendit en silence à Clare, avant de jeter à l'Italien un coup d'œil réprobateur. Enfin, il entreprit de remplir sa propre assiette d'un petit déjeuner aussi copieux que celui de Valentinelli, mais qu'il mangea avec infiniment plus d'élégance, assis à la gauche de son employeuse. Lui, au moins, il utilisait l'argenterie.

— De quoi s'agit-il ?

La notation semblait fort intéressante. Clare parcourut trois pages à toute allure, de plus en plus figé, pendant que la salle à manger du petit déjeuner s'éloignait de lui, emportée par la concentration. Vance et le scandale du passé lui sortirent complètement de l'esprit.

— Seigneur.

— En effet. Voilà qui devrait vous aider dans votre enquête… Le seul fait que j'admette devant vous avoir ces papiers en ma possession est un signe de confiance énorme. Je pense que vous en êtes conscient.

— Des notes de travail. Celles de Smythe, je suppose ?

Mlle Bannon répondit à nouveau d'un hochement de tête, en sirotant son thé avec une délicatesse exquise.

— Je n'ai pas réussi à mettre la main sur celles de Throckmorton. Il ne restait presque rien de sa maison. Vous trouverez cependant à la fin quelques pages de la main de Masters. Peut-être vous seront-elles utiles.

— Sans le moindre doute. Je vous remercie infiniment. Voilà qui me sera d'une aide immense dans mes investigations.

— Encore une chose. (Elle agita les doigts de la main gauche ; ses anneaux d'argent brillèrent vaguement. Au bout d'une fine chaînette se balançait à présent une pierre incolore, étincelante malgré le soleil anémique, sertie dans une monture filigranée. Clare mit un moment à comprendre de quoi il s'agissait.) Je vais vous demander de porter ce pendentif. Si jamais vous vous trouviez en danger, j'en serais avertie et vous soutiendrais autant que possible à distance, non sans faire de mon mieux pour vous rejoindre. Votre enquête va très probablement entraîner toutes sortes de désagréments.

— Dites-moi, ne serait-ce pas une Noix de Bocannon ? s'enquit-il en s'emparant du bijou.

La magicienne, qui beurrait à présent un toast, lui répondit d'un hochement de tête avant d'expliquer :

— Une Noix de Bocannon améliorée. Les babioles de ce genre ne se fabriquent pas en une minute, et elles sont relativement fragiles. Je vous prierai donc d'y faire attention.

Valentinelli écarta de la petite table ronde la dernière chaise disponible en la tirant sur le tapis, il se laissa tomber sur le coussin puis fit claquer son assiette à droite de celle de son hôtesse.

— Vous lui donnez un truc pareil ? Je vous dis que je veille sur lui.

— L'un n'empêche pas l'autre. (Mlle Bannon semblait pour une fois plus grave qu'obstinée, malgré ses traits juvéniles.) Peut-être aurez-vous l'occasion de me remercier d'avoir pensé à une chose pareille avant que cette affaire ne soit terminée. Vous rappelez-vous la deuxième fois où j'ai eu recours à vos services ?

Le Napolitain devint d'une pâleur de lait ; ses joues grêlées étaient singulièrement peu séduisantes quand le sang se retirait de son visage.

— *Ci. Incubo, e la giovana signorina. E il sangue.* Je m'en souviens.

— Eh bien, nous risquons de connaître nettement pire. (Concentrée sur son toast et ses fruits, la jeune femme porta délicatement à sa petite bouche décidée un quartier d'abricot.) À présent, monsieur Clare, vous êtes libre de vos allées et venues hors ces murs. Un coupé vous attend au portail ; il est loué pour la journée. (Dernier hochement de tête qui secoua les boucles ramenées au-dessus de ses oreilles.) Je vous suggère de ne pas vous attarder.

Le cocher, un homme avenant au visage de pleine lune, enchanté de faire une promenade de santé payée au maximum, conduisait un coupé marron, propre et bien entretenu. Ses chevaux mécaniques, graissés de frais, allaient d'un pas élastique ; son fouet claquait avec panache. Sitôt en voiture, Valentinelli se montra soudain très professionnel : son masque de grossièreté ricanante tomba, dévoilant un calme quasi félin, à l'immobilité que ne troublait pas même un battement de paupières.

Il se révéla moins pénible en tant que compagnon de voyage. Clare avait quitté la demeure de Mlle Bannon flanqué d'un charretier au pas traînant, mais partageait maintenant le coupé avec une créature dangereuse. Aussi tenait-il sa langue, attentif à Valentinelli, figé, et à la rue pleine d'un brouillard jaune brillant qu'il regardait par la fenêtre.

Sigmund Baerbarth occupait dans Clarney Greens un appartement spacieux, confortable, mais affreusement démodé. Le Bavarois persistait à habiter au deuxième étage d'un immeuble datant de la reine Anne parce que son atelier se trouvait juste derrière, dans une longue bâtisse bleue qui avait autrefois servi d'usine.

Nul ne s'était donné la peine de tracer un cercle de craie sur la porte basse de son repaire, aussi Clare se contenta-t-il d'y frapper deux fois avant de la pousser. Valentinelli jura tout bas en le bousculant pour examiner la salle encombrée qui s'ouvrait devant eux. Un bruit horrible s'élevait dans ses profondeurs, ce qui n'avait rien d'anormal. Le Napolitain finit par hocher la tête, la lèvre retroussée sur les dents, les yeux rivés sur Clare, au lieu de lui dire tout simplement qu'il pouvait entrer sans problème.

Quelques rayons de soleil se perdaient dans une sorte de caverne poussiéreuse, entourée de machineries éviscérées à la masse imposante. Monstrueuse profusion de métal luisant, de roues dentées énormes ou minuscules – aussi grosses que des jambes humaines ou aussi petites que des engrenages de montre –, de cuir graissé et de crin de cheval, de poutrelles et de croisillons.

— Sigmund ! appela Clare. Eh oh, Sigmund ! Mettez la bouilloire à chauffer, vous avez de la visite !

Seul un grondement cliquetant lui répondit. Une masse d'acier sursauta, frissonna puis se souleva trois fois de suite, crachant une vapeur grasse par toutes ses valves surmenées. Cette forme indistincte prit brusquement un sens quand Clare en discerna les pattes insectoïdes aux articulations noires bien huilées. Le corps logé entre les appendices, en contrebas, se contorsionna, frissonna. Sur le dos métallique de la bête était juchée une petite silhouette ronde, qui s'y cramponnait avec détermination tout en levant un bras armé d'une monstrueuse clé anglaise noire. Le bras se baissa d'un geste décidé, un claquement sonore retentit, et le tas de ferraille s'affaissa en poussant de grands sifflements, accompagnés de nuages verts puants.

Le gros cavalier continua à frapper sa monture mécanique à coups redoublés, déchaînant un vacarme terrifiant, jusqu'à ce qu'elle s'écroule dans la sciure répandue à terre en saignant une huile noire et en exhalant par halètements une vapeur brûlante. Une belle voix de basse profonde gronda un certain nombre de termes scatologiques dont Clare aurait peut-être rougi s'ils avaient été exprimés dans la langue de Sa Majesté.

— Sigmund ! appela-t-il, une fois de plus. Beau spectacle, franchement ! Cet engin fonctionne presque.

— Hein ? (Une tête chauve couturée se leva brusquement. Les lunettes de cuivre et de cuir plaquées contre le visage du Bavarois transformaient ses yeux en œufs pochés flottants.) Archibald ? *Guten Tag*, vieux frère ! *Wer ist das ?*

— M. Valentinelli, mon assurance. J'ai quelques problèmes, très cher, et j'ai besoin de vos lumières.

— Mais bien sûr !

L'Allemand lâcha sa clé anglaise, qui claqua sur le sol, puis bondit à terre, soulevant deux nuages de sciure jumeaux sous son tablier de machiniste. Lorsqu'il se débarrassa de ses lunettes, des yeux bruns humides apparurent sous des sourcils gris fer broussailleux. Une moustache superbe, quoique vaguement roussie, complétait de vastes favoris – ces attributs pileux étaient censés compenser un crâne aussi lisse qu'un œuf, car leur propriétaire était un homme assez vain.

— Venez, je fais du thé. J'ai de la saucisse, aussi ! Du fromage et vos saletés de harengs. Venez, venez. (Il serra énergiquement la main de Clare, avant de faire subir le même sort à celle de Valentinelli.) Vous êtes tout petit et tout maigre. Italien, *ja* ? Ça ne fait rien, vous mangez aussi. Baerbarth n'est pas fier.

Le Napolitain eut un sourire de loup.

— Valentinelli non plus, *signor. Ciao.*

— *Ja, ja*, venez. Par ici…

Le Bavarois entraîna ses hôtes entre les tas de machinerie jusqu'à une section dévolue à des carcasses plus modestes. La lumière des becs de gaz et des hautes fenêtres poussiéreuses qui luttait faiblement pour se répandre jusque dans les coins se reflétait sur des arêtes aiguës.

Dans une partie de l'ancienne usine mieux éclairée et chauffée, quatre fauteuils attendaient devant une cheminée où brûlait un feu de charbon, près d'un bureau massif à tiroirs et classeurs couvert de papiers, de roues dentées et d'engrenages. Le garde-manger qui le surplombait, en métal de récupération, contenait des chapelets de saucisses allemandes et une gigantesque roue de fromage rangée dans un sac en filet. Comme la bouilloire posée au bord du foyer était déjà chaude, il ne fallut pas longtemps pour préparer un second petit déjeuner. L'Italien et le Bavarois s'y attaquèrent avec détermination, pendant que l'Anglais se contentait d'un thé terriblement amer, agrémenté d'un lait quasi tourné.

— Bien. (Les yeux de Sigmund brillaient d'intérêt.) Dites-moi, *Herr* Clare. Que se passe ?

Il fallait se jeter à l'eau, si indirectement que ce soit.

— J'ai besoin de condensateurs prussiens.

Le maître des lieux haussa les épaules en mâchouillant une *Wurst* aussi épaisse que son solide poignet. Ce n'était qu'un simple génie ; ses facultés n'étaient pas tout à fait au niveau de celles d'un mentah, puisqu'il avait échoué par deux fois aux examens de Würzburg – notoirement difficiles. Des échecs qui ne l'empêchaient pas d'être généreux, loyal et d'une honnêteté à toute épreuve. Sans les efforts de Mme McAllister, sa logeuse, et de Chompton, son assistant occasionnel – un gamin maigrichon à demi sauvage, doté d'une affinité quasi miraculeuse avec les engrenages des chevaux mécaniques –, il aurait sans doute été dépouillé de son dernier sou depuis longtemps.

— Des condensateurs. (Le gros crâne luisant s'inclina.) Prussiens. Partis. Les miens, on m'a acheté il y a des mois. Plus moyen d'en trouver, à n'importe quel prix. Je peux trouver des davinports ou des français, fiouh !

Le visage lunaire se crispa pour exprimer les sentiments de son propriétaire : Sigmund considérait le mechanisterum allemand comme l'apothéose de l'art ; sa version anglaise restait utilisable, mais sa déclinaison française était beaucoup trop délicate et capricieuse pour mériter seulement le nom de mechanisterum.

— Mais pas de prussiens, *mein Herr*. Même mon boulanger n'en a plus.

Ah, la piste n'est donc pas aussi froide que je le craignais.

— Curieux.

Clare plongea le nez dans sa tasse de thé. Son fauteuil habituel, une énorme monstruosité de cuir à l'armature cassée, sentait un peu le moisi, de même que l'ancienne usine dans son ensemble. La tête de Valentinelli eut un petit mouvement félin rapide, interrogateur, pendant que l'Italien se perchait près de l'âtre sur un tabouret en bois – la place préférée de Chompton.

— Tiens, où est passé le jeune Chompton, aujourd'hui ?

— Il ramasse les déchets près de la rivière. C'est un bon garçon. Reviens avant la marée, je lui dis, *ach* ! Il remue les bras et il grogne, voilà. Les jeunes ! (Sigmund roula ses faibles yeux clignotants.) Je vous trouve des prussiens, mais je prends du temps.

— Ça ira parfaitement. J'ai une autre question, cher ami…

— Bien sûr. Une saucisse ? Du fromage ? Le pain est très bon, je viens d'enlever le moisi. Encore un peu de thé ?

— Non, merci. Mon cher Sigmund, comment retrouver la trace d'une cargaison de condensateurs prussiens ? Je veux dire, *sans* attirer l'attention ?

Le Bavarois eut un sourire rayonnant. L'une de ses incisives était grisâtre. Il avait une sainte horreur des charmeurs de dents.

— Ah ! Ah ! Voilà pourquoi vous êtes là !

Non, mais je serais ravi que vous en soyez persuadé.

— En effet. Alors ?

Sigmund se radossa dans son vieux fauteuil d'un bleu délavé, dont la floraison horrifique de roses cent-feuilles boursouflées évoquait un fongus exubérant. L'armature de bois grinça tandis qu'il y logeait plus fermement sa corpulente personne.

— C'est difficile. Très difficile.

— Mais pas impossible. (Le breuvage quasi imbuvable offert par l'Allemand présentait au moins l'avantage d'être fort. On pouvait toujours compter sur une goutte de thé supplémentaire pour présenter une situation sous son meilleur angle.) Et si quelqu'un peut le faire, Sigmund, c'est…

— Archie. C'est difficile, ce que vous demandez, *ja* ?

L'air soudain très grave, le Bavarois arracha à sa saucisse une nouvelle bouchée, qu'il se mit à mâchonner. La rumination lui réussissait autant qu'à une vache.

Un vague malaise chatouilla Clare au creux de la nuque. Il jeta un coup d'œil au tabouret.

Valentinelli avait disparu.

22

Manque de pratique

Le phaéton vert foncé se révélait à la fois léger et rapide, surtout avec Mikal comme cocher et les deux chevaux mécaniques bais assortis qui le tiraient au trot. Il était certes un peu voyant pour une dame, mais les boules de magie crachotantes dont les cages dorées se balançaient aux ressorts de la suspension en col de cygne, et les petits charmes cramoisis étincelants qui préservaient la passagère de la boue et des pierres, permettaient de comprendre d'un coup d'œil qu'il ne s'agissait pas d'une simple dame, mais d'une fille de la magie. Un Bouclier nonchalant la promenait à travers la circulation dense de Londinium – laquelle présentait une saisissante ressemblance avec le septième cercle des Enfers.

Brusque virage à gauche. Des cris et des jurons s'élevèrent de la mer humaine que fendait le phaéton. Immobile, les yeux clos, bien adossée à la banquette, Emma n'y prêta aucune attention. Des fils invisibles apparaissaient un à un à l'œil de sa conscience réceptive. Sa main gauche gantée, crispée sur la poignée de cuir la plus proche, avait les doigts presque insensibilisés. Mikal remua. Les chevaux mécaniques étaient si bien assortis que le martèlement de leurs sabots semblait appartenir à une unique créature. Le brouillard froid de Londinium jouait avec la voilette de la jeune femme. Le charme purificateur d'air le plus puissant ne serait pas venu à bout de l'haleine puante de grande bête somnolente exhalée par la ville un jour pareil, lorsqu'elle paraissait avoir été enfermée dans l'un des flacons du Dr Bell. La purée de pois nocturne persistait bien après l'aube, passait par les fenêtres, effleurait les piétons, voilait des rues entières de ses ternes tentures, gonflées par d'épaisses vapeurs jaunes. D'aucuns, surtout les charmeurs de fossés et les pouces-verts, croyaient dur comme fer que Londinium se transformait sous couvert de brouillard. Peu de gens accordaient foi à leurs affirmations, hors le Wark, le Well, Whitchapel ou Mile End – et quelques autres poches d'étrangeté.

Pourtant, ceux sur qui la magie avait posé le doigt ne se moquaient pas de leurs histoires. Du moins pas trop fort, et certes pas trop longtemps.

Les avenues s'élargissaient au fil du trajet vers Regent's Park. La circulation se raréfia dans Marylbone, au niveau du grand virage de Portland Place, devant les maisons mitoyennes datant de Georgus V fièrement alignées, étincelantes de charmes et de protections. La plupart des mages vivaient dans d'autres quartiers, mais les esclaves de la mode s'offraient ce genre de défenses – et plus elles étaient voyantes, plus ils en tiraient satisfaction.

Celles dont les mages usaient sur leurs propres demeures avaient de fortes chances d'être à la fois moins visibles et plus meurtrières.

Mikal laissa échapper une petite exclamation en remuant, une fois de plus ; les chevaux accélérèrent. Passer en fanfare sur la place permettrait indéniablement à Emma de se faire remarquer. D'ailleurs, elle ne se demandait même pas pourquoi il avait décidé d'y venir car, ce jour-là, elle avait en effet l'intention de s'exhiber le plus ostensiblement possible : si sa proie se concentrait sur elle comme sur la pire des menaces, alors la curiosité de Clare passerait-elle peut-être inaperçue.

Dans le cas contraire, ma foi, Valentinelli représentait la meilleure protection qu'elle puisse offrir à son hôte, à part la sienne propre. L'Italien aurait fait un bon Bouclier, s'il avait été formé plus tôt. À condition toutefois que son employeur ait du doigté, ce qui n'était pas le cas des mages en règle générale.

Quelqu'un capable de se laisser tenter par un mentah accompagné d'un spadassin constituerait forcément une prise intéressante. Préparer la pêche de manière à ne perdre ni l'hameçon ni l'appât était en soi un art… qu'Emma avait la ferme intention de pratiquer ce jour-là.

Les chevaux mécaniques brillaient à présent de la pointe du nez au bout de la queue, lancés telle l'écume sur la vague prête à se briser. Lorsque la jeune femme trouva les fils qu'elle cherchait, ses mains se crispèrent puis se détendirent, ses doigts se contorsionnant avant de s'immobiliser sur le Geste, pendant que le Mot se formait sur sa langue.

— *Ex-k'Ae-t !*

Il ne produisit pas un son, bien sûr, mais l'emplit de son tonnerre tempétueux. Le phaéton tressauta, les sabots des bêtes crachèrent des gerbes d'étincelles tandis qu'un silence étrange tombait soudain, car roues et sabots ne mordaient plus que l'air alentour.

Emma battit des paupières. La lumière du jour lui transperça le crâne – vision fugace de Mikal debout, les rênes détendues entre les mains, pendant que l'attelage adoptait un petit trot fringant. Les doigts tors de la magicienne manipulaient quant à eux des fils plus fins, invisibles, qui cassaient, s'enroulaient, se renouvelaient, car il en naissait toujours de nouveaux pour remplacer les anciens.

Le carrosse *volait*.

Il montait, montait, laissant dans son sillage écume et étincelles. Le brouillard se refermait sur Park Crescent, en contrebas, verdure malsaine sous le badigeon jaunâtre. Le phaéton continuait à monter – il se trouvait à présent au-dessus de Regent's Park proprement dit –, isolé dans le bruit des roues tournoyantes et du hennissement d'un des chevaux, qui secouait sa belle tête. Les engrenages des bêtes tournaient du garrot aux sabots, en passant par les hanches ; les pistons de leurs jambes travaillaient, simulacres d'ossature, squelette renforcé par la magie et le métal roussâtre, subtilement fondu aux flancs bais soignés par les mains aimantes de Wilbur, le garçon d'écurie – bossu, boiteux et bègue au point d'en devenir incompréhensible. La cicatrice qui lui marquait le front expliquait peut-être le problème, mais il possédait par ailleurs des dons indéniables de charmeur de chevaux mécaniques. Encore un contrat de servage dont Emma se félicitait – son élan de générosité lui avait valu des avantages hors de proportions. De même qu'avec Harthell, son cocher habituel… mais elle n'avait pas le temps de penser à sa collection de naufragés.

Car son but venait d'apparaître en plein ciel, aussi léger qu'une bulle de savon : le Collegia. Le maillage de soutien et de répartition qui enveloppait l'imposant édifice de pierre blanche se distinguait clairement à la Vision, mais les yeux ordinaires voyaient tout simplement une grande bâtisse en lévitation. Elle dérivait avec une lenteur majestueuse au-dessus du parc, sans jamais en dépasser les limites, pour éviter les émeutes qui n'auraient pas manqué si la populace londinienne avait craint que l'établissement tombe sur ses appartements et ses taudis… ou lui déverse des ordures sur la tête.

Certes, les mêmes Londiniens se couvraient allègrement de fange les uns les autres, mais cela ne se pouvait comparer aux rejets des mages. Lesquels ne voyaient aucune raison de les informer qu'ils jetaient leurs saletés dans la Themis, comme tout le monde.

Les chevaux montèrent une pente invisible, virèrent quand Mikal agita les rênes puis franchirent le portail. Pierre noire lisse et mate, sculptée d'animaux fantastiques mouvants, couverte de symboles de charte rouge sang mobiles – le premier élément du Collegia à avoir vu le jour. Il restait ouvert en permanence depuis que la première pierre du futur établissement avait été posée par Mordred le Noir, qui prétendait descendre d'Arthur par les femmes. Quant à savoir si c'était vrai…

Les Temps Oubliés ne l'étaient pas pour rien. Il ne subsistait guère en effet des Âges du Feu et du Bronze que des comptes rendus fragmentaires. L'Inquisition de Cramwelle n'était pas mieux documentée, car le réceptacle physique de Britannia avait alors été assassiné, et le choc qui s'était ensuivi avait ébranlé l'île tout entière. L'esprit de l'Empire avait fini par se réincarner pour mettre un terme aux violences haineuses dont Cramwelle poursuivait ceux qui le surpassaient en magie.

Comme l'avait fait remarquer Lord Bewell, le grand historien, l'ambition pouvait rendre dangereux jusqu'à un petit pouce-vert.

Le plus difficile pour qui se rendait au Collegia consistait à atterrir en toute discrétion sur le dallage de marbre glissant : il fallait éviter le claquement retentissant trahissant le transfert de force dans l'air alentour. Tâche difficile, délicate, qui demandait du doigté. Les sabots des chevaux mécaniques touchèrent le sol avec une légèreté de plumes, alors que les roues du phaéton tournaient déjà pour s'adapter à la vitesse des bêtes. Le volume sonore du trot et du roulement monta peu à peu, triomphe discret, jusqu'à ce que chaque pas de l'attelage tinte sur la pierre blanche glacée. Les anneaux d'argent qu'Emma arborait à la main gauche avaient chauffé. Son attention s'ancra à nouveau fermement dans son propre corps. Elle souleva les paupières avec précaution.

Son épaisse voilette la protégeait en partie de la piqûre du soleil, qui brillait derrière le brouillard avec plus d'ardeur maintenant qu'elle dominait l'épais brouet cantonné au niveau du sol. Elle n'en plissa pas moins les yeux de manière fort inélégante avant de les refermer à demi, aussi languissante qu'il convenait à une dame. Le phaéton parcourait à vive allure la longue allée circulaire entourant le jardin, orné en son centre d'une fontaine massive, au chant sonore accompagné de jeux de lumières multicolores et d'eaux prismatiques. La Leda dénudée allongée sous un cygne d'un blanc aveuglant grattouilla le cou sinueux de ce Jupiter incarné, qui battit brièvement des ailes. La lumière et l'eau qui caressaient ces deux statues paresseuses conféraient à la scène une indécence telle que les journaux pour messieurs semblaient bien innocents par comparaison.

Très bonne métaphore des mages en général, se dit Emma pendant que l'attelage dépassait le grand escalier imposant, d'un blanc glacial.

La coupole également blanche de la bibliothèque, plutôt basse comparée aux flèches d'émail neigeux acérées qui hérissaient l'ensemble du Collegia, n'en était pas moins de taille à gober Leather Market tout entier et à en redemander.

Lorsque Mikal immobilisa le phaéton, un serf sous contrat avec l'établissement apparut, prêt à s'occuper des chevaux. Le Bouclier bondit à terre pendant qu'Emma rassemblait ses jupes.

La visite devrait être intéressante.

Le dôme de la bibliothèque luisait de toute sa pierre, râpée à en devenir si fine que le soleil passait au travers. Dans cette lumière envahissante, venue de partout et de nulle part, des ombres voletantes tournaient en rond par petits groupes, se posaient parfois avec légèreté au sommet des étagères ou papillonnaient près du gigantesque comptoir de circulation enroulé sur lui-même. Le vaste puits central, entouré sur cinq étages de rayonnages spiralés, avait seul de quoi faire tourner la tête. S'y ajoutaient les balustrades d'ivoire et de nacre, la moquette d'un bleu profond, la clarté irisée, l'odeur du papier, mêlée à de vagues relents de sable et de sel. Des cris grêles s'élevaient lorsque certains livres s'envolaient vers la coupole, prenaient de l'altitude puis plongeaient avec une grâce un peu gauche.

Mikal suivait Emma de plus près peut-être qu'il n'était strictement nécessaire, mais après tout, sa vie ne tenait qu'à un fil en ces lieux. Il était interdit de s'emparer du Bouclier au service d'un Prime pour l'occire, quel que soit son crime. La loi ne laissait subsister aucun doute à ce sujet – quand bien même le Bouclier en question avait commis l'impensable en assassinant son propre maître.

Nul autre mage n'aurait pris le risque d'embaucher Mikal. Nul autre mage – nul être humain, à vrai dire – ne savait *précisément* ce qui s'était passé dans la petite pièce souterraine de la spacieuse demeure des Crawford, car Emma avait conservé un silence obstiné. Mikal aussi, semblait-il. Toutefois, il était en vie, et à son service, alors que Crawford était mort. Nul ne pouvait l'ignorer. Ce qui revenait à crier sur tous les toits ce qui s'était *certainement* passé.

C'est vous ou la hache du bourreau, avait-il dit d'une voix aussi dure que l'acier, les yeux animés d'un éclat venimeux. *Je préfère que ce soit vous. Si vous ne voulez pas de mes services, faites-moi la grâce de me tuer de votre main. Je ne me défendrai pas.*

Elle l'avait cru. Elle sentait encore au bout des doigts le chatouillis éprouvé quand elle avait touché son torse, la rugosité des écailles subtiles…

Ça suffit. Tu n'es pas ici pour rêvasser. Elle se dirigea vers le comptoir en chassant le souvenir par un effort mental concerté. Il serait si facile de croire que Mikal éprouvait… quoi, au juste ?

Rien dont elle puisse être sûre. Elle ne devait pas l'oublier.

L'employée aux cheveux gris emmêlés chargée de renseigner les visiteurs leva les yeux, surprise. N'importe quelle sorcière des livres avait évidemment conscience de l'approche d'un Prime comme d'une tempête prête à s'abattre sur un petit bateau. Surtout ici, au Collegia, où la magie le disputait à l'air en tant que milieu dominant.

C'était une femme replète, aux yeux noisette perdus dans le vague. Elle se cramponna au comptoir, vacillante, le temps de s'adapter à la turbulence que représentait Emma.

— Titre ? pépia-t-elle enfin d'une petite voix sans timbre.

Ses boucles ternes, collées par la crasse, pendouillaient autour de son visage, sauf celles retenues par des plumes, de petits os ou des fragments de métal brillants.

— Auteur ? Numéro de catalogue ? Couleur de la couverture ? Sujet ? ajouta-t-elle.

— *Principia Draconis*, répondit Emma en maîtrisant un rictus.

Ces sorciers… Ils se spécialisaient si jeunes qu'à vingt ans ils n'avaient plus de place dans le crâne que pour leur Discipline. Et pas une Discipline profonde de l'Inépuisable – le feu, l'eau, le magnétisme, la création ou la destruction –, mais une des niches les plus réduites. Des hirondelles installées dans une falaise, ne s'éloignant jamais de leur trou minuscule.

Ne plaignez pas les sorciers, avait un jour psalmodié un de ses professeurs, *car ils ne valent pas moins que les Magi. Ils sont bien plus heureux que vous ne le serez jamais... puisqu'ils n'ont aucune ambition. Leur Discipline fait leur bonheur au lieu de les mettre en péril.*

— *Principia Draconis*, répéta la sorcière des livres d'une voix lente. (Les rangées de volumes froufroutèrent, car les étagères s'animaient, à la recherche du spécimen demandé.) De Baronis, première parution, 1533. Amberforth, mise à jour et révision, 1746. James Wilson, 1801. Huit cents pages numérotées, couverture…

— La Bannon. (Le ricanement qui s'élevait derrière Emma ne pouvait émaner à sa connaissance que d'une seule personne.) Apportant encore et toujours l'ordure dans ces salles consacrées, à ce que je vois.

— Lord Huston. (Elle inclina la tête, sans se retourner pour autant.) Toujours aussi étranger à la politesse la plus élémentaire, à ce que je vois.

— La politesse est réservée aux dames.

La canne à tête de canard en argent – pure affectation, bien sûr – s'abattit sur la moquette. Sans doute le proviseur avait-il oublié qu'il ne se trouvait pas dans un des couloirs dallés, où sa progression tapotante enverrait une vague de crainte plisser l'étoffe sensible de la réalité.

Mikal fit un mouvement dans un susurrement de tissu qui s'interrompit juste derrière Emma, laquelle ne quitta pas des yeux son interlocutrice marmonnante. Le volume demandé allait apparaître d'une seconde à l'autre, elle allait se débarrasser rapidement du gêneur puis poser l'ouvrage sur une des tables de lecture pour le consulter en toute tranquillité.

— Une ordure pensante, semble-t-il. (Surprise feinte.) Quand vous déciderez-vous à embaucher un Bouclier digne de ce nom, Bannon ? En admettant qu'il s'en trouve un pour accepter de servir dans la même maison que l'apostat meurtrier qui vous accompagne.

— Prenez garde, petit homme.

Elle laissa la pointe de son pied droit se lever puis retomber sur la moquette, une seule fois. Ses jupes dissimulèrent le mouvement, qui ne l'en agaça pas moins. Lord Huston était un Prime, oui… de justesse. Sans une chance extraordinaire, il aurait été cantonné au rang d'Adeptus, voire de Maître Magus, car il avait obtenu des notes déplorables à ses examens.

— Je ne fais pas partie des élèves.

— *Le mage qui cesse d'apprendre cesse de prospérer*, scanda-t-il vertueusement. Que faites-vous ici, d'ailleurs, si vous n'apprenez plus ?

— La bibliothèque est ouverte à toute heure à quiconque possède au moins le rang d'Adeptus. (C'était au tour d'Emma de s'exprimer d'un ton vertueux.) Mais peut-être avez-vous oublié la Loi ?

Un coup sans fioritures.

— Je ne l'oublie jamais, siffla le proviseur. C'est *vous* qui avez embauché un Bouclier alors qu'il avait sans le moindre doute assassiné celui qu'il s'était engagé à protéger. Vous devriez le livrer à la justice.

Emma sentait la moutarde lui monter au nez.

— Me lanceriez-vous un défi à cause d'une de mes possessions, Huston ? Je serais tentée d'en déduire que vous êtes las de respirer.

Le silence froufroutant de la bibliothèque acquit une profondeur sonore gênante. *Je n'ai pas le temps de me battre en duel aujourd'hui, vieillard. Profitez-en.* Elle songea un instant qu'il serait tentant de considérer le gêneur comme un conspirateur et de lui administrer le juste châtiment de la trahison.

Cette pensée réussit presque à la calmer.

— Le *Principia Draconis* n'est pas là. (La sorcière des livres pencha sa tête mal coiffée en murmurant ces mots d'une voix flûtée, les mains jointes. Déjà, elle détournait les yeux, nullement intéressée par la scène qui se déroulait devant elle.) Quelqu'un l'a emprunté.

— Impossible. (La moutarde montait une fois de plus au nez d'Emma, qui referma cependant le bocal. La journée s'annonçait mal ; il était encore bien tôt pour qu'elle atteigne pareil degré d'exaspération.) C'est un Grand Texte ; il n'est pas censé quitter la bibliothèque.

— Oh, le *Principia* ? lança Huston avec une satisfaction moqueuse, parfaitement perceptible. Il me semble me rappeler que Lord Sellwyth avait envie de le consulter à loisir. Je lui en ai donné la permission. C'est un *si* bon ami du Collegia.

Emma n'en crut pas ses oreilles, littéralement. Les livres s'agitèrent, nerveux ; certains décollèrent même des balustrades sculptées. Leurs ombres se tordirent tandis qu'elle pivotait et que le camée épinglé sur sa gorge chauffait dangereusement. Le gonflement de ses jupes incita

Mikal à s'écarter d'un pas. Les épaules puissantes du Bouclier s'étaient raidies sous le velours vert, mais ses poignards restaient invisibles. Si jamais il les tirait, elle aurait évidemment les plus grandes difficultés à calmer les multiples strates d'antiques protections étouffantes, censées préserver les étudiants quand une leçon tournait mal.

Le plus simple des sortilèges pouvait tuer en ces lieux. Faire couler le sang dans les limites du Collegia se payait très cher.

Le maigre épouvantail au costume noir vieillot blêmit en reculant d'un pas. Son haut col et la cravate immaculée nouée sous son menton rappelaient l'époque où Georgus IV servait de réceptacle à Britannia. Des mèches parcimonieuses de cheveux trop noirs divisaient le dôme de son crâne. Si Emma avait apprécié la phrénolomagie, peut-être aurait-elle décidé d'examiner ledit crâne comme celui du couard le plus parfait, doté qui plus était d'une idiotie crasse.

Il lui aurait suffi d'un marteau ou autre outil également apte à servir de matraque.

Le pantalon noir du vieillard n'était pas maculé du plus petit grain de poussière. Un mouchoir parfumé moussait dans sa main libre. Il arborait même des bottines de dandy à bouts pointus et talons incurvés, dont le claquement plus discret accompagnait en général celui de sa canne, battant un rythme qui faisait partie intégrante des cauchemars des élèves. Ses longs doigts osseux d'étrangleur se crispèrent sur la tête de canard en argent. Sa main droite s'ornait du lourd sceau en cornaline du Collegia.

La piqûre de la lumière trop vive rappela ses priorités à Emma. Il fallait espérer que sa voilette dissimulait son expression.

— Vous… (Elle se retint de tousser, mais marqua une pause.) Vous avez laissé Llewellyn Gwynnfud emporter un des Grands Textes de la bibliothèque du Collegia ? le *Principia Draconis* ? (Elle se félicita de ne laisser transparaître dans sa voix qu'une légère surprise.) Quand cela, je vous prie ? Je ne vous pose la question que pour être parfaitement exacte dans mon rapport.

— Votre rapport ?

Huston avait viré cette fois à un blanc crayeux. Il n'avait pas la moindre idée de la personne à laquelle Emma allait adresser ledit rapport, mais la lâcheté rampante de l'autorité la plus mesquine le possédait jusqu'à la moelle. Le sceau produisit une sorte de grattement quand la cornaline changea de motif, le Pégase qui y était gravé cédant la place aux serpents jumeaux de l'époque de Mordred. Cette bague était décidément beaucoup trop grosse pour les doigts du proviseur, se dit la visiteuse.

— Exactement. (Elle se demanda – pour la énième fois – de quel charme il se servait sur ses cheveux. Pensées duelles qui chassèrent la colère. Un calme dangereux enveloppa la jeune femme.) Eh bien, monsieur ?

— Voyons voir… hmm… ma foi… (Il tapotait le pommeau de sa canne d'un index manucuré.) Je ne me rappelle pas au j…

— *Principia Draconis.* Autorisé à la sortie. Il y a exactement deux semaines, intervint l'employée d'une voix lointaine. Les livres de Psychométrie étaient très agités, ce jour-là. De même que ceux de la section Bestiaire. Il a fallu les calmer. Ils ne travaillent pas assez.

L'expression de Huston valait son pesant d'or, voire davantage. Emma lissa ses gants.

— Merci. Ce sera tout. Venez, Mikal.

Sans plus se soucier du vieillard, elle se dirigea vers la sortie. *Bon. Un coup d'épée dans l'eau ou presque. J'ai au moins appris une chose : vous êtes encore moins digne de confiance que je ne le croyais.*

C'est une précieuse information.

Le Bouclier la suivit en calquant son pas sur le sien. Un bruit, au-dessus d'elle – peut-être quelqu'un avait-il assisté à la conversation. Si c'était un des élèves, ils en feraient tous leurs choux gras. La méchanceté de Huston ne provoquait pas une révolte estudiantine du seul fait qu'elle conservait un caractère aléatoire. Sans oublier qu'il laissait les professeurs faire plus ou moins ce qu'ils voulaient ; or ils aimaient assez le pouvoir ainsi obtenu pour le maintenir indéfectiblement en poste à la barre du Collegia.

Du moins en était-il persuadé.

— Péripatéticienne. (Le murmure portait juste assez loin.) *Putain.*

La plus vieille des insultes adressées aux magiciennes… comme à toutes les femmes qui ne se pliaient pas aux desiderata des hommes de peu. S'imaginait-il vraiment qu'elle se sentirait blessée ?

Si tu savais, petit bureaucrate minable. D'autres mots montaient aux lèvres d'Emma, qui les considéra un à un avant de décider qu'une dame ne pouvait en prononcer aucun ; et qu'*elle* ne le pouvait donc pas.

Elle quitta la bibliothèque d'un pas vif, consciente de la proximité de Mikal dans son dos, le battement de son sang dans les oreilles. L'air extérieur purifié par magie n'en empestait pas moins la purulence londinienne, mais elle s'arrêta le temps d'inspirer à fond.

— Prima ?

La voix de son Bouclier lui promettait qu'elle serait vengée, si tel était son bon plaisir.

Elle aurait parfaitement eu le droit de provoquer Huston en duel… avec pour seuls témoins Mikal et une sorcière des livres. Ce qui ne suffirait pas.

Elle se contenterait donc de se souvenir, comme elle se souvenait de bien des choses. Les Prime vivaient vieux ; un jour, Huston trébucherait.

— Ne vous occupez pas de cela. (Elle n'avait eu aucun mal à s'exprimer d'un ton las.) Ce genre de choses n'a aucune importance. D'autant que je sais où trouver un autre exemplaire du *Principia*.

— Ah bon ? Ou cela ?

— Chez Childe. Allez chercher le phaéton.

23

Mieux vaut perdre la saucisse que la vie

La disparition de Valentinelli s'expliqua de manière extrêmement spectaculaire. Du moins Clare décida-t-il que le cadavre qui tombait du ciel était intimement lié à l'évaporation de son ange gardien, conclusion à laquelle il parvint en bondissant sur ses pieds avec une agilité dont il fut le premier surpris. Il retomba aussitôt sur Sigmund, dont le fauteuil bascula. Suivirent un grouillement de bras et de jambes, un envol de saucisse et de fromage, le choc sourd du corps qui s'écrasait sur le tapis, pendant qu'une explosion de flammes bleues secouait le foyer.

Clare se dégagea en se tortillant violemment, perdit son chapeau dans le mouvement, mais se releva sur un genou, sa poivrière rechargée à la main. Malgré le nuage de fumée qui les enveloppait, Sigmund avait repris son souffle, à en juger par le volume sonore des jurons qu'il poussait en allemand. La vue de Clare se brouilla, car ses yeux le piquaient déjà. Un terrible instant durant, le souvenir de l'irrationalité du Wark l'engloutit.

Sois LOGIQUE ! rugit son esprit alors qu'il se jetait de côté, car quelque chose passait en vol près de sa tête. *De la fumée, un cadavre qui tombe du plafond... plusieurs adversaires. Peut-être le Napolitain a-t-il été blessé, mais je n'y crois pas. La fumée est censée nous désorienter.*

On ne voulait donc pas seulement tuer… pensée qui soulevait des questions intéressantes auxquelles il n'avait, hélas, pas le temps de se consacrer, car il distinguait du mouvement dans l'épais brouillard. *Valentinelli ?... Non, trop grand. Et il se déplacerait avec davantage de précautions. Fais quelque chose, Clare !*

Sigmund jurait toujours.

— *Silence !* aboya le visiteur.

Sa main libre se referma sur une clé anglaise abandonnée près du fauteuil renversé. Il la ramassa et la lança aussitôt, car les calculs défilaient à toute allure juste sous la surface de sa conscience des choses, si vite qu'il les entrevoyait à peine. Bien visé – un cri de douleur étouffé le lui apprit. Il se jeta de côté… et retomba sur le Bavarois.

— Baissez-vous, murmura-t-il avec force. (Ses facultés sollicitées consultèrent un de ses dictionnaires internes.) *Unten bleiben !*

— *Ja, ja*, répondit tout bas Sigmund. (Ils s'éloignèrent à quatre pattes de la cheminée et de la fumée qu'elle vomissait.) *Verdammt Sie ! Meine Wurst !*

Mieux vaut perdre la saucisse que la vie, mon ami ! Clare gardait le pistolet levé avec soin.

— Ne vous relevez pas ! *Kriechen !*

— Je n'ai pas oublié mon anglais, *mein Herr* ! (Seigneur Dieu, l'Allemand semblait bel et bien vexé.) Mon atelier ! Qu'est-ce qu'ils font dans mon atelier ?

Je ne dispose que de quatre balles. Il va falloir les utiliser avec discernement.

— Vous avez des armes ?

— Je… (Sigmund disposait peut-être d'un véritable arsenal, mais son visiteur n'en fut pas informé, car un hurlement s'éleva, aussitôt suivi de tintements métalliques.) Non, *Scheisse*, pas ma *Spinne* ! Ah, les salopards !

Clare attrapa l'inventeur par sa veste pour le tirer en arrière. L'Allemand s'effondra, une deuxième ombre chinoise apparut dans la fumée âcre… et la poivrière fut animée au tout dernier moment d'un sursaut qui envoya sa balle se perdre nul ne savait où.

— *Idioti*. (Valentinelli se pencha. La chemise roussie, une éclaboussure de sang sur une de ses joues grêlées.) Rangez-moi ça et venez !

— De quoi s'agit-il ?

Clare avait bien sa petite idée, mais poser la question ne pouvait pas nuire.

— *Alterato*. (Le visage ravagé du spadassin rayonnait. Il tenait contre son avant-bras un couteau à la lame tournée vers le haut. Une tache sombre lui maculait le genou gauche, sang ou graisse – son interlocuteur n'avait aucune envie de prendre les paris.) Ils veulent capturer, pas tuer. Par ici.

Peut-être des exhibeurs. Qui aimeraient-ils capturer ? Sigmund ou moi ? Nous allons bien voir.

— Bravo. Sigmund, mon vieux… (Murmure ardent.) Sigmund !

— Ah ! Ah !

Le Bavarois reparut, se déplaçant à quatre pattes avec une agilité surprenante pour un homme de sa corpulence. Il avait retrouvé sa saucisse, dont il se fourra le reste dans la bouche avant de repartir, pour ne pas se laisser distancer par son visiteur.

La fumée qui s'éclaircissait rapidement transformait le Napolitain en fantôme. Il progressait quasi plié en deux, avec des mouvements efficaces mais saccadés. Une de ses manches de chemise battait faiblement. Un coup d'œil par-dessus son épaule, puis il disparut à nouveau, d'un pas de côté dans le brouillard. Clare toussa puis cracha, de côté, lui aussi. D'imposantes silhouettes de métal se pressaient autour de lui. Sigmund jura, une fois de plus, mais tout bas. Une sorte de grattement – il avait trouvé une arme.

Parfait.

L'oreille tendue, les yeux brûlés par la fumée âcre, Clare plaquait sa main gauche sur la terre battue jonchée de sciure, car il se donnait beaucoup de mal pour garder la poivrière prête dans la droite. Ce fut alors qu'il prit conscience de ne pas s'être ennuyé *une seule* fois depuis que Mlle Bannon s'était présentée chez lui. Merveilleux, purement et simplement merveilleux – et quel soulagement pour ses facultés sollicitées ! Quoique… il aurait peut-être préféré des événements un tantinet *moins* intéressants.

Au fait, pourquoi pensait-il à Mlle Bannon ? Parce que le pendentif en cristal glissé dans sa chemise lui glaçait curieusement la peau ? La situation était-elle assez extrême pour mériter l'attention de la magicienne ? Probablement pas. Quel dommage qu'il ait oublié de récupérer son chapeau, avant d'entreprendre la traversée à quatre pattes de l'atelier…

Un bruit d'écrasement humide, suivi d'un cri étouffé, dans les remous et les tourbillons de fumée à la puanteur obstinée. Clare fit signe à Sigmund d'obliquer vers une énorme carapace de métal qui leur offrirait une cachette un peu plus sûre. Elle était pleine de pointes et d'arêtes acérées, mais le visiteur s'y introduisit tout de même, aussitôt suivi de l'Allemand, malgré le manque de place.

— Quelle odeur, *mein Gott* ! murmura le maître des lieux.

— Sulfure et souffle d'agate, me semble-t-il, acquiesça son compagnon. (*La combustion du charbon ne dégage pas assez de chaleur pour enflammer le mélange. Comment s'y sont-ils pris ? Il va falloir que je tente quelques expériences.* Quand il leva son pistolet incrusté d'argent, une écharde de métal déchira sa veste.) Taisez-vous, maintenant.

Légers grattements étouffés. Cliquetis. Sigmund se tortilla en soufflant un juron passablement de mauvais goût. La fumée se condensait en stries au comportement bizarre, épaisses et grasses, promenant des doigts inquisiteurs sur le squelette d'un cheval mécanique cassé. Le métal vibra, frôlé par une envie de meurtre inexprimée. Une silhouette s'affirma peu à peu derrière l'écran brumeux.

Un Altéré, mais pas un exhibeur. Grand et maigre, très brun, négligé, vêtu de laine peignée grise mal ajustée, il avançait à pas prudents à travers les tentacules vaporeux, avec des mouvements à la fois saccadés et coulés. Son Altération avait beau être invisible, une bosse déformait sa chemise de toile grossière. Clare sentit sa gorge se nouer. Les membres, d'accord, mais le torse ? C'était cher, dangereux et tout simplement *obscène*, ni plus ni moins.

Heureusement, Sigmund s'était figé, immobilisé par la surprise ou une colère teutonne – impossible de rien affirmer. Clare leva son pistolet d'un geste lent, comme en rêve. Une boule malvenue lui bloquait la gorge, car il avait du mal à repousser la peur persistante, obsédante de l'animal traqué. La bouche sèche, il percevait chaque pulsation de son pouls, qui lui emplissait pourtant les oreilles d'un rugissement ininterrompu, d'une violence alarmante.

L'Altéré se raidit, la tête rejetée en arrière. Le visage de Valentinelli apparut au-dessus de son épaule tandis que ses genoux fléchissaient lentement. Le Napolitain l'attrapa par ses cheveux sombres pour lui tirer davantage encore la tête en arrière. Un mouvement brusque, rapide ; une gorge tranchée. Le sang s'épanouit, la fumée battit en retraite. Le spadassin souffla un mot d'amour pendant que sa victime s'effondrait.

Il fit tournoyer son poignard puis se pencha pour l'essuyer sur la chemise du mort. Clare baissa son arme, scintillement argenté. Le grondement du ressac résonnait dans son crâne.

Pourquoi cela me dérange-t-il autant ?

Le regard inexpressif de l'Italien lui donnait l'air d'un homme en train d'accomplir une tâche vaguement désagréable, mais pas très difficile.

— *Bastarde,* dit-il tout bas. Je ne vais pas gaspiller ma salive à le maudire. Ça veut mettre Ludo sur la paille, hein ? Raté pour aujourd'hui. (Il ne se donna pas la peine de regarder les deux génies, blottis tels des enfants dans leur cachette, mais ajouta à leur adresse :) Tout va bien, maintenant. Vous pouvez sortir, petits *polli.* Ludo a arrangé les choses.

L'âcre fumée se raréfiait. Une quinte de toux secoua Clare, les yeux pleins de larmes brûlantes et la gorge en feu.

— Sigmund ? croassa-t-il. Je suis sincèrement désolé pour votre atelier.

— *Schweine.* (Le gros homme bouscula son compagnon pour s'extirper de son recoin, s'épousseta puis considéra le cadavre d'un œil noir pendant que la fumée s'éclaircissait encore. A priori, d'autres corps gisaient çà et là.) Ma bonne saucisse. Et ma *Spinne*. J'espère qu'ils ont pas abîmée. (Il fixa le mentah d'un œil perçant.) Voilà donc le genre d'ennuis que vous amenez à papa Baerbarth, mon ami ? Je vous trouve vos condensateurs prussiens. Je vous aide. Ils paient ça, ces *Schweinhunde*.

— Bravo. Oui oui, bravo, Valentinelli. (Clare émergea de la carapace en clignant des yeux.) Euh… après qui en avaient-ils, à votre avis ?

Les malfrats visaient peut-être Sigmund, mais c'était si improbable qu'on en frôlait l'impossibilité pure et simple. Toutefois, il ne fallait rien laisser au hasard. D'ailleurs, vu l'état de ses nerfs, le visiteur avait besoin d'obtenir réponse à une question, quelle qu'elle soit.

— C'est pas compliqué. (Le Napolitain rengaina son poignard.) Si c'est ce gros-là qu'ils veulent, je le leur laisse.

Clare déglutit. Son pendentif en cristal s'était réchauffé : ce n'était plus un éclat de glace qu'il avait sous la chemise, à même la peau. Sa gorge restait cependant étonnamment sèche, au point qu'il aurait volontiers bu jusqu'au thé atroce de son hôte.

— Je vois. C'était bien ce qu'il me semblait. Sigmund, prenez votre sac. Nous partons à la chasse aux condensateurs. Par où faut-il commencer ?

Le Bavarois retira le bonnet qui coiffait sa tête ronde, l'épousseta avec un soin maniaque puis le remit en place.

— Les quais, déclara-t-il en se dirigeant vers la cheminée, qui persistait à cracher un flot de fumée. Il faut toujours commencer par les quais. Racontez-moi *tout*.

Un dôme de brouillard d'un jaune soufré recouvrait les quais animés de Londinium. Les terminaisons nerveuses de l'Empire aboutissaient immanquablement à ce trop-plein de marchandises rassemblées dans des caisses et des ballots divers et variés, au milieu du grouillement des leveurs de poids occupés à les charger, les décharger ou les charmer pour qu'elles tiennent en équilibre. La magie crachotait et crépitait autour des montagnes de biens et de denrées, entre lesquelles circulaient les sorciers des bateaux chargés d'y apposer leurs charmes de charte. Tabac, indigo, farine, vin, tapis, coffres, thés, café, tissus aux couleurs et aux motifs multiples s'étalaient et s'empilaient sur des kilomètres de quais. Les leveurs de poids vidaient les cales des navires, pendant que les sorciers installés dans leurs gréements fredonnaient pour calmer les vents rétifs. Les simples débardeurs privés de magie, les costauds, les gros bras, les vantards et les loqueteux avides de gagner quelques sous en portant, tirant, poussant de lourds fardeaux encombraient les rues, entre les grands entrepôts hautains dont les gardes Altérés – exhibeurs ou Londiniens plus sérieux, aux modifications plus sobres – tenaient la foule à l'œil. La plupart dirigeaient sans doute un commerce florissant de marchandises détournées pour payer leurs Altérations et leur soumission au métal.

Les arrivants laissèrent le coupé dans une écurie de chevaux de louage, à proximité ; le cocher nageait en pleine extase, enchanté d'une journée de travail aussi facile. Lorsque Clare et Sigmund repartirent à pied, la foule ne tarda pas à les engloutir, tandis que Valentinelli restait à la traîne. Dans le tumulte brouillon de Threadtwist Dockside, nul ne s'aperçut que ses vêtements étaient pleins de sang. D'ailleurs, l'éclat jaune du brouillard en faisait de simples taches sombres indéterminées. Il n'empêchait que Clare avait toujours du mal à poser les yeux sur lui.

Quant à Sigmund, qui pleurait encore la perte de son petit déjeuner, il avait passé tout le trajet à vitupérer, pendant que son compagnon, plongé dans une profonde contemplation, se cantonnait à des réponses évasives. Ils partaient remonter la piste d'une cargaison de condensateurs prussiens, certes, mais Clare n'avait raconté au Bavarois que le strict minimum. Les papiers de Mlle Bannon comportaient, entre autres, la facture d'une certaine Lindorm Import Co., Threadtwist Dock, Londinium – facture qui, à l'examen, après le départ de la magicienne, avait porté des fruits étonnants. Clare y avait en effet reconnu un gribouillis familier, sous la mention « Reçu de ».

Après tout, il l'avait vu plus d'une fois à Yton, sur les papiers de Cedric Grayson. Le Chancelier de l'Échiquier était bel et bien impliqué dans la conspiration, nouvelle que Clare brûlait de partager avec Mlle Bannon. La parole d'un dragon – il frissonna en pensant à la bête et pressa le pas – ne constituait peut-être pas une preuve suffisante pour qu'ils soupçonnent Cedric, mais il en allait différemment de *ça*. Dire que la jeune femme avait le document en sa possession depuis x temps sans en connaître l'importance…

La découverte était fort satisfaisante, en elle-même et par ses implications.

24

L'écueil du mauvais goût

Childe habitait Tithe Street, alors que son épouse vivait à Dublin avec leur fils et ne s'en plaignait pas. Sans doute avait-elle cru un jour apprivoiser son mari, mais les Prime n'étaient pas si faciles à dompter, surtout ceux de la trempe de Dorian. Il n'empêchait qu'elle était à présent femme de magicien et à l'abri du besoin. Au moins, Childe prenait soin de sa famille, même s'il déversait aussi son argent à flots sur les jeunes fauves de Topley. Nul ne savait s'il entretenait largement Mme Childe parce qu'elle lui avait donné un héritier doué pour la magie, parce qu'il l'avait autrefois aimée ou parce que la société le voulait ainsi. Emma inclinait à privilégier la première hypothèse, l'opinion publique la deuxième et les plus naïfs des naïfs la troisième. Un petit contingent de snobs estimait quant à lui que Childe envoyait de l'argent à Dublin afin d'écarter son épouse de ses plaisirs, car il poursuivait de ses assiduités tout ce qui bougeait. Quoi qu'il en soit, elle s'occupait de leur fils dans une réclusion splendide.

La demeure de Tithe Street était réellement magnifique. Il s'agissait sans conteste d'une des plus belles maisons mitoyennes du célèbre Naish, ses quatre étages dominant avec grâce la vaste avenue. Un mur de pierre bas incurvé défendait ses jardins écumeux qui, de l'avis général, avaient peu de rivaux à Londinium. Le phaéton s'immobilisa devant le portail, tandis que les défenses invisibles entraient en résonance – chaque nœud et torsion portant le nom de Childe aux sens surnaturels d'Emma, murmure de coquillage suscité par la turbulence qu'imprimait un Prime à l'étoffe du réel.

Le maître des lieux était chez lui. Les défenses s'écartèrent, grand rideau quasi scintillant, outrageusement théâtral, comme tout ce qu'il faisait. Guidés par Mikal, les chevaux mécaniques s'engagèrent dans l'allée au petit trot.

Emma avait les joues humides. C'était très bien d'atterrir au Collegia, mais il fallait ensuite en repartir. Elle cligna des paupières à plusieurs reprises, libérant d'autres larmes. Cette saleté de soleil conspirait avec le monde entier pour l'irriter.

Il lui arrivait de regretter l'immense aversion à la lumière du jour indissociable de sa Discipline. Des regrets aussi brefs que superficiels, car ils représentaient un danger qu'elle n'avait aucune envie d'affronter. *Un Prime ne devrait jamais s'interroger sur sa Discipline,* disait la sagesse populaire. N'empêche qu'elle aurait adoré produire ses Œuvres Majeures sans se retrouver ensuite à moitié aveugle.

Le perron, volée de marches au marbre luisant veiné d'or, menait à une énorme porte cramoisie. Il fallait être Childe pour aimer quelque chose d'aussi *vulgaire*. Les urnes encombrantes disposées de part et d'autre regorgeaient de pavots écarlates, qui hochaient à l'unisson leurs têtes voyantes, étrangement délavées par le filtre du brouillard jaunâtre. L'air était figé comme la mort, malgré quelques tiraillements de pluie prometteurs. Peut-être le retournement de marée apporterait-il une averse qui, avec un peu de chance, les débarrasserait de la puanteur de la ville – mais Emma en doutait.

Une pénombre bienvenue régnait dans la demeure. Seuls quelques rayons de soleil égarés s'infiltraient jusqu'au grand vestibule au plafond voûté, où brillaient aussi des boules de magie sifflantes, enfermées dans des cages en forme d'amaryllis à peine écloses. Le maître d'hôtel, un vétéran depuis longtemps résigné, s'inclina avec la plus grande correction en prenant la carte que lui tendait Mikal. Son collier semblait bien terne, mais ses joues et son nez enluminés compensaient largement.

— Dans le salon de façade, madame. Il a eu une nuit fatigante.

C'est donc un miracle qu'il reçoive. Mais, à vrai dire, Childe refusait très rarement sa porte à Emma.

— Merci, Herndrop. Où en est votre arthrite ?

La poitrine du domestique se gonfla un peu. Ce qui n'était pas nécessaire, car il possédait sous son habit noir une cage thoracique digne d'une futaille.

— Supportable, madame, je vous remercie.

Elle hocha la tête. Herndrop ne prit pas la peine d'ouvrir la marche jusqu'au salon, ce qui pouvait trahir l'estime de Childe pour sa visiteuse, sa mauvaise humeur exceptionnelle ou les deux. De toute manière, un Bouclier d'une taille et d'une maigreur extrêmes se tenait à la porte du salon en question. Ses boucles noisette coupées très court ne l'empêchaient pas d'arborer une moustache particulièrement esthétique.

— Bonjour, Lewis, lança Mikal avec une calme politesse.

Un simple signe de tête lui répondit. Le sang montait au visage de Lewis.

La plupart de ses confrères n'adressaient plus la parole à Mikal, à moins qu'Emma ne les y oblige. Mais, ce jour-là, elle n'en éprouvait pas le besoin.

Elle rassembla ses jupes puis s'approcha d'un pas décidé de la porte – peinture blanche ornée de rectangles dorés à la feuille, bouton de cristal en forme de crâne. Une nouveauté, puisque l'emplacement avait auparavant été occupé par des rideaux rouges ouvrant sur un caprice de pacha.

— Seigneur. Je frémis presque à la pensée de ce que je vais découvrir cette fois-ci, observa Emma.

— Madame.

Lewis était manifestement prêt à s'étouffer, mais n'en tendit pas moins la main vers le crâne. Quant à Mikal, il conserva un silence absolu, malgré le rire étranglé qui menaçait visiblement de s'emparer de lui.

La porte s'ouvrit sur une lumière éclatante, mais la visiteuse releva sa voilette en dépit de ses yeux sensibles. Le salon avait été redécoré dans les tons bleu bordel, avec un petit côté français, Louis XIV *L'État, c'est moi* – volutes, tables aux pieds graciles, or moulu, rembourrage exagéré. Un simple coup d'œil au jeune homme appuyé au manteau de la cheminée, et Emma poussa en son for intérieur un énorme soupir. La redingote voyante, les douces mains blanches et la chevelure parfumée trahissaient aussitôt un des « rebelles » du St. George, ramené chez lui par un Childe toujours aussi dépourvu du sens des convenances, voire du simple bon sens. Malgré la jeunesse qui s'attardait sur le visage du gigolo, son air maussade – sans doute charmant durant son adolescence – gâchait ce qui lui restait de séduction. Il jeta sur l'arrivante un coup d'œil négligent, la lèvre et le petit doigt relevés. Elle réprima une pointe d'agacement.

— *Voyez-vous ça !* s'exclama Dorian Childe qui, avec ses cheveux raides et sa bouche épaisse, était l'un des plus puissants Prime de l'Empire. (Il arborait ce jour-là un kimono au motif vert et noir dépourvu de subtilité, mais n'en restait pas moins tiré à quatre épingles.) L'adorable Emma ! Vous venez prendre le thé, ou c'est encore une de vos visites éclairs ?

Elle lui tendit les mains, un sourire inhabituel aux lèvres. Une larme coula de son œil droit.

— Tss, tss ! je suis un impardonnable imbécile ! s'exclama son hôte. Attendez… (Il laissa échapper un Mot Mineur, dont sa bouche forma les sifflantes avec sensualité. Les rideaux indigo se dégagèrent des cordes qui les retenaient pour retomber gracieusement devant les fenêtres. Les boules de magie s'assombrirent. Le jeune homme posté devant la cheminée frissonna.) Vous vous sentez mieux ? Vous avez dû passer une matinée épouvantable, avec ce soleil. Mais asseyez-vous donc.

— Je suis venue piller votre bibliothèque, Dorian. Je vois que vous avez redécoré.

— Et vous détestez, je m'en rends parfaitement compte. Nous n'avons pas tous votre retenue, très chère. Je constate que vous persistez à emporter votre bagage où que vous alliez.

Malgré son ironie, le regard vif qu'il jetait à Mikal ne trahissait pas la moindre méchanceté. Juste un intérêt de prédateur. Emma eut aussitôt conscience du dégoût maîtrisé de son Bouclier.

— Ne commencez pas, s'il vous plaît, demanda-t-elle en se détendant, à peine. (Childe était peut-être un monstre, mais sa loyauté ne faisait aucun doute. C'était une sorte de griffon humain, si l'on pouvait dire.) J'ai vu Huston, ce matin. Vous savez quel charme il emploie sur ses cheveux ?

— Non, mais je ne doute pas que ce soit une horreur. Allons, venez vous asseoir. La bibliothèque attendra bien le temps que vous preniez un petit rafraîchissement. Paul, soyez gentil, allez chercher du thé. La cuisinière sait ce que nous aimons.

— Ch'uis pas la bonne, cracha le rebelle – ce qui ne l'empêcha pas de se redresser de toute sa taille et de se diriger vers le couloir d'une démarche traînante.

— Délicieux, non ? souffla Childe avec une discrétion théâtrale. Et tellement accommodant. Pour l'instant.

— Un de ces jours, vous allez vous retrouver avec un poignard dans le cœur, murmura Emma pendant que Paul l'accommodant claquait la porte du salon. Où sont vos Boucliers ?

Childe, magnanime, se garda de signaler à la visiteuse qu'il faudrait profiter de son inconscience pour lui planter ledit poignard, faute de quoi son agresseur mourrait d'une horrible mort magique, mais l'arc dessiné par ses sourcils et la palpitation de ses narines étaient assez significatifs.

— Oh, ils traînent aux alentours. Vous êtes plutôt mal placée pour me faire la leçon, me semble-t-il. Je pourrais vous donner Lewis, qui se montre tellement désapprobateur. Ou même Éli. Une charmante jeunesse comme vous ne devrait pas se promener en solitaire.

— Je ne suis pas sûre de vouloir endosser la responsabilité d'un autre Bouclier. Il faut les nourrir et s'en occuper, vous savez. (*Éli. Je me souviens de lui. Très brun, très discret. Alice Brightly l'avait embauché, mais elle l'a renvoyé au Collegia. Si jamais il y retourne encore une fois, ce ne sera peut-être pas très agréable pour lui.*) Dois-je comprendre que vous en avez assez d'Éli ?

— Non, c'est juste sa *sérénité* qui interfère avec mes distractions. Ma bibliothèque, disiez-vous. Que cherchez-vous donc, très chère ? Quelque chose de palpitant ? Un livre que ne lirait jamais une dame respectable ? Un roman ou deux ?

Elle se retint de répondre qu'elle aurait aimé avoir le temps de lire les romans qui prenaient la poussière sur sa table de nuit.

— À vrai dire, je suis en quête d'un Grand Texte. Le *Principia Draconis*. Il me semble me rappeler que vous en possédez une bien belle édition.

— Et vous êtes passée au Collegia tout à l'heure. J'en déduis que leur exemplaire n'y était pas. C'est extrêmement intéressant. (Les yeux de Childe pétillaient.) Dites-moi, très chère, si jamais je vous apprenais qu'il y a une quinzaine à peine, un affreux petit Maître Magus m'a apporté une lettre d'une personne très haut placée me demandant avec beaucoup de gentillesse de lui prêter mon *Principia*, qu'en penseriez-vous ?

Emma battit des paupières. *Excellente question.*

— Ah. Il ne s'agirait pas par hasard d'un mage plutôt débraillé, du nom de Devon ?

— Vous êtes une véritable devineresse, belle dame. (L'intérêt de Childe s'aviva.) Et avez-vous une idée de l'identité de son commanditaire ?

Llewellyn ? Elle fit mine de réfléchir en se tapotant les lèvres d'un doigt ganté.

— Hmm… Ne serait-ce pas Gwynnfud ? Lord Sellwyth en personne ?

— Non, non, pas du tout. (Childe était manifestement enchanté de l'avoir si bien égarée. Il en claqua de ses mains manucurées puis se laissa tomber dans un fauteuil – dès qu'elle eut pris place sur un canapé recouvert de soie bleue brodée d'or.) Le message était une merveille de calligraphie de la main d'un certain Conroy.

Conroy ? L'exécutant de la duchesse… la mère de la reine. Mon Dieu. Emma ne vacilla pas, mais le monde tangua légèrement autour d'elle.

— L'administrateur ? Que pourrait-il bien faire d'un livre pareil ?

— La royale matrone en personne, la duchesse de Kent, désirait le consulter. (Le Prime se tortillait littéralement de plaisir.) Ah, je vous ai surprise. Quel *délice* ! Dites-moi, très chère, s'agit-il d'une intrigue tissée dans les cercles les plus élevés ? Ai-je bien fait de refuser avec grâce ? J'ai répondu à ce Devon qu'il m'était *impossible* de prêter le volume, puisqu'il s'agissait d'un Grand Texte, mais que si la duchesse daignait me rendre visite, quand il lui plairait, bien sûr, je serais absolument *enchanté* de la laisser le consulter. À loisir, cela va sans dire.

Emma se sentait glacée. S'il fallait douter de la loyauté de Childe, la situation serait bel et bien extrême, elle ne pouvait le nier.

— A-t-elle accepté l'invitation ?

— Non. Devon avait l'air d'un homme qui vient d'avaler une couleuvre de belle taille… alors qu'elle avait nidifié dans ses cheveux. Vous savez, très chère, il serait charmant s'il voulait bien faire un tout petit peu attention à son allure.

— Surprenant.

Childe restait donc au-dessus de tout soupçon. Le soulagement qu'elle en éprouvait n'avait d'égal que l'intensité de son inquiétude renouvelée. *À quel point la duchesse est-elle impliquée ? Mais peut-être Conroy est-il seul de la partie… Toutefois, où il va, elle ne tarde guère à le suivre... et elle serait ravie de contraindre la reine à l'obéissance, une fois de plus.*

— Oh, non, je le trouve assez ennuyeux, malgré ses capacités décoratives, ironisa Childe.

— Il n'est pas à mon goût. Que vous a-t-il dit *exactement*, lorsque vous avez refusé le prêt de votre *Principia* à la mère chérie de Sa Majesté ?

Une touche de sarcasme… qui plairait à son hôte, Emma le savait.

Qui lui plut, en effet. Le visage du Prime s'illumina sous l'effet d'une *Schadenfreude* naissante.

— Il y a bel et bien de l'intrigue là-dessous ! Vous, au moins, vous n'êtes jamais ennuyeuse, très chère. Ce chenapan m'a laissé entendre que la duchesse trouverait mon refus des plus contrariants ; à quoi j'ai répondu que je m'en souciais comme d'un pet dans un ouragan… Choquant, je vous l'accorde, mais il m'agaçait. Voulez-vous bien cesser de rire !… J'ai même ajouté qu'elle pouvait donner aux toilettes une aria tout entière, pour ce que je m'en souciais. Et là, ce petit pouce-vert a eu l'effronterie de demander à *voir* le livre ! Je lui ai appris que je n'étais pas libraire et que la bibliothèque du Collegia était ouverte aux Maîtres Magi autant qu'aux Prime, quoique, bien sûr, à des heures différentes. (Une fois de plus, Childe se tortillait de plaisir à la pensée de l'insulte implicite adressée à Devon.) Ai-je bien fait, très chère ?

— Oh, certainement. (Elle se cala dans le canapé.) Mais si moi, je vous le demande très gentiment, me laisserez-vous consulter votre *Principia*, mon cher Dorian ?

— Ma délicieuse amie, vous pourriez même mettre le feu à chaque page de cette saleté dans ma chambre, en me regardant folâtrer avec un des jeunes gens de ma connaissance qui vous inspirent une telle réprobation.

Vous, au moins, vous évitez l'écueil de l'impolitesse et du mauvais goût. (Il mima un bâillement.) Mais d'abord commençons par prendre une bonne tasse de thé. Et, en attendant, je vais vous le dire franchement : je me préparais à rendre Éli au Collegia pour le remplacer par un Bouclier plus *actif*. Vous le voulez ?

Le cœur d'Emma lui battait aux oreilles. Compte tenu de ce qu'elle venait d'apprendre, un second Bouclier ne serait sans doute pas de trop. Or si elle retournait en chercher un au Collegia, la nouvelle se répandrait comme une traînée de magie. Alors qu'Éli serait sans doute ravi de ne pas regagner les dortoirs frappé d'une quasi-disgrâce.

— Oui. (Elle croisa les mains dans son giron.) Oui, je crois.

Il valait mieux qu'elle ne voie pas quelle tête faisait Mikal.

Après une tasse de thé des plus satisfaisantes, Dorian entraîna la jeune femme jusqu'à sa bibliothèque, une des rares pièces de la demeure à ne pas avoir été totalement réaménagée depuis que M. Childe père avait légué en tout et pour tout à son rejeton une bonne adresse et des capacités magiques. Quant à savoir s'il n'y avait pas touché parce qu'il n'en voyait pas l'intérêt ou parce qu'il passait très peu de temps parmi les textes rares qu'il collectionnait avec assiduité, c'était un mystère qu'Emma n'éprouvait pas le besoin de résoudre.

La salle de cinq mètres de haut, au plafond orné de fresques où des dieux grecs folâtraient parmi des nymphes au teint de lait, aux boiseries sombres et aux confortables sièges de cuir – héritage de M. Childe père, donc –, était chauffée par un bon feu et protégée de la lumière du jour par des rideaux marron. La visiteuse en inspira longuement l'odeur de papier, de poussière, de vieux cuir, de magie à l'arôme de fumée, un parfum qui l'aida à se détendre un peu plus. La curiosité dont brûlait littéralement son confrère l'avait persuadée de lui en dire autant qu'elle l'osait. Les bruits qu'il n'allait pas manquer de répandre allaient semer dans les rangs ennemis une perplexité précieuse.

Mikal attendit qu'ils se retrouvent seuls pour s'exprimer :

— Un autre Bouclier, ma Prima ?

Elle se détourna des étagères, le *Principia Draconis* dans les bras. Une monstruosité reliée cuir qui n'avait pas l'éclat de l'édition suivante, mais peu importait, puisque Wilson s'était contenté de dépoussiérer quelques archaïsmes.

— C'est plus prudent, si la duchesse de Kent et son exécutant sont impliqués. Moi qui me demandais où nos conspirateurs trouvaient leur argent…

— Vous feriez confiance à un de ses Boucliers à lui ?

— Childe est loyal à Britannia. (*Il aurait beaucoup à perdre en cas de trahison, vu les lois sur la sodomie.*) Et, autant qu'il m'en souvienne, Éli est compétent. Premier de sa promotion au Collegia, comme vous. Ne cherchiez-vous pas tout récemment à me persuader de prendre la responsabilité d'autres Boucliers ?

Mikal resta muet, mais ses dents serrées trahissaient une méfiance maussade. Emma soupira en se dirigeant vers la table à laquelle elle aimait s'installer. Le volume qu'elle portait, aussi haut que son torse, pesait un poids infernal. À peine avait-elle fait deux pas que son compagnon la soulagea de son fardeau… et expira brusquement, surpris de le découvrir aussi lourd. Il recula, pivota, tandis qu'elle suivait le mouvement dans un froufroutement de jupes.

Je suis une Prima, se rappela-t-elle. *Il ne fait que son devoir. Pas question de commettre l'erreur de me conduire comme une jeune idiote.* Pourtant…

— Mikal…

— Bien. Du moment qu'il est *compétent*.

Le *Principia* atterrit avec un choc sourd sur la petite table en bois de rose. Emma tressaillit.

— C'est un Grand Texte. Prenez-en soin, s'il vous plaît.

— D'accord. À condition que vous preniez soin de vous-même.

— J'embauche un Bouclier supplémentaire, Mikal. Un homme qui sera peut-être ravi d'être à mon service plutôt qu'à celui de Childe et qui a peut-être appris la retenue et l'obéissance. (Elle tira sa voilette vers le haut, inutilement, car la gaze ne faisait pas mine de retomber.) Si seulement il pouvait vous en enseigner la valeur…

— Nous verrons. (Il se détourna.) Partagera-t-il votre lit, lui aussi ?

C'est donc ça ? Le silence s'emplit un instant de non-bruit résonant, comme si les livres, témoins d'un soufflet, avaient eu une sorte de petit hoquet collectif. Le sang monta au cou d'Emma puis à ses joues. Mikal ne venait-il pas de la traiter de putain, lui aussi ? Au moins, de la part de Huston, elle s'y attendait.

Je suis une Prima. Vos règles mesquines ne s'appliquent pas à moi.

La gifle n'en était pas moins cinglante. Mais pourquoi se soucier de ce que pensait un Bouclier ?

Parce que ce n'est pas un simple Bouclier. C'est Mikal. Et peut-être lui es-tu plus reconnaissante que tu ne le devrais de t'avoir sauvé la vie et d'avoir tué Crawford.

Elle se maîtrisa en inspirant à fond puis prit place dans son fauteuil. Sa main gantée caressa la couverture du

Principia, dont les deux serrures cliquetèrent. Les pièces de métal verdies par l'âge se séparèrent brusquement, à croire qu'elles n'avaient jamais eu l'intention de rester unies. Lorsqu'un flot de force magique monta du gros tome, la main gauche d'Emma se leva vivement. Elle se referma autour d'une anguille glissante, cuirassée, quoique pas réellement tangible : le volume testait la volonté de sa lectrice potentielle… mais il céda très vite ; après tout, les Grands Textes avaient *envie* d'être lus, comme tous les livres.

Une fois assurée que le *Principia* savait qui était le maître – enfin, la maîtresse –, elle en souleva délicatement la lourde couverture. Quelques pages épaisses se tournèrent.

— Prima. (Mikal semblait curieusement haletant.) Je…

Des excuses ? Autant dire que je me sentirais insultée. Et par un Bouclier, rien de moins.

— Je ne veux pas vous entendre.

Les yeux humides d'Emma se posèrent sur le texte, contorsions d'encre qui gagnèrent rapidement en netteté. Les illustrations serpentines coulaient en bordure de pages comme de l'eau. Elle se pencha pour souffler sa question sur le livre.

— *Vortisss...*

Le nom s'acheva dans un long sifflement. Les pages du *Principia* se tournèrent plus vite tandis qu'une brise brûlante s'en élevait, effleurait les cheveux de la jeune femme puis partait fureter à travers la bibliothèque. Les rideaux ondulèrent, les papiers posés sur le bureau gigantesque, près du feu, s'agitèrent, les boules de magie grésillèrent dans leurs cages de bronze et virèrent au rouge sang. Le portrait de M. Childe père, accroché au-dessus de la cheminée dans un cadre massif, se fit menaçant, le pardessus foncé du sujet brusquement animé de signes magiques dorés.

Les pages ralentirent. Le *Principia* fredonnait, parfaitement réveillé, à présent, concentré sur son propre contenu. Enfin, il se figea. Emma se redressa légèrement en clignant des yeux pour refouler ses larmes, la gorge serrée.

La chaleur qui l'avait envahie, douleur et colère mêlées, se transforma en glace. Un doigt de métal froid lui parcourut l'épine dorsale. Elle dut déglutir à deux reprises pour s'éclaircir la gorge, non qu'elle ait mal, mais parce qu'une tout autre émotion l'étranglait.

Deux pages. Celle de gauche occupée par la reproduction d'une gravure sur bois : un grand dragon noir avec des ailes triples et des cornes démesurées, enroulé autour d'une colline dominée par une tour blanche. Celle de droite couverte d'une calligraphie dense, dont l'encre n'avait pas oublié la plume qui l'avait confiée au papier. Les lettres coulaient, se mélangeaient, jusqu'à l'instant où la volonté d'Emma s'affirma. Alors elles se dessinèrent nettement. La feuille d'or apposée au sommet de la page se mit à trembler en formant un unique mot.

Vortis n'était qu'un simple nom d'usage. La jeune femme frissonna de tout son être ; ses boucles d'oreilles se balancèrent au point de lui tapoter désagréablement les joues ; le camée piqué sur sa gorge se réchauffa. Elle entendit vaguement la porte s'ouvrir et Mikal dire quelque chose. Sa mémoire bien entraînée se dilata car le livre s'adressait à elle dans un antique langage, ses lèvres remuèrent tandis que le monde alentour faisait silence, grains de poussière dorés immobilisés en l'air, boules de magie aux sifflements et aux crachotements interrompus.

Elle n'était pas du genre à en appeler à Dieu, sinon

comme il était d'usage, de la manière et aux moments les plus conventionnels. D'ailleurs, toutes les Églises – romaine, anglicane et autres – affirmaient avec ensemble les magiciennes doublement damnées. Si elle avait été pieuse, pourtant, peut-être aurait-elle prié, ce fut du moins ce qu'elle pensa vaguement.

Vortis cruca esss, avait sifflé Mehitabel.

Le *Principia* se referma – à double tour – en claquant. Emma battit des paupières. Les joues encroûtées de sel, l'estomac gargouillant. Combien de temps avait-elle perdu à fixer les deux pages, pendant que son intellect et son intuition communiaient avec le texte ?

La main de Mikal se posa sur son épaule.

— Vous êtes chez Childe, à Tithe Street. La marée ne va pas tarder à tourner.

Avait-il l'air embarrassé ?

S'en souciait-elle ?

Un autre Bouclier se tenait à la porte. Brun, un peu plus petit que lui, mais à peine plus large d'épaules, un grand couteau porté en évidence sur la hanche, les yeux clos. Les traits au repos, réguliers. Lorsqu'elle frissonna en reprenant pleinement conscience, ses yeux à lui s'ouvrirent. Il modifia imperceptiblement la répartition de son poids ; sa bouche se raffermit. On aurait juré un voyou de Liverpool aux doigts agiles, même si Childe, avec l'attention agaçante qu'il portait toujours aux détails, l'avait habillé d'un gilet voyant sur une belle chemise blanche à haut col. Du moins ses vêtements étaient-ils de bonne qualité, malgré ses bottes horriblement peu pratiques, s'il fallait en croire les apparences.

Emma mit un moment à se rappeler qui et ce qu'il était. Quand la mémoire lui revint, elle frissonna derechef. Les doigts de Mikal se crispèrent sur son épaule. Elle n'avait pas besoin de la douleur pour se maîtriser, même si la duchesse de Kent était soudain passée à l'état de problème négligeable.

Vortis cruca esss.

Ou, si on ne parlait pas le lent sifflement sonore des drakes…

Vortigern se lèvera.

25

Monsieur Throckmorton, je présume ?

Par chance, la connaissance de Sigmund, un certain Becker, vivait près de Thrushneedle Dock dans un trou à rats empestant le chou et le gin, mais plus propre qu'on ne l'aurait cru. Un chapelet de jurons fort gais, proférés en allemand et accompagnés de grandes claques dans le dos, précéda l'apparition des chopes de bière.

Le leveur de poids, plutôt frêle, arborait les bretelles rouges caractéristiques de sa profession, de lourdes bottes et un grand sourire auquel manquait la canine gauche. Peut-être détestait-il les charmeurs de dents, lui aussi, à moins qu'il ne manque de moyens pour s'offrir leurs services. Clare avait déduit des informations rassemblées à son sujet que le jeune homme consacrait l'essentiel de son argent à sa mère malade. Laquelle, recroquevillée sous son châle, circulait à petits pas traînants entre la seule paillasse du minuscule logis et le vieux poêle, sur lequel chauffait une marmite au mystérieux contenu bouillonnant. Elle le remuait régulièrement, sans cesser de couver son unique enfant survivant d'un regard las et brumeux. Par chance toujours, il était né à Londinium, alors qu'elle ne parlait pas un mot de briton. S'il avait vu le jour en Allemagne, ses facultés n'auraient pas été fiables sur l'île ; sa mère et lui seraient peut-être morts de faim.

— Lindorm, finit-il par dire, debout, car il avait insisté pour que Clare prenne place sur la seule chaise disponible.

Valentinelli, posté près de la porte, examinait ses ongles. La pièce était nettement trop petite pour les quatre hommes et les jupes de la vieille femme.

— *Ja.* Ils ont ouvert qu'une quinzaine, un peu plus. Ils ach'taient tout c'qui arrivait. (La langue maternelle du leveur de poids se mêlait à l'accent nasal des quais pour composer le chant des immigrés.) On s'demandait. Mais ils payaient bien les prussiens, alors ils en ont eu tant et plus. On rest' pas à traîner quand on peut gagner du bon argent.

— Combien payaient-ils ?

Clare s'adossa avec précaution. La chaise était dangereusement fragile, sans parler de sa décrépitude, et le plancher incliné.

— Deux shillings pièce, plus quand on les apportait par paquets. Heps, le type de Mockgale, il leur a vendu des caisses entières, ils lui en ont donné une livre pièce. Ça a suffi. Tous les l'veurs et les débardeurs ont essayé d'vendre le moindre p'tit bout d'ferraille comme un prussien. (Les traits de Becker se tordirent. Il ôta son bonnet pour se gratter le crâne.) Moi aussi, j'y suis allé. En toute légalité, hein.

Mais certainement. Et moi, je suis un petit singe.

— Je ne doute pas que vos transactions aient été parfaitement légales. Vous disiez donc que Lindorm avait fermé au bout d'une quinzaine ?

— Ouais. Ils étaient là à un retournement de marée, et le suivant, hop ! disparus, comme l'amabilité d'un capitaine. C'était bizarre, de toute manière. On l'sentait, croyez-moi, y avait d'la magie là-d'sous. D'la vraie, hein, rien à voir avec la mienne ou celle d'un sorcier d'bateau. De la magie d'seigneur. Drôl'ment puissante.

— Curieux. Et qui achète les condensateurs prussiens, maintenant ?

— Personne. Y a des richards qui s'arrachent les ch'veux en attendant, y en a qui disent qu'y sont coincés què'que part en France, ou alors aux Pays-Bas, y en a même un ou deux qui racontent que les Prussiens les gardent dans leurs usines. Les français en verre et les hopkins se vendent tant et plus, maint'nant qu'on trouve plus d'prussiens.

Les paupières de Clare s'abaissèrent à demi ; ses doigts fins dessinèrent un accent circonflexe sous son long nez orgueilleux. Sigmund jeta un coup d'œil ardent au chaudron posé sur le fourneau. *Frau* Becker s'en rapprocha en marmonnant quelque chose d'indistinct et en agitant une cuiller en bois menaçante.

Le Bavarois poussa un profond soupir.

Clare restait absorbé par les implications de ce qu'il venait d'apprendre.

— Sauriez-vous par hasard où Lindorm a expédié tous les condensateurs achetés par ses soins ? s'enquit-il enfin.

— Oh, y a pas d'mystère, m'sieur. (La poitrine du jeune homme se gonfla. Il passa les pouces sous ses bretelles.) Y zont embauché toute une équipe de l'veurs de poids pour charger un tas d'chariots, de haquets et tout c'qui s'ensuit, quat' jours de salaire pour deux jours de boulot à emm'ner ça à Sainte Cat', chez l'Ombre. Un grand entrepôt aussi noir que l'péché.

— Vous avez profité de cet argent facile ?

— C'était pas facile du tout, m'sieur. Les bêtes s'agitaient, les chargements glissaient tout l'temps, et les caisses étaient aussi lourdes que la bours' d'un curé. On les a pas volées, nos deux liv'es, moi j'vous l'dis.

— Je vois. Bon, avez-vous remarqué quoi que ce soit de particulier chez les messieurs qui ont loué vos services ?

Hélas, Becker ne répondit pas à cette question en puits de science ; quelqu'un avait proposé du travail, il l'avait pris. Quand Clare eut terminé son interrogatoire et payé l'uniciste pour sa peine – deux guinées puisées dans la bourse obligeamment fournie le matin même par Mlle Bannon afin de parer à ce genre d'éventualités, justement –, il se sentait presque optimiste, quoique avec prudence. Becker remit une des deux pièces à sa mère, qui la porta à sa bouche pour la mordre de ses gencives édentées. Le jeune mage assura au mentah que si jamais il avait besoin d'un leveur de poids, Becker serait *seinen Mann, ja ja.*

Les visiteurs regagnèrent la rue, toujours aussi animée et bruyante, avec les charrettes grondantes et les leveurs de poids qui fredonnaient leur chansonnette aux consonnes dures et aux voyelles nasales. Des taches noires ponctuaient le trait jaune éclatant divisant le mur, de l'autre côté de la chaussée : les portes basses des tavernes, très fréquentées malgré l'heure matinale, et dont les patrons rivalisaient pour attirer le chaland. Un marin à la barbe fournie, tout juste débarqué à en juger par sa démarche d'ivrogne, s'arrêta, vacillant, puis se mit à vomir du gin mêlé d'on ne savait quoi, au grand amusement des passants et pour la plus grande joie de deux maigres corniauds pelés, qui se jetèrent sur cette provende.

Toutefois, le Napolitain n'était pas d'humeur à admirer le paysage. Il attrapa Clare par le coude.

— Dites-moi, *signor*, vous n'allez pas m'emmener à *la Torre* ?

— Nous irons s'il le faut. Nous irons jusqu'en Enfer s'il le faut, monsieur Valentinelli. Britannia a besoin de nous, et cette histoire est de plus en plus intéressante.

— La *strega* n'a pas parlé de la *Torre*.

— Si vous ne vous sentez pas capable de nous accompagner, monsieur, je ne vous retiens pas. (Clare enfonça plus fermement son chapeau sur sa tête.) Sigmund, mon vieux ! Trouvez-nous un endroit où manger et fumer une bonne pipe. Il faut que je réfléchisse.

Valentinelli se cramponna à son bras.

— Vous m'insultez.

Si je vous avais insulté, vous seriez déjà en train de m'étrangler, enchaînement ou pas.

— Nullement, *signor*. Savez-vous ce qui m'a le plus surpris, dans l'histoire du jeune Becker ?

Le juron par lequel répondit l'Italien exprimait parfaitement l'indifférence que lui inspirait le sujet. Le visage rubicond de Sigmund vira au gris, les traits tirés ; Clare remarqua que le Bavarois avait plongé la main dans la poche de son manteau… sans doute pour se préparer à en tirer son fidèle couteau pliant. Mieux valait calmer le jeu. Les gens étaient parfois si *pénibles*…

— Ce qui est incroyable, c'est que le jeune Becker soit toujours en vie. (Clare regardait Valentinelli droit dans les yeux.) Je déduis de ce miracle que la redoutable Ombre de la Tour est le cadet de nos soucis, comparée à celui ou ceux qui font surveiller quelques leveurs de poids dans le seul but de voir s'ils parlent. Ou qui les paient pour être prévenus si jamais des curieux cherchent à s'informer sur certains chargements bien précis. Ou qui estiment leurs projets si près d'aboutir que les limiers capables de remonter leur piste ne les dérangent en rien… et c'est clairement là l'idée qui me dérange le plus.

Le spadassin se figea. Son visage grêlé était toujours aussi fermé, mais il ne serrait plus autant les dents… ni le bras de Clare.

Lequel hocha la tête.

— Vous me comprenez. Parfait. Venez, noble Napolitain. Il faut que je réfléchisse, et je préférerais le faire dans un endroit un peu plus confortable. (Une pause.) Et un peu plus facile à défendre, peut-être.

La Tour de Londinium se composait en réalité d'un ensemble de tours, que les soutènements gris du mur de Sorrowswall empêchaient de s'effondrer sur la ville. La Blanche dominait toutes les autres, gainée par magie de marbre pâle scintillant, les flancs ruisselants de symboles de charte aux coulées sanglantes. C'était là que les traîtres trouvaient la mort, de même que les criminels à qui leur noblesse évitait le gibet commun. Le fossé débordait d'une eau fétide, à la fois boueuse et grasse, sous la surface de laquelle bougeait… on ne savait quoi. La population disputait avec passion de la nature de la bête, mais s'accordait à dire qu'elle dévorait les corps décapités, voire leurs têtes – après exposition.

Il lui arrivait aussi de s'attaquer à des proies bien vivantes.

Ce n'était pourtant pas l'habitant des douves qui faisait peur à tout Londinium. C'était l'Ombre.

Elle s'enroulait parfois autour des aiguilles élancées, glissait le long des murailles, descendait jusqu'à frôler la surface huileuse du fossé. Il ne s'agissait ni d'une brume ni d'un nuage… juste d'une grisaille sombre et humide qui rôdait près de la Tour tel un animal discret, quoique pesant. Ni charmes ni sortilèges ne la tenaient en respect ; il fallait être au minimum Maître Magus pour l'envoyer rôder ailleurs, par des moyens que les mages gardaient secrets en leurs bouches cousues.

Ils n'aimaient pas le quartier, eux non plus, peut-être à cause de la détresse et de la mort qui l'imprégnaient. On pouvait parcourir tout Londinium sans trouver endroit plus tranquille que le domaine de l'Ombre. Certains y cherchaient pourtant refuge – lorsqu'ils voulaient être absolument sûrs que le bras armé de la Loi hésiterait à les suivre.

Ou lorsque leurs Altérations avaient mal tourné. Les Morloks vivaient dans cette enclave. Ils n'étaient pas trop dangereux, de jour.

Heureusement, la masse grise loqueteuse de l'Ombre restait cramponnée à la tour Blanche dans l'éclat jaunâtre de l'après-midi. La lumière qui transperçait le brouillard avait viré à une nuance plus soutenue, car le mauvais temps venu du nord donnait au ciel la couleur d'une meurtrissure. La pluie serait presque un soulagement, estima Clare… sauf que, par temps de pluie, il devenait difficile de distinguer les déplacements de l'Ombre.

L'imposant entrepôt de Lower Themis Street dont avait parlé Becker, d'un noir d'encre, ne dissimulait pas totalement malgré sa masse le Sorrowswall. Clare examina la bâtisse pendant que Sigmund rotait avec satisfaction. Nourrir le Bavarois pour compenser son petit déjeuner gâché avait donné au mentah le temps de rassembler ses esprits en fumant sa pipe. Quant à Valentinelli, il avait lui aussi englouti une quantité non négligeable de victuailles grossières, dans le pub décrépit où s'étaient rendus les trois hommes, assez loin de l'appartement du jeune leveur de poids. Cette gargote sombre et animée n'était pas le cadre idéal propice à la réflexion, mais Clare avait réussi à y exercer ses facultés, en éloignant momentanément le spectre de l'agitation qui menaçait ses nerfs. Le cocher du coupé attendait à présent quelques rues plus loin, car il refusait de s'approcher de la Tour. Peu importait, puisque le gorgeon de gin et le panier généreusement garni achetés au pub avec l'argent de Mlle Bannon suffisaient à son bonheur.

La pierre de l'entrepôt avait peut-être été grise un jour, mais une patine de suie en couvrait à présent la rugosité. L'acide dévorant de la pluie aurait pourtant dû y dessiner des traînées plus claires… sans le vague scintillement qui enveloppait la bâtisse.

Magie.

Soit Valentinelli en avait pris conscience en même temps que Clare, soit il attendait de le voir changer d'expression.

— *Maleficia.* (Le visage grêlé se gonfla de manière théâtrale.) On attend la *strega, ci* ?

— Mlle Bannon a d'autres problèmes. (Clare ne voyait aucune raison d'informer son garde du corps des conclusions auxquelles il était parvenu en ce qui concernait les chances de voir la magicienne apparaître pour résoudre les difficultés de nature magique.) Croyez-vous que nous puissions nous introduire dans cet entrepôt ? Est-ce possible ?

L'Italien plissa les yeux.

— *Ci*. (Il se frotta pensivement l'avant-bras, geste dont son interlocuteur déduisit qu'il avait un poignard caché dans la manche.) Mais pas pour longtemps, hein ? Ça, ça a été fait par un grand *stregone*. C'est très mauvais.

— Oh, je n'en doute pas. (Clare tapota quasi inconsciemment la poche gauche de ses culottes. Sa minuscule boîte de coja s'y trouvait, en sécurité, ce qui l'apaisa, même si le pendentif devenait contre sa gorge d'une chaleur alarmante.) Il se peut que nous soyons sous peu dans une situation délicate, Sigmund. Vous êtes sûr que…

— Je rentre à la maison, *mein Herr*, et peut-être ils réessaient. Pas aussi poliment. (Le Bavarois fit jouer ses larges épaules.) Très intéressante, cette histoire de condensateurs.

— Oh, oui, très. Bien, messieurs, rien ne sert d'attendre.

Forcer une des portes fut presque décevant. Valentinelli renifla, déclara que le scintillement entourant l'entrepôt n'était dangereux que pour les magiciens et le traversa sans hésiter. Deux coups de pied suffirent à réduire en morceaux le bois pourri auquel il s'attaqua. Il jeta un coup d'œil dans le bâtiment.

— Hmm. Allons-y.

Les trois hommes s'enfoncèrent dans une pénombre dense, où une curieuse puanteur se mêlait à l'odeur de la poussière et du métal huilé. Le cristal était devenu réellement brûlant, mais comme la logique soufflait à Clare qu'il n'aurait pas à en souffrir, il parvint non sans peine à se retenir d'y porter la main. Sigmund étouffa une série de violents éternuements, qui n'en furent pas moins presque aussi tonitruants que s'il leur avait donné libre cours. Un étroit couloir obscur d'une dizaine de mètres suivait le mur extérieur, avant de déboucher brusquement sur l'immensité mal éclairée de l'espace de stockage : en hauteur, seuls quelques maigres rayons de lumière londinienne jaunâtre passaient par les trous couverts de papier huilé qui perçaient le toit.

Cette vague clarté révélait d'innombrables rangées de grandes silhouettes voûtées, aussi larges que des locomotives, aussi hautes que des maisons, couvertes de housses dont dépassaient au niveau du sol deux protubérances de métal éclatantes. Clare cligna des yeux, plongé dans un enchaînement de déductions. *Je me demande...*

Il n'eut pas le temps de se demander quoi que ce soit, car quelque chose bougea au sommet d'une des formes mystérieuses. Un petit cliquetis parfaitement net résonna dans la pénombre, tandis qu'une voix mâle inconnue lançait :

— Restez où vous êtes, ou je tire.

Pourvu que l'obscurité dissimule le grand sourire de Clare... Il leva son pistolet en prenant une fois de plus conscience de la disparition de Valentinelli – laquelle ne lui inspira aucune surprise.

— Monsieur Cecil J. Throckmorton, je présume ?

26

Les présentations peuvent attendre

Le phaéton resta à l'écurie – excellente –, chez Childe. Heureusement qu'il était de bonne humeur… Non seulement Emma y avait gagné un second Bouclier, mais son confrère avait aussi insisté pour lui prêter un ravissant landaulet vert foncé. L'adorable petit véhicule, tiré par des chevaux mécaniques argent et blanc, secouait sa passagère à lui rompre les os… ce qui importait peu à une vitesse pareille.

La jeune femme avait la quasi-certitude que Clare devait rencontrer un problème. Le Bocannon dont elle lui avait fait cadeau, conscient qu'une magie nuisible était à l'œuvre dans les parages, inquiet, tordait le fil invisible qui le reliait à la conscience de sa créatrice. Elle en déduisait que, comme un teckel dans un trou à rats, le mentah avait levé une proie intéressante et ne tarderait pas à se trouver en grand danger de subir une cruelle morsure.

Éli conduisait – plutôt bien, à vrai dire. *Sérénité*… le mot était faible. Celui auquel l'avait appliqué Childe avait l'air à moitié endormi, et seule la fermeté avec laquelle il tenait les rênes trahissait sa réelle vivacité. Mikal, également installé à côté d'Emma, les cheveux rejetés en arrière par la brise sulfureuse qui lui rosissait les joues, offrait à la Vision un gros nuage rouge et noir de frustration sévèrement contenue.

Bien fait pour lui. Elle ne pouvait cependant lui reprocher grand-chose, car elle devait reconnaître qu'elle représentait sur le chapitre de la féminité un échec spectaculaire… à part en ce qui concernait les faiblesses. Car c'était à cela que se ramenait la nuit précédente. Si elle avait été homme…

Et alors ? Si tu étais homme, tu serais Llewellyn. C'est pour ça qu'il t'attirait, non ? Au fond, tout au fond, Emma, tu t'en fiches.

Dans ce cas, pourquoi se donnait-elle autant de mal ?

Il suffit. Pense plutôt à ce que tu vas faire quand tu vas retrouver le mentah que tu as envoyé fouiner, avec pour seule protection Valentinelli. La situation a changé, même si on oublie le dragon... un dragon si vieux qu'il s'était endormi avant *l'Âge du Feu. En admettant que la duchesse et Conroy trempent dans cette histoire, il est peu probable que les choses se terminent bien. Victrix ne risque pas de me remercier si jamais je fais le moindre mal à sa mère ou – à Dieu ne plaise – si je la tue. Elle la déteste, certes, et Britannia serait sans doute satisfaite, mais ce n'est pas une raison.*

Le fil invisible se tordit à nouveau, avec plus de brutalité, cette fois. La main gantée d'Emma se tendit brusquement ; une boule de magie grésillante y apparut. La concentration de la jeune femme se fixa sur la sphère lumineuse qui dépassait le landaulet pour se mettre à planer devant l'attelage mécanique, entourée d'étincelles crépitantes ; la circulation de l'avenue s'écarta devant la voiture légère comme l'eau devant l'huile. Le menton d'Éli s'abaissa à peine, léger hochement de tête. Emma se radossa, maîtrisant non sans mal son impatience pendant que le Bouclier pilotait le véhicule trépidant dans le sillage de la boule éclatante. Le fil invisible se tordit encore, violemment. Le Bocannon se réveillait complètement.

Clare avait vraiment un gros problème. Le retournement de marée ne tarderait plus, mais la circulation restait dense. Le Bouclier avait beau pousser les chevaux au maximum, la boule de magie sans cage pouvait bien informer tout Londinium qu'une Maga était pressée, Emma risquait fort d'arriver trop tard.

L'entrepôt s'avachissait sous un ciel d'un jaune-vert hideux de meurtrissure, traversé de bancs de brouillard opaques au-dessus desquels roulaient des coups de tonnerre hésitants. Peut-être une tempête remontait-elle la Themis, à moins que tous ces remous n'aient des causes plus profondes. L'élégante coquille de magie disposée sur la bâtisse pour la déguiser aurait suffi à empêcher Emma de l'examiner avec attention, si le Bocannon ne l'avait appelée de l'intérieur et si elle ne s'était cramponnée au bras de Mikal à s'en blanchir les jointures.

C'est là !

La boule de magie grésilla, prenant de la vitesse tandis qu'Éli tirait sur les rênes, que Mikal se levait à demi d'un mouvement fluide, que la voilette d'Emma se collait à son visage humide et que la lumière des éclairs piquait ses yeux fragiles. Le tonnerre gronda à nouveau, loin au nord. La sphère lumineuse fonça à travers le bouclier scintillant quasi invisible ; un réseau de fines lignes argentées flamboya, gravé dans les murs enduits de suie. Les chevaux piaffèrent, dispersant d'autres étincelles, puis le landaulet s'arrêta dans une secousse. Déjà, Emma rassemblait ses jupes, mais Mikal avait pris de l'avance : ses bottes frappèrent la crasse compactée, il pivota, ses mains se refermèrent autour de la taille de la jeune femme, qu'il souleva puis posa à terre d'un même mouvement.

— Clare ! *Trouvez*-le *!* ordonna-t-elle. Protégez-le !

Pour toute réponse, Mikal lui lança un coup d'œil fulminant, avant de faire volte-face. Une des petites portes de l'entrepôt avait été défoncée – Valentinelli, elle l'aurait parié. Le second Bouclier se retrouva brusquement près d'elle tandis qu'elle se précipitait, haletante, sur les traces du premier.

La bâtisse frissonna quand ses défenses se réveillèrent pleinement ; la suie qui la couvrait se craquela, car Emma injectait davantage d'énergie dans sa boule de lumière. Contrôler un globe sans cage n'était pas simple… mais cette liberté conférait aussi à la sphère une plasticité telle qu'elle réagit brutalement à la soudaine pression des défenses. Le brouillard londinien se teinta de rouge quand le soleil plongea sous l'horizon, un autre coup de tonnerre retentit, et les craquelures de la suie s'élargirent. Une poudre noire tomba de la pierre grise frissonnante à l'instant précis où Mikal se faufila dans le bâtiment, à la recherche de Clare.

Emma s'engouffra à son tour dans un corridor étroit et puant, où ses yeux furent brusquement soulagés du fardeau de la vive lumière. Les détails des fragiles murs de bois lui apparurent nettement. Lorsqu'elle se précipita dans le vaste espace central, ses jupes claquèrent littéralement car la main d'Éli se referma sur son bras pour y appliquer une torsion terrifiante, à lui déboîter l'épaule.

Le Bouclier pivota dans le mouvement, tirant sa nouvelle employeuse à l'écart du couloir au moment précis où quelque chose s'écrasait sur le seuil. La terre trembla.

Déjà, Emma cherchait à l'aveuglette d'où venait le danger, mais il fallut qu'Éli la retienne une seconde fois, en lâchant une sorte de petit jappement, pour qu'elle comprenne enfin que la magie n'avait rien à y voir.

Mais qu'est-ce que...

La chose émergea des éclats de bois, luisante, mécanique ; ses bras curieusement articulés grincèrent lorsque l'homme enfermé dans son enveloppe métallique poussa un cri perçant d'affreuse jubilation... tandis qu'Emma, elle, hurlait de terreur. Sa force magique se déchaîna – riposte brutale, instinctive, gaspillage d'énergie où la réflexion ne jouait aucun rôle... et qui n'eut aucun effet.

Le corps artificiel se pencha, effrayante imitation des gestes de son occupant. Le dôme lisse de son crâne se trouvait bien à six mètres de haut ; ses épaules se voûtaient ; il traînait ses pieds à l'ovale parfait. Ses engrenages grinçaient, craquaient. Des gouttes d'huile tombaient de son métal luisant. La chose poussait des glapissements aigus, comme un chien jailli d'un Enfer de soufre.

Son conducteur secoua la tête ; ses rouages crissèrent, lâchant une volée d'étincelles, car son crâne en coupole reproduisait le mouvement. On aurait dit un gros crapaud de bronze, chauve et râblé, surtout lorsque son occupant s'accroupit et fit plier ses genoux disproportionnés. Ses bras se levèrent. Une épaisse fumée se déversait du membre gauche, percé d'un orifice de bonne taille où plongea le regard d'Emma.

— *Hiiiiii...*

Le hurlement sortait d'une gorge humaine, mais un grondement mécanique en engloutit la fin. Un scintillement courut sur une étendue de métal, un peu plus loin. La jeune femme faillit perdre connaissance quand une seconde monstruosité s'avança de sa démarche traînante, en levant elle aussi ses bras épais dans un geste d'une grâce étrange. Ils heurtèrent la main-canon gauche du premier automate qui se tendit soudain vers le ciel, un rugissement assourdissant retentit, et un trou apparut dans le toit. La lumière de la tempête s'y engouffra tandis que les défenses magiques se fissuraient davantage encore, affaiblies.

Emma chercha frénétiquement à battre en retraite, à quatre pattes ou presque, les jambes entravées par ses jupes, la voilette déchirée, le chapeau de travers, des cheveux plein la figure. Éli la tira une fois de plus par le bras – une douleur d'un rouge terne traversa son épaule endolorie. Elle s'aperçut qu'elle hurlait, mais se révéla incapable de s'en empêcher. La *chose* n'était pas magique : son esprit de Prima n'arrivait pas à l'envelopper, à la broyer. Cette monstruosité se contentait de détourner sa force, qui s'épuisait en pure perte. Une terreur renouvelée tordit ses entrailles.

Le canon de la main droite s'abaissa, dirigé vers elle. L'occupant de la carcasse métallique éclata d'un rire aigu. Un mouvement, des lames étincelantes ; Mikal dérapa, faute de prise sur la tête lisse, tomba, mais se contorsionna en l'air à la manière d'un chat. Ses poignards brillèrent à nouveau, tandis qu'il cherchait à les planter dans la poitrine du contrôleur de la chose. Le double coup eut beau manquer sa cible, une des dagues frappa un grand disque doré qui se craquela, grésilla, cracha une volée d'étincelles.

La seconde abomination titubait en balançant sa grosse tête, mais réussit à s'avancer pour détourner d'une claque la main droite de la première, au moment même où tonnait l'arme intégrée.

Chaos – vacarme, gerbe de poussière et d'échardes… mais aussi quelque chose de plus subtil. Des fils invisibles se tendant brusquement.

Le mage se dissimulait dans l'obscurité, avec ses Boucliers. Emma le reconnut à l'instant où Mikal toucha terre, en roulé-boulé, puis bondit sur ses pieds. Des cheveux emmêlés, des doigts tordus en un Geste dont elle se souvenait presque, des symboles de charte crachotants, d'un cramoisi venimeux, tournoyant entre des mains tendues.

Il faut tuer ses Boucliers. Lui… je le veux vivant pour l'interroger. Ce n'est que…

Emma n'eut pas le temps d'achever sa pensée, car l'*autre* lança la masse rouge brouillonne. Il devait bien savoir cependant qu'il ne pouvait lui faire aucun mal de cette manière ni même la retarder, et il se rejeta aussitôt en arrière… mais Éli la poussa brutalement de côté car l'éclair d'un coup de feu ajoutait à la confusion. Le souffle coupé, elle sentit mourir dans l'œuf le chant qui lui montait aux lèvres.

Un des Boucliers de l'adversaire venait de tirer, et Mikal était occupé ailleurs.

Des engrenages crissèrent, hurlèrent ; le vacarme de cathédrale abattue qui accompagnait la mort d'un mage emplit l'entrepôt. *Non, Mikal ! Ne le tuez pas ! J'ai* absolument *besoin de l'interroger !*

Quelque chose de pesant empêchait Emma de se relever. Elle se débattit, ses jupes traîtresses transformées en entraves, les poignets prisonniers d'un étau.

— *Pax !* cria quelqu'un à son oreille. (La tête lui tournait.) *Pax, Prima !*

Quand elle cessa de lutter, ses côtes se soulevaient sous l'effet de longues inspirations douloureuses qui la faisaient frissonner de tout son corps.

Mais qu'est-ce que c'était que ça ? Qu'est-ce que c'était, Seigneur ?

Éli roula de côté puis la remit sur ses pieds tandis qu'elle contemplait la montagne de métal abattue. L'occupant de son torse avait disparu ; il n'y subsistait qu'un disque doré craquelé, terni, mort. Cris et claquements sonores. Le cri de guerre rageur de Mikal dominant soudain le vacarme.

La seconde *chose* cliquetante baissa les bras en bourdonnant. Archibald Clare y avait pris place, son visage émacié illuminé par l'extase. Elle imitait d'une manière bizarre les mouvements de son conducteur, à la poitrine ornée d'un disque d'or étincelant – une sorte de boule de magie aplatie, si l'on pouvait dire. Sa lumière accentuait les traits du mentah, soulignait ses cheveux rejetés en arrière. La structure métallique de la monstruosité grinçait, frissonnait.

Le disque de métal se ternit. Mikal apparut, jeta un coup d'œil à Clare, enchâssé dans l'abomination, décida manifestement qu'il ne présentait aucun danger, pivota. Se figea, les yeux fixés sur Emma, dont les genoux *refusaient* bel et bien de remplir leur fonction, c'est-à-dire de la maintenir debout avec leur fiabilité habituelle. Éli l'avait prise par le bras, pas plus fort que nécessaire, mais elle avait indéniablement besoin de son soutien.

Le disque de lumière s'éteignit complètement.

— Très… (La diction de Clare avait perdu sa netteté.) Très int… *Nom de Dieu !*

Ludovico Valentinelli sortit de l'ombre, roussi et sanglant. Accompagné d'un homme d'âge mûr corpulent, aux favoris imposants. Emma cligna des yeux. *Mais qu'est-ce qui s'est passé, Seigneur ? Qu'est-ce que c'est que ces… ces* choses ?

— Sigmund… (Clare bredouillait comme un homme ivre… ou, peut-être, épuisé au point d'en avoir les lèvres insensibilisées.) Venez… Ces sales courroies… Aidez-moi.

— *Ja ja.*

L'inconnu – aux favoris roussis, lui aussi – entreprit d'escalader la carcasse de métal avec agilité puis se mit à tripoter le harnais qui maintenait Clare à l'intérieur. Le mentah ferma ses yeux bleus en poussant un grand soupir de lassitude.

Emma se dit fermement que le moment était *très* mal choisi pour piquer une crise de nerfs ou avoir des vapeurs, même si les deux perspectives lui semblaient également tentantes.

— Ça va ? (Mikal se tenait soudain devant elle, le visage à quelques centimètres du sien.) Prima ? *Emma ?*

— La magie ne les affecte pas, réussit-elle à dire, d'une voix qui ne lui ressemblait absolument pas. Seigneur. La magie ne *touche* même pas ces choses.

Voilà qui eut le don d'attirer l'attention de Clare.

— Quel… dommage… Effet… secondaire…

Ses mots s'embrouillaient de manière inquiétante. Avait-il bu ? Si tel était le cas, il fallait espérer qu'il n'avait pas *tout* bu, car Emma en personne se serait volontiers octroyé une bonne rasade de quelque chose d'un peu plus fort que du thé.

Un grincement de cuir… L'inconnu aux favoris jura tout bas. Valentinelli examinait à présent les restes tordus du monstre artificiel abattu en sifflotant, sans qu'on puisse discerner dans son sifflotement la moindre mélodie.

— Tenez.

Mikal avait déniché une flasque, qu'il porta aux lèvres de son employeuse. Elle avala avec soulagement une gorgée de rhum qui lui brûla la bouche. Les yeux la piquaient. Heureusement, la marée allait tourner sous peu. Elle avait dépensé contre la chose une charge éthérique proprement incroyable… sans l'affecter le moins du monde.

Dans la vaste gueule du bâtiment s'alignaient en rangs serrés des silhouettes recouvertes de housses. Toutes à peu près de la même forme et de la même taille que les deux abominations dévoilées. Emma absorba à nouveau une lampée de feu liquide, dont elle sentit progresser la chaleur jusqu'à son estomac. Enfin, elle rendit la flasque à Mikal, les doigts gourds.

Eh… oui, ses yeux sensibles n'avaient guère de mal à percer les ténèbres : un corps gisait bel et bien à terre. Elle le regarda avec plus d'attention avant de lâcher un terme fort impoli.

— Devon… Hugh Devon. (Sa voix évoquait l'idiotie congénitale, même à ses propres oreilles.) Il fallait *absolument* que je l'interroge. Par tous les feux de l'Enfer !

— Ça change… les choses. (Clare faillit tomber ; l'inconnu l'en empêcha, puis ils parcoururent la distance qui les séparait du sol avec plus de grâce qu'Emma ne l'aurait cru possible, vu la voix pâteuse du mentah et la corpulence de son compagnon.) Il faut… que je vous… parle, mademoiselle… Bannon.

— *Vraiment*. (Revigorée par l'agacement, elle se campa, les poings sur les hanches, la tête inclinée de côté. L'occupant de l'automate en ruine, quelle qu'ait été son identité, avait réussi à s'échapper… ce qui était *également* ennuyeux.) Quelqu'un va évidemment venir voir sous peu de quoi il retourne. Je vous propose de reprendre nos esprits dans un endroit plus approprié. Où diable est passé le coupé que j'avais loué…

— Je m'en occupe, *strega*, intervint Valentinelli, sans quitter le cadavre des yeux. Qu'est-ce qu'on fait du corps, hein ?

Clare restait appuyé à son gros ami. La lumière sulfureuse qui passait par les trous du toit se ternit, au grand dam d'Emma, dont les yeux sensibles s'en trouvèrent pourtant soulagés.

— S'il était encore de ce monde, je pourrais l'interroger.

Elle se tapota les lèvres d'un doigt ganté. *Je n'ai pas l'air ébranlée. Dieu merci. Qui était dans ce… cette chose ? Et voilà que Devon est mort…*

— Je lui ai tordu le cou, mais sa tête est intacte.

Mikal avait l'air décidément *boudeur*.

Bon, c'est déjà ça.

— Ah. Oui. Je vois. (La décision fut vite prise.) Très bien, nous l'emportons. Ludovico, emmenez M. Clare et son camarade chez moi. Les présentations attendront jusqu'à que nous ayons *quitté* les lieux. Mes Boucliers et moi ne tarderons pas à vous rejoindre. (Elle considéra le mentah vacillant. Le teint maladif, les cheveux – plus très épais – hérissés et pleins de suie.) Prenez soin de M. Clare, je vous prie, il a l'air un peu…

Les yeux du susdit roulèrent dans ses orbites, puis il s'effondra. Le frisson qui parcourut les doigts et les orteils d'Emma lui apprit que l'Ombre s'intéressait à ce qui se passait dans l'entrepôt. La jeune femme ignorait quand l'adversaire arriverait et les obligerait à agir, mais elle avait dépensé bien plus d'énergie qu'elle ne l'aurait voulu en attaquant la… *chose* mécanique.

— Oh, nom de Dieu ! soupira-t-elle, à l'instant précis où la lumière s'éteignit complètement.

27
Désagréable, mais instructif

Clare plaqua contre sa tête douloureuse le papier brun craquant, imbibé de vinaigre.

— Désagréable, murmura-t-il. Extrêmement désagréable. Mais instructif.

— Je suis ravie d'apprendre que vous avez passé un aussi bon après-midi, rétorqua Mlle Bannon. Le mien était également instructif, quoiqu'il m'ait été désagréable d'avoir à m'occuper de l'Ombre au pied de la Tour. Mais je vous en prie, cher monsieur Clare, j'aimerais que vous répondiez à ma question. Au nom des sept cercles des Enfers, qu'est-ce que c'était que ces… ces *choses* ? La magie ne les affecte aucunement. Ce qui me perturbe *au plus haut point*.

Il s'agita sur la méridienne. Le salon était extrêmement confortable, malgré la tension qui pétillait jusque dans le moindre de ses recoins.

— Évidemment. Je cherche un mot capable d'expliquer au profane de quoi il s'agit, mais je ne trouve rien de mieux qu'*homonculus* ou *golem*. Des termes qui manquent de précision, même si…

— Monsieur Clare. (Malgré le calme avec lequel elle s'exprimait, une force impérieuse transparaissait dans la voix de Mlle Bannon.) Je vous prie de ne pas vous laisser distraire. Il y a dans mon bureau un cadavre qui ne va pas en rafraîchissant, mais dont je ne peux interroger l'ombre tant que vous ne m'avez pas donné certaines informations, faute de quoi cela ne servira à rien. (Le ton se durcit encore.) Quant à vous, Ludo, très cher, *arrêtez de siffler*, s'il vous plaît, ou je vous scelle les lèvres.

Clare souleva une paupière. Le visage bonhomme de Sigmund lui apparut derrière la Prima, perchée à son chevet sur un petit tabouret, les joues roses, décoiffée de la manière la plus charmante. Le Bavarois mangeait ce qui ressemblait étonnamment à une saucisse, accompagnée d'un morceau de fromage.

— Ah… (Clare s'éclaircit la gorge.) Mademoiselle Bannon, permettez-moi de vous présenter M. Sigmund Baerbarth, génie et ami personnel. Sigmund, je vous présente Mlle Bannon, magicienne fort intéressante.

— Comment allez-vous ? lança ladite magicienne pardessus son épaule.

L'Allemand s'empressa de déglutir en hochant la tête.

— *Sehr gut, Fräulein Bannon.*

Elle reposa le regard sur Clare, qui avait suffisamment repris ses esprits pour affronter sans frémir pareil examen. Même si le vinaigre ne lui était pas d'un grand secours.

— Auriez-vous l'obligeance de me procurer un peu de glace et des sels, je vous prie ? demanda-t-il. J'ai abominablement mal à la tête.

Lorsqu'elle jeta un nouveau coup d'œil par-dessus son épaule, ses boucles d'oreilles en jais frôlèrent ses joues ; un murmure s'éleva à la porte. Apparemment, le salon était bondé. La pluie qui s'était mise à tomber tambourinait sur les carreaux, contrariété supplémentaire. Toutefois, quand la jeune femme reporta une fois de plus son attention sur son invité, elle s'était radoucie.

— Vous m'avez sauvé la vie, monsieur Clare. (Son visage enfantin avait l'air sombre. Mais… oui, c'étaient bien ses doigts gantés qui tenaient délicatement la main de son hôte.) Cette *chose* avait des canons dans les… les bras, je suppose que c'est le terme le plus approprié. Qui la contrôlait ?

— Hmm, oui. (Une chaleur gênante montait aux joues de Clare. La frêle main refermée autour de la sienne tremblait, il le sentait à travers le chevreau.) Il m'a suffi d'une petite déduction rapide. C'était un mentah. Throckmorton.

— Remarquablement actif, pour un mort. Il s'est échappé. Avec l'aide des Boucliers de M. Devon, paraît-il, ce qui est choquant en soi. Je suis *assez* contrariée que nous n'ayons pas capturé M. Devon sain et sauf.

— Ah. Eh bien. Laissez-moi le temps de rassembler mes pensées, mademoiselle Bannon, puis je répondrai à vos questions. Serait-il possible d'avoir du thé ?

— Bien sûr. Je vais en envoyer chercher.

Compte tenu des circonstances, elle est d'un calme remarquable.

— Avec du citron, s'il vous plaît.

La glace arriva, dans un chiffon imperméable immaculé. Entre l'apaisement que lui apporta sa fraîcheur et une bonne tasse de thé, Clare ne tarda pas à se retrouver assis bien droit, en train de cligner des yeux dans la lumière pluvieuse agonisante. Peu lui importait la manière dont on l'avait transporté jusque chez son hôtesse. Il en était juste soulagé. La douleur aiguë de ses facultés surmenées diminuait peu à peu sous son crâne.

Mikal rôdait derrière Mlle Bannon, qui sirotait elle aussi son thé, le petit doigt en l'air juste ce qu'il fallait. Le Bouclier avait l'air prêt à exploser… sans doute à cause de l'*autre* Bouclier, un jeune brun quasi somnolent appuyé au manteau de la cheminée. Les tempes palpitantes, Clare décida qu'il pouvait attendre avant de résoudre le mystère par lequel la magicienne avait fait son acquisition.

De l'autre côté de l'âtre, Ludovico Valentinelli se curait les ongles avec l'un de ses nombreux poignards, tout en examinant le nouveau venu avec intérêt. Sigmund mâchouillait gaiement à la table à thé. Le Napolitain s'en approchait aussi par moments pour se servir. Leur appétit inentamé avait quelque chose de réconfortant, d'autant qu'ils étaient toujours barbouillés de suie et un peu hagards.

— Bien, commença enfin Clare, une fois convaincu que sa voix ne tremblerait pas. La situation est nettement pire que nous ne le craignions, mademoiselle Bannon. Ces choses, ces *mechanisterum homonculi*, dirais-je, car je n'ai pas de meilleure appellation à proposer… Sigmund se contenterait de *mécas*, le cher ami… Bref, ces choses ne dépendent pas de la magie Altérative. On les dirige directement par l'intermédiaire des petites machines logiques incluses dans leur poitrine. Je ne doute pas que vous ayez vu briller quelque chose sur mon torse pendant que…

— Oui. Continuez.

Une des épingles à chapeau de la jeune femme s'était brisée. Il se demanda si elle en avait retrouvé les morceaux, mais préféra ne pas creuser cette pensée, de crainte que le surmenage ne rende son cerveau complètement inutilisable.

— Ces machines ne peuvent être opérées que par des mentahs. Si je me trouve dans l'état où vous me voyez, c'est parce que je m'y suis essayé sans y avoir été préparé. Les équations en jeu sont… extrêmement complexes. Toutefois, là n'est pas la question en ce qui nous concerne. (Il tressaillit et but une gorgée de thé.) Un toast, peut-être ?

— Bien sûr. Apportez-lui une assiette, s'il vous plaît, Mikal.

La Prima, manifestement plus calme, s'installa de son mieux sur son tabouret. Clare remarqua que ses jupes étaient fort joliment disposées.

C'était la première fois qu'elle ne terminait pas en loques un de ces épisodes agités. Sans doute en était-elle ravie.

Il concentra à nouveau son attention sur le sujet qui les préoccupait tous.

— La plus grosse des machines logiques… la machine maîtresse, si vous voulez, ne se trouve pas à l'entrepôt. J'ignore où elle est. En sécurité, je suppose. Elle servira de transmetteur. Les choses… les mécaniques que vous avez vues… ne sont que des *récepteurs*, dotés d'une capacité limitée à être commandés directement. Le mentah branché sur le transmetteur pourra en contrôler une armée, à condition de manier les sous-équations associées de manière adéquate. Ce qui lui sera possible s'il fournit l'énergie nécessaire par l'intermédiaire du noyau.

Silence.

Mlle Bannon avait blêmi. Son regard n'était plus posé sur Clare, mais *au-delà*, un regard déconcertant, direct et lointain tout à la fois.

— Une armée, répéta-t-elle d'une voix pensive et même douce. (Elle but une gorgée de thé.) Qui n'a besoin ni de nourriture ni de repos. Que la magie n'affecte pas.

— Les machines logiques génèrent un champ…

— … que la magie a le plus grand mal à pénétrer, oui. Et Throckmorton est en vie. (Long silence. Enfin, elle reprit, d'un ton pédant :) Je me demande quelle était l'identité du cadavre de Grace Street. Et ce que Throckmorton trafiquait à l'entrepôt avec Devon.

— Peut-être montaient-ils la garde ? Qui irait chercher un mentah à l'ombre de la Tour ? (Clare réprima un frisson à cette pensée.) Je ne suis pas moi-même pour l'instant, mademoiselle Bannon. Ne poussez pas l'interrogatoire plus loin, je vous prie. Mes facultés pourraient s'en trouver trop sollicitées, et je deviendrais une gêne au cerveau en bouillie.

Un sourire fugace, où se lisait quelque remords, salua la plaisanterie. Mikal reparut, une assiette pleine à la main.

— Prima ?

— Hmm ?

Elle releva les yeux au moment où Clare entamait son toast avec reconnaissance.

— J'ai une idée.

— Laquelle ?

— Il serait sans doute très instructif de connaître les récents déplacements d'un certain Maître Magus défunt. (Bien campé sur ses deux pieds, le Bouclier croisa les bras.) Il se chargeait des commissions de Lord Sellwyth…

Sellwyth ? Ah, oui, le Prime mort. Clare tressaillit. Ce simple appel à sa mémoire surmenait de manière inquiétante l'organe logé sous son crâne.

— En effet. (Mlle Bannon but une gorgée de thé. Sa pâleur restait préoccupante.) Je me demande qui d'autre a vu Devon, ces derniers temps ? Childe, il y a une quinzaine. Moi… chez Tomlinson, pour la dernière fois. Il avait très joliment brouillé les pistes, semble-t-il à présent.

(Elle ferma les yeux afin de rassembler ses esprits puis les rouvrit sur un regard très direct… et très, très froid.) Mais enfin, il n'est pas difficile de se procurer un corps pour égarer une enquête, et les restes de Grace Street étaient brûlés à un tel degré… Si Throckmorton est sain et sauf…

Le silence tomba. Clare se permit d'espérer qu'on n'allait pas mettre ses facultés à contribution pour débrouiller les fils de l'intrigue. Il mordit dans son toast, beurre et pain épais des plus réconfortants.

— Les déplacements de Hugh Devon m'intéressent énormément, reprit la jeune femme. Toutefois, suivre sa piste nous ferait perdre du temps, puisqu'il est mort. Throckmorton, en revanche…

— La signature de Cedric Grayson figure sur les papiers que vous m'avez remis, intervint Clare. Vous ne connaissez sans doute pas aussi bien que moi son écriture. (Lorsqu'un souvenir accrocha soudain sa mémoire, il eut la surprise de s'entendre lâcher un éclat de rire.) Du poison dans le xérès. C'est *tout à fait* lui.

— Le xérès ?

Voilà pourquoi il sentait aussi mauvais. C'était un vin de piètre qualité, certes, mais aussi corrompu.

— Quand nous avons rendu visite à ce monsieur, il m'en a offert un verre. Sur le moment, je me suis dit qu'il était exécrable, mais Cedric a tellement mauvais goût…

— Du poison. Je vois. À action lente, sans le moindre doute, et censé épargner certains de vos organes.

— Vraiment ?

— Les autres mentahs non enregistrés avaient été privés de leur cerveau et de leur moelle épinière. Je pensais qu'un mage des Altérations avait sombré dans la folie.

— Oh.

Clare frissonna. Pas étonnant qu'elle ait gardé cette information par-devers elle. La nature de l'affaire s'en trouvait tout entière changée, mais il se sentait la cervelle trop douloureuse, pour mettre à profit immédiatement cette révélation.

— En ce qui concerne le piège de Bedlam, continuait son hôtesse, toujours aussi délicate, il était censé venir à bout de *moi*, bien sûr, peut-être pendant que je veillais sur vous. Pas mal ! Ce qui nous amène à nous poser une question intéressante, une de plus…

Du moment que vous ne comptez pas sur moi pour y répondre…

— Laquelle ?

— Où est passé Lord Sellwyth ? En admettant que Throckmorton soit toujours en vie, j'ai beaucoup de mal à croire que *lui* soit réellement mort.

Vraiment.

— Ah bon. Je ne puis vous aider.

— Je n'en ai pas besoin. (Elle sirota à nouveau un peu de thé, avec une élégance exquise. Il eut la brusque impression qu'il n'existait guère d'endroits où Lord Sellwyth pourrait se cacher, quand elle serait réellement décidée à le trouver.) Dites-moi, monsieur Clare, combien de temps va-t-il falloir à vos facultés pour redevenir opérationnelles ?

Il réfléchit à la question avec soin, ce qui lui arracha une grimace.

— Quelques heures et l'un de vos excellents dîners devraient me remettre parfaitement d'aplomb, mademoiselle Bannon.

— Parfait. Occupez-vous donc de restaurer lesdites facultés, et nous aurons une petite discussion après dîner, justement. (Elle se leva en agitant vaguement la main dans sa direction, car il faisait mine de l'imiter.) Non, non, restez assis. Vous avez été parfait, monsieur Clare. Vraiment parfait. Après dîner, donc.

Il s'aperçut alors qu'il avait la bouche sèche.

— Bien. Mais, mademoiselle Bannon ?…

Déjà à mi-chemin de la porte, elle pressait le pas, les jupes froufroutantes, après avoir remis sa tasse à Mikal.

— Oui ?

— La prochaine fois que je vous servirai d'appât, ayez la bonté de m'en informer, je vous prie. Peu m'importe de m'agiter au bout d'un hameçon. Je dois bien avouer que j'en tire un certain plaisir. Mais je préférerais ne pas faire prendre de risques à mes amis.

Elle s'arrêta.

— Vous ne serviez pas d'appât, monsieur Clare. Plutôt de chien courant, censé exciter la proie.

— Il n'empêche.

Bref hochement de tête, proprement royal. Imitait-elle Victrix sans en avoir conscience ? Encore une question qui attendrait que la tête de Clare cesse de lui faire abominablement mal.

— Vous avez raison, vous avez au moins gagné le droit d'être prévenu de ce genre de choses. Je vous présente mes excuses.

Sur ces mots, elle passa la porte que lui avait ouverte le nouveau Bouclier. Et qui se referma, laissant Clare en compagnie du spadassin et de Sigmund. Lequel écrasa quelque chose dans son assiette, se lécha les doigts puis lâcha un renvoi satisfait.

— Quelle femme ! déclara-t-il d'un ton rêveur. *Ein eis Mädchen,* Archibald, *mein Herr*. Je crois que je suis amoureux.

Le Napolitain faillit s'en étouffer de rire. Quant à Clare, il se contenta de presser en soupirant la glace contre son front.

Le dîner fut assez rapide, quoique superbe.

Mlle Bannon, toute de soie noire vêtue et arborant des bijoux encore plus fantastiques que de coutume, attendit jusqu'au plat de légumes pour se lancer.

— Je vais m'occuper de Lord Sellwyth, de Grayson et de Throckmorton. Pendant que vous, monsieur Clare, vous allez trouver… et, si nécessaire, détruire, la machine logique maîtresse.

— Splendide.

Il se tapota les lèvres à l'aide de sa serviette. Pour une fois, Valentinelli, assis à côté de lui, avait oublié sa mauvaise éducation et faisait montre des manières les plus exquises. Mikal et le nouveau Bouclier – Éli –, installés en face de lui, mangeaient de bon appétit. Quant à Sigmund, séparé de son ami par le Napolitain, il témoignait dans un allemand marmonnant de son admiration pour l'excellente cuisine dont il se délectait. Les questions importantes l'indifféraient manifestement au plus haut point – y compris ce qu'allaient penser sa logeuse et son apprenti de sa disparition et de l'état de son atelier, par exemple. À vrai dire, il avait déjà griffonné à leur adresse une courte lettre, qu'il leur avait expédiée pour le penny habituel, puis les avait chassés de son vaste esprit, qu'il consacrait maintenant à d'autres problèmes.

— Comment devrais-je m'y prendre, à votre avis ? s'enquit Clare. J'ai bien ma petite idée, évidemment…

— … mais vous aimeriez savoir si j'ai interrogé certain mage mort et suis en mesure de vous éclairer quelque peu. La réponse est oui, dans les deux cas.

Il remarqua qu'Éli pâlissait, les yeux rivés sur son assiette, avant de secouer légèrement la tête puis de s'attaquer une fois de plus à sa nourriture. *Intéressant.* C'était un véritable plaisir que de se remettre à déduire sans avoir l'impression qu'on vous avait rempli le crâne d'acide. Les équations avaient failli venir à bout de Clare, car la petite machine logique avait imposé à ses capacités une telle surcharge que sa tête s'était transformée en citrouille surgonflée, prête à exploser. Il n'avait jamais eu aussi mal au crâne depuis ses examens.

En bon natif de Liverpool, Éli ne se sentait pas très à l'aise dans sa veste à haut col, quasi assortie à celle de Mikal – ainsi, d'ailleurs, qu'à celle de la magicienne. Mlle Bannon n'avait sans doute pas loué ses services à la suite de longues réflexions. Peut-être même s'agissait-il d'un réfugié supplémentaire, qui venait s'ajouter à sa maisonnée d'épaves ?

À moins qu'elle n'estime finalement la situation assez dangereuse pour lui imposer un second Bouclier… Mais, dans ce cas, pourquoi pas plusieurs ?

Les implications de cette dernière question s'avéraient extraordinairement troublantes. De même que celles des mutilations infligées aux mentahs.

Clare fit l'effort de se concentrer sur ce qui se passait au moment présent. Après un choc violent, il arrivait que l'esprit d'un mentah se perde sur les chemins détournés de la logique, en oubliant le plus direct.

— Je vous en prie.

— La manière dont j'ai obtenu ces renseignements…

— … ne me dérange absolument pas, mademoiselle Bannon. Je ne vois pas ce qui pourrait me déranger maintenant, du moins pendant les deux semaines à venir. Ensuite, nous verrons. (L'estomac de Clare était en tout cas parfaitement accroché. Maigre réconfort.) Rien de ce que vous pouvez me dire ne risque de m'incommoder davantage que les événements de cet après-midi.

Le demi-sourire chagrin qu'elle lui adressa lui fit comprendre qu'elle doutait fort du bien-fondé de pareille affirmation, mais qu'elle était trop polie pour le lui dire.

— Soit. L'ombre de M. Devon, sommée de s'expliquer, m'a appris que la conspiration était tout près de porter ses fruits. Il n'y manque apparemment qu'un élément, une cargaison expédiée de Prusse.

— Des condensateurs, bien sûr, acquiesça Clare. Surtout si les comploteurs ont l'intention de confier la gestion du transmetteur à un unique mentah ; chaque pièce l'aidera à maîtriser les équations subsidiaires. Je ne sais pas avec certitude à quoi sont censés servir les organes nerveux surnuméraires, mais ils ont forcément une fonction. Quant à savoir lequel de mes confrères va se charger de la tâche…

— Pour l'instant, peu importe. La cargaison a été retardée par le mauvais temps, mais elle est censée arriver à Douvres demain matin. (La Prima avait à nouveau pâli.) Vos compagnons et vous allez l'intercepter puis faire tout votre possible pour retarder, voire contrecarrer les éléments de la conspiration qui reposent sur ces condensateurs.

— Pendant que vous vous occuperez de…?

Il avait beau connaître la réponse, il s'apercevait qu'il avait envie de l'entendre de la bouche de son hôtesse. C'était une femme très étonnante, et il trouvait agréable de discuter avec quelqu'un qui n'avait pas besoin de dorlotage intellectuel.

Quelqu'un qui *pensait*.

— Il est grand temps que Lord Grayson réponde à quelques questions.

Le regard calme et froid de la magicienne se posa sur le gracieux surtout en argent. Les pattes de griffon se tortillèrent sous la table, mal à l'aise, sans que la moindre ride plisse la nappe immaculée. Le cadavéreux M. Finch apporta de son propre chef une carafe et un petit verre à son employeuse, qui s'empara du second sans y jeter un coup d'œil et s'en expédia aussitôt le contenu dans la gorge. Ce fut tout juste si un semblant de grimace très féminin crispa ses traits enfantins.

— Merci, Finch. Je vous prie de m'excuser, messieurs, mais j'ai vraiment besoin d'un cordial. Cette affaire est des plus déplaisantes.

— En effet.

Le mentah s'aperçut qu'il tendait la main vers son verre à vin. *Je lui envie un peu son rhum.* Malheureusement, un alcool fort aurait émoussé les facultés de Clare en même temps qu'il lui aurait apporté un certain soulagement. Un peu de coja lui ferait peut-être du bien, en revanche, mais il était hors de question d'en prendre à table. Plus tard, dans ses appartements…

— Quelque chose me tracasse, mademoiselle Bannon.

Léger haussement de sourcils.

— Et de quoi s'agit-il ?

— Nous n'avons pas affaire à une vulgaire conspiration. Que veulent faire ces gens de leur armée, si formidable soit-elle ? Et où ont-ils obtenu l'argent nécessaire à pareille entreprise ? Tout ceci est très extraordinaire. Ma curiosité est à son comble.

Le rhum ne semblait faire aucun effet à la jeune femme.

— Il vaut mieux pour vous ne pas savoir certaines choses, monsieur Clare. Vous m'en voyez désolée.

— Ah bon. (Il sirota son vin.) Je travaille mieux quand j'ai des informations, voyez-vous. En admettant que quelqu'un veuille renverser l'incarnation actuelle de Britannia, il me semble très improbable que ces gens n'aient mis sur pied qu'une seule petite armée, censée servir un plan intangible. Quand bien même il s'agit d'une armée insensible à la magie.

La table cliqueta légèrement. Sigmund en personne leva les yeux, cessant un instant de mastiquer.

Le visage enfantin de la magicienne se fit encore plus obstiné. Des étincelles cramoisies jumelles flambèrent un instant dans ses pupilles.

— Il ne s'agit pas d'une simple conspiration, monsieur Clare, mais de l'alliance monstrueuse d'intérêts contradictoires, tous plus ou moins malhonnêtes. Une des parties au moins aimerait purement et simplement détruire Britannia, une autre ne cherche peut-être qu'à affaiblir Son incarnation actuelle, de manière à La rendre sujette à la coercition, tandis qu'une troisième veut semer le plus de désordre et de confusion possible pour handicaper l'Empire autant que faire se peut.

Ses longues boucles d'oreilles de jais se balançaient, alors qu'elle restait immobile ; les grosses pierres noires du collier de chien qui entourait son cou gracile étincelèrent une seconde d'un unique symbole de charte aveuglant. Une légère brise fraîche venue d'on ne sait où anima ses boucles et caressa le visage de Clare.

— Je ne laisserai *rien* de tel se produire. Je réglerai les choses à ma satisfaction et de la manière qui me semblera la meilleure.

Un silence immense s'abattit. Tout le monde la regardait. Valentinelli, pensif et intéressé, son visage grêlé ouvert. Le Bavarois, qui en oubliait de mastiquer, les yeux écarquillés tel un enfant effrayé. Le nouveau Bouclier, pâle comme un linge, la fourchette posée près de son assiette. Mikal, attentif, plus expressif qu'il ne s'était jamais permis de l'être.

A-t-elle conscience de ce qu'il ressent ? En a-t-il conscience, lui ?

Clare se radossa, joignit le bout de ses doigts sous son long nez sensible et examina son hôtesse figée. Jusqu'au moment où il eut assez rassemblé ses pensées pour reprendre la parole. *Fais attention, Archie, mon vieux. Très attention.*

— Autant que j'ai pu en juger jusqu'ici, mademoiselle Bannon, la reine a confiance en vous. Une confiance bien placée. Vous n'êtes ni stupide ni irresponsable, et j'irai jusqu'à affirmer qu'on ne saurait trouver meilleure sujette de Britannia. Bien que vous m'ayez soupçonné et ne m'ayez pratiquement rien dit des contours de cette conspiration, je vous fais moi-même confiance. Je suis votre serviteur, madame… (Il écarta les mains pour prendre son verre à vin.) Je ferai de mon mieux pour vous soulager du fardeau confié par le Seigneur et Sa Majesté. Cependant, estimez-vous la situation assez grave pour que nous renoncions aux douceurs, ou allons-nous les partager, puisqu'il s'agit peut-être du dernier repas auquel certains d'entre nous auront eu la chance de participer ?

La bouche de la jeune femme se pinça en une ligne si fine qu'il fut un instant persuadé d'avoir employé les mots exacts à éviter. Après tout, les gens étaient si *pénibles*. Et il avait affaire à une femme… créature d'une irrationalité remarquable par essence, même si Mlle Bannon faisait partie des êtres humains les moins irrationnels qu'il avait jamais eu le plaisir de rencontrer.

D'ailleurs, sa bouche se détendit, tandis qu'un sourire se levait sur son visage tel le soleil.

— Je pense la situation assez grave de mon point de vue, mais pas du vôtre. Vos compagnons et vous allez donc devoir rendre justice aux douceurs en mon nom. Je veux voir Lord Grayson le plus vite possible après le retournement de marée. Merci, messieurs.

Lorsqu'elle se leva, sans perdre son sourire, tous ses compagnons de table bondirent sur leurs pieds comme un seul homme. Elle quitta la salle à manger en coup de vent, pendant que les deux Boucliers s'empressaient de lui emboîter le pas.

Le Napolitain souffla un juron.

— La dernière fois que la *strega* a fait cette tête-là…

Il se rassit au moment où M. Finch refaisait son apparition, en compagnie des deux valets de pied chargés des friandises. Le majordome ne témoigna d'aucune surprise ni inquiétude en constatant que sa maîtresse avait quitté la salle à manger.

— Que s'est-il passé, la dernière fois qu'elle a fait cette tête-là ? s'enquit Clare.

Valentinelli laissa le domestique aux cicatrices débarrasser son couvert.

— Oh, rien. C'est juste que Ludovico a failli finir pendu, pendant qu'*il sorcieri* ricanait dans le noir. La *strega* a sauvé Ludovico, la garce ! (Haussement d'épaules.) Un jour, je lui pardonne. Mais pas aujourd'hui.

— Ah.

Clare rangea l'information dans son esprit. Le tiroir mental consacré à Valentinelli était à présent presque aussi intéressant que celui de Mlle Bannon.

Presque. Il avait toujours la sensation des petits doigts tremblants sur sa main. Et trois parties aux intérêts distincts, quoique entrelacés, faisaient de la conspiration un puzzle encore plus déconcertant – et fascinant.

Sigmund poussa un soupir mélancolique.

— Nous finissons le dîner, *ja* ?

— Mais oui. (Clare se rassit lentement. M. Finch entreprit de servir le xérès.) Nous finissons le dîner, mon cher Sigmund.

Il se pourrait que ce soit le dernier, si mes soupçons se confirment.

INTERLUDE

Les falaises ne l'arrêteront pas

La pluie avait cessé quand le retournement de marée déferla dans les rues, mais l'approche de la nuit fit ressurgir le brouillard. Il bouillonnait à la surface des pavés tandis que le coupé tonnant se dirigeait à vive allure vers la gare, sous les claquements de fouet occasionnels du cocher. Clare joignit une fois de plus le bout des doigts en s'efforçant de soutirer à son esprit les déductions les plus inquiétantes.

Exercice difficile pour plusieurs raisons, dont l'une s'appelait tout bonnement Sigmund, car le Bavarois délirait d'admiration. Il célébrait Mlle Bannon dans une véritable logorrhée, à laquelle il semblait incapable de mettre un terme – en admettant qu'il en ait envie. Valentinelli ricanait parfois, mais tenait cependant sa langue. Le vacarme de la voiture, le trot des chevaux mécaniques et les secousses représentaient aussi une distraction importune, d'autant plus que Clare avait en effet pris un peu de coja avant de partir. Ses facultés aiguisées et ses limites repoussées lui auraient offert un merveilleux apaisement, s'il avait été seul.

— Quelle grâce ! murmurait Sigmund. Baerbarth sera un héros, oui ! Clare aussi. Car c'est un homme de bien.

Nous allons peut-être mourir, et il ne peut pas s'arrêter de délirer. Seigneur. Allons, Archie, ne t'en occupe pas.

Trois joueurs, donc… ou, du moins, trois joueurs dont Mlle Bannon était disposée à admettre l'existence. Un dragon, évidemment. Les doutes que Clare avait longtemps entretenus sur l'existence de ces bêtes mythiques avaient été sérieusement ébranlés par les récents événements. Les griffons, d'accord, mais les drakes capables d'arrêter le temps, les messagers du désastre, les grands condensateurs d'irrationalité, les soi-disant professeurs du célèbre mage Simon Magister, qui avait couvert Petrus d'or pour obtenir des pouvoirs divins et suscité l'adulation par des miracles supérieurs à ceux des disciples du Christos…

… ça, non. Les machines logiques avaient beau créer un champ d'ordre et de raison impénétrable à la magie, la monstrueuse irrationalité d'un dragon n'en était peut-être pas affectée. Peut-être d'ailleurs les autres conspirateurs prenaient-ils ce pari. Mais de qui s'agissait-il au juste ? Car Clare ne croyait pas être lui-même capable de percer par le raisonnement les motivations d'un drake.

Toutefois, Mlle Bannon les lui avait déjà données. La destruction de Britannia… Était-il seulement possible de détruire l'esprit régnant de l'Empire ? Un esprit sans âge, immuable, qui accumulait à chaque réceptacle plus de pouvoir et de savoir. Pourquoi les fabuleux reptiles Lui en auraient-ils voulu ? Incapable de répondre à la question, il la mit de côté pour y revenir plus tard.

Cedric et un mage... Lord Sellwyth. Le comte de Sellwyth, très exactement, sur qui je n'en sais pas assez, et de loin. Par quoi Cedric pourrait-il bien se laisser tenter ?

Le pouvoir, évidemment. Quant au Prime... Le pouvoir aussi. Il paraît que l'ambition est le sang du magicien.

— Une *Hexe*, oui. Rien d'insurmontable, hein, Archibald ? Je vais lui fabriquer quelque chose. À votre avis, que peut bien vouloir une *Hexe* d'un *mécaniste* ? Pas ma *Spinne*, non, mais…

— Je ne crois pas que Mlle Bannon soit du genre à se marier, vieux frère.

À quoi bon des condensateurs prussiens ? se demanda brusquement Clare. *Ils sont d'excellente qualité, certes... mais pas nécessaires pour les mécas de l'entrepôt, par exemple. Non seulement des davenport ou des hopkins feraient aussi bien l'affaire, mais les comploteurs auraient plus de chances de garder le secret sur leur transport. Alors pourquoi des prussiens ?*

Ludovico montra les dents, mais resta muet. Clare se sentit brusquement heureux. Il aspirait à quelques instants de calme et de tranquillité après cet enchaînement logique.

— Pourquoi des prussiens ? murmura-t-il, les yeux fixés sur le brouillard du dehors, éclairé par les becs de gaz.

Des formes vagues bougeaient dans ses profondeurs.

Ma foi, pourquoi pas ? La standardisation faciliterait la construction des mécas… Ah, il avait aussi un autre problème à résoudre, il ne devait pas l'oublier. *Qui* avait construit ces choses, y compris les petites machines logiques ? Deux ou trois mentahs auraient été bien incapables d'une prouesse de cet ordre. L'enquête de Mlle Bannon aurait dû la mener à une usine, voire deux, s'activant à produire les grandes carcasses, en admettant qu'elles soient fabriquées près de Londinium – ou ailleurs, avant d'être introduites en ville, ce qui constituerait en soi une entreprise difficile.

Sans parler des… des prélèvements… sur les mentahs non enregistrés. Une récolte.

Il y a quelque chose qui ne va pas du tout, du tout.

Pendant que Sigmund recommençait à délirer sur les yeux sombres de Mlle Bannon, Clare partit à la pêche dans sa mémoire.

« Curieux. Et qui achète les condensateurs prussiens, maintenant ?

— Personne. Y a des richards qui s'arrachent les ch'veux en attendant, y en a qui disent qu'y sont coincés què'que part en France, ou alors aux Pays-Bas, y en a même un ou deux qui racontent que les Prussiens les gardent dans leurs usines. Les français en verre et les hopkins se vendent tant et plus, maint'nant qu'on trouve plus d'prussiens. »

— Ah ! Ah ! murmura-t-il, tandis que le bout de ses doigts se raidissait.

Le plaisir de la solution se répandit en lui, chatouillant ses terminaisons nerveuses.

La deuxième partie se composait bien sûr d'insulaires, désireux de contrôler Victrix d'une manière ou d'une autre. Elle était l'incarnation de Britannia, certes, mais elle avait été soumise à la coterie de sa mère avant de bannir la duchesse de Kent à Balgrave Square, une fois mariée. On disait d'ailleurs que le prince consort cherchait à réconcilier les deux femmes, même si ses efforts n'avaient pas encore porté leurs fruits.

Quant à la troisième partie à laquelle Mlle Bannon avait fait allusion… Oh, c'était ridiculement simple, si on considérait les choses sous l'angle de la logique. Évidemment, les déductions concernées reposaient sur un certain nombre de suppositions, mais…

— Je lui construirai des lions ! s'exclama soudain Sigmund. Qu'en dites-vous, Archibald ? Un nouvel attelage pour son carrosse ! De grands fauves au cuivre étincelant !

— De grâce, Sigmund, *taisez-vous* un instant ! (La grossièreté avec laquelle on l'avait tiré de ses pensées assombrissait l'humeur de Clare. C'était le problème de la coja. Lorsqu'on vous arrachait brusquement à votre songerie, il était difficile de vous abstraire du bruit permanent pour rassembler une fois de plus les fils du raisonnement.) Je crois que…

— Qu'est-ce que vous croyez, *mentale* ? (Le Napolitain n'ironisait pas, ce qui ne lui ressemblait pas.) Je vais vous dire ce que je crois, moi. La *strega* m'envoie avec vous. Elle se dit qu'il va y avoir du grabuge. Tout ce qu'il y a eu jusqu'à maintenant, *pfft* ! (Le magnifique geste de dédain qui accompagnait le dernier mot fut, hélas, diminué par l'exiguïté du coupé.) Non, non, c'est maintenant que les ennuis commencent. Ludo a aiguisé ses couteaux.

— Il se pourrait fort que vous en ayez besoin, approuva Clare. (*Personne* n'allait donc lui laisser le temps de réfléchir ?) Car je crains que nous n'ayons pas seulement à affronter des mécas, mon cher prince, mais peut-être aussi une traîtrise bien plus sournoise.

Et les blanches falaises de Douvres ne l'arrêteront pas.

28

L'impardonnable

Le Chancelier ne se trouverait évidemment pas à sa résidence londinienne *officielle*. Sa résidence non officielle, sise près de Cavendish Square, évoquait une grosse verrue de pierre disgracieuse, entourée de jardins qui s'y collaient comme des jupes trop fines aux jambes froides d'une prostituée. La demeure, construite dans la précipitation et palpitante de défenses magiques, était presque aussi hideuse que les bureaux du ministre à Whitehall.

Mikal aida Emma à descendre du fiacre pendant qu'Éli la suivait – les yeux grands ouverts, pour une fois. Il semblait à la jeune femme qu'il s'était écoulé une éternité depuis la dernière fois qu'elle avait partagé sa voiture avec un Bouclier, pendant qu'un autre empruntait le chemin des toits.

Elle attendit que le fiacre se perde dans le brouillard pour parcourir la rue du regard. Le pouls de la propriété évoquait à ses sens surnaturels une dent douloureuse. Les défenses voyantes en dissimulaient une ou deux autres, très efficaces. Si ses soupçons étaient fondés – si la maison abritait bien ce qu'elle croyait –, c'était une manière à la fois subtile et intelligente de le cacher.

— Prima ?

Mikal, prudent.

La marée avait tourné. Le brouillard d'un jaune vénéneux s'était épaissi, chargé de sa propre luisance terne. Emma se demandait parfois si, par des nuits pareilles, les becs de gaz ne nourrissaient pas l'étrange luminescence de la brume, car elle les tétait tels des porcelets une truie, et ils répandaient dans ses veines une phosphorescence diffuse.

— Les choses vont sans doute mal se passer.

La pierre ornant sa gorge lui faisait l'effet d'un glaçon, de même que les bagues passées à ses doigts – de curieux bijoux d'ébène, délicatement incrustés d'argent et reliés par un arceau d'hématite qui lui refroidissait le bord de la paume. Cette bande minérale, gravée d'un Mot, maintenait les anneaux ensemble entre ses griffes.

La serre était désagréable à porter, car elle l'empêchait de mettre des gants et plaçait le Mot au contact de sa peau, ce qui se traduisait par une sorte de picotement assez gênant.

Mikal ne répondit pas. Éli modifia la répartition de son poids, ce qui fit légèrement grincer le cuir de ses bottes.

— Jusqu'à quel point ?

Peut-être Childe l'avait-il choisi pour sa voix de ténor, calme et douce. Ç'aurait bien été dans les manières du Prime.

— Nous allons trouver un cadavre, minimum.

Elle n'avait ni châle ni mante ni chapeau. Jamais une femme bien élevée ne serait sortie de chez elle dans une tenue pareille.

Heureusement, je ne suis pas une femme bien élevée, mais une dame. Enfin, presque.

Procrastination que tout cela.

— Bon. (Éli digérait l'information.) Un de moins à tuer.

— Pas forcément. (La tête haute, elle s'approcha de la montagne de magie scintillante. Les deux hommes marchaient du même pas dans son sillage.) Non, pas forcément.

Heureusement, il ne lui demanda pas ce qu'elle voulait dire par là. Elle n'aurait peut-être pas réussi à tenir sa langue acérée, alors qu'elle ne voulait pas en user le tranchant sur un Bouclier qui cherchait juste à détendre l'atmosphère. Il se pouvait que Childe ait besoin de ce genre de bavardage.

Et la Discipline qu'elle pratiquait avait indéniablement causé un choc à Éli.

Le portillon inséré dans le muret d'enceinte n'avait pas été verrouillé. Il suffit à Mikal de le pousser avec précaution pour se faufiler le premier dans la propriété, suivi d'Emma, puis d'Éli, qui fermait la marche. Le gravier craqua sous leurs pieds, tandis que l'allée circulaire frémissait tout entière, écrasée de brouillard. Les jardins se réduisaient à des ombres indistinctes ; la grande double porte vaguement visible au sommet du perron était une véritable monstruosité de chêne, renforcée d'acier. Ce fut au pied des trois marches usées que le cœur d'Emma manqua un battement, se figeant dans sa poitrine telle une masse de plomb.

Le battant de gauche était entrebâillé – à peine.

Il l'attendait.

— Mikal ?

— Oui.

Le Bouclier se tenait à sa place habituelle, derrière l'épaule droite de la jeune femme, dont la chair se glaça.

Il avait en effet rompu le cou de Devon sans lui abîmer la tête pour qu'elle puisse interroger l'ombre du mort, tout en évitant que ladite ombre prenne le contrôle du cadavre. Comme si, persuadé que sa maîtresse déciderait de parler au défunt, il avait voulu lui en donner les moyens les plus sûrs.

Une idée… intéressante.

— Il est à *moi*. Vous ne vous occuperez que des Boucliers.

— Oui, Prima.

Apparemment, il s'en fichait.

Nous allons avoir une longue conversation, Mikal. Mais pas maintenant…

— Éli ?

— Oui, Prima ?

— Ouvrez davantage le battant de gauche. Prudemment. *Très* prudemment.

La prudence se révéla inutile, car la lourde porte de chêne et d'acier pivota silencieusement sur ses charnières, sans la moindre difficulté. Il régnait dans la demeure une nuit absolue. Les défenses qui scintillaient à la Vision ne se contractèrent ni ne regimbèrent, mais se laissèrent au contraire écarter délicatement. Emma en profita pour goûter aux traces immatérielles de la personnalité qui les sous-tendait.

Curiosité inutile, car elle aurait reconnu *son* œuvre n'importe où. Il lui semblait avoir découvert dans une autre vie les torsions subtiles, le dédain perpétuel, les évolutions serpentines de *son* immense intellect.

Peut-être n'avait-il jamais compris que sa compagne apprenait à chaque instant de leur relation. Qu'elle suivait grâce à lui des cours variés. Dont un qu'elle mit aussitôt en pratique.

Ne déclenchez jamais un piège dont vous ne connaissez pas très exactement le mécanisme et la force, très chère. Conseil vaguement sarcastique, avec un petit côté mordant. *Mais lorsque vous le connaissez, faites vite. Il doit savoir qu'il a été déclenché.*

La tête haute, elle rassembla ses jupes et passa la porte d'un pas résolu.

L'obscurité s'étira une seconde, couverture noire onduleuse, mais le sortilège était si comiquement basique qu'Emma le brisa sans même avoir recours à un Mot ni un charme, par un simple effort de volonté. Il aurait pu bien sûr en dissimuler un autre, diabolique, complexe, mais elle n'en croyait rien.

Et elle avait raison. Le vestibule, très haut de plafond quoique étroit, menait à un grand escalier qui remportait la palme de l'élément d'architecture intérieure le plus abominable qu'elle ait vu en six mois. Comme si Grayson cherchait vraiment à se procurer ce qu'il existait de plus hideux.

Où peut-il bien être ? Au salon ? Dans la chambre ?

— Mikal ?

— Ils n'essaient pas d'être discrets, chuchota le Bouclier, avant de tendre le doigt vers les profondeurs du couloir. Là.

Au salon, donc. Ce qui avait un certain nombre d'implications ennuyeuses.

— Pas le moindre serviteur pour débarrasser les visiteurs de leurs manteaux, commenta tout haut Emma. Quelle impolitesse !

La poignée de porte en porcelaine cliqueta. Une tranche de lumière rougeoyante s'élargit dans le corridor, quand le battant pivota en silence. Il s'ornait de chérubins potelés dont le style n'avait même pas réussi à s'imposer dix ans plus tôt, au moment de son lancement.

Tout cela reste très théâtral... Emma n'en continua pas moins sur sa lancée d'un pas vif, ses Boucliers dans son sillage. Ses jupes froufroutaient, car pourquoi se serait-elle montrée discrète ? Passé la porte, elle avança sur un tapis aussi coûteux que hideux, aux motifs ballonnés – sans doute des fleurs.

Les meubles, massifs et patauds, n'en étaient pas moins également luxueux. Une maniaque de l'appuie-tête et du napperon avait sévi, dispersant alentour ce genre d'horreurs artisanales auxquelles on pouvait s'attendre de la part d'une pauvre petite chose capable d'épouser un Grayson. Cet homme avait cantonné son bon goût et son intelligence à la politique, domaine dans lequel il était en effet un adversaire à la fois habile et subtil.

Habileté et subtilité à présent répandues sur l'horrible tapis en éclaboussures rouges collantes. L'odeur cuivrée de la mort avait envahi le salon étouffant. Le meilleur fauteuil de cuir, disposé près de la cheminée, offert à l'éclat et à la chaleur d'un joyeux brasier, abritait Llewellyn Gwynnfud. Lequel gloussa, l'air remarquablement content de lui pour un mort aux longs cheveux presque blonds rejetés en arrière.

— Ponctuelle jusqu'au bout, très chère.

Le Prime censément défunt leva un petit verre à vin en cristal, à demi plein d'un liquide rouge sombre. La brusque tension de Mikal apprit à Emma qu'il se trouvait sur les lieux d'autres Boucliers, cachés, bien sûr. Étaient-ils au courant de ce qu'il était advenu des derniers protecteurs du Prime entraînés au Collegia ?

Le corps martyrisé, éviscéré de Grayson gisait sur un canapé brun en crin, les entrailles enchevêtrées et fumantes. La jeune femme se demanda en y accordant un second coup d'œil si Llewellyn avait tué ses Boucliers de ses mains.

Et si Mehitabel la Noire l'avait aidé.

— Un simulacre, dit Emma. Un simulacre absolument fantastique, ajouterai-je, tel que jamais vos pouvoirs ne vous permettraient d'en fabriquer. Vous attendiez-vous vraiment à ce que le piège de Bedlam me tue, votre maître endormi et vous ?

Une crispation d'agacement aussitôt lissée passa sur le visage de l'adversaire. Long nez, lèvres pleines, yeux bleus un peu trop rapprochés… Il était beau, oui, elle était disposée à l'admettre. Pour celui qui ne le connaissait pas.

Quand on le connaissait, on distinguait la pourriture sous-jacente.

— Je n'ai pas de maître, très chère. Certains de nos associés pensaient que votre sort serait scellé avant ce soir, mais ils ne vous ont pas autant fréquentée que moi.

Il fit tournoyer son verre, où le fluide visqueux produisit contre le cristal un léger bruit de glissade, perceptible malgré le rugissement du brasier.

— Mais si, vous avez un maître. Je ne parle pas de Mehitabel, elle serait incapable de fabriquer un simulacre de cette qualité, puisqu'elle appartient à la lignée Noire. (Emma se tapota les lèvres du bout du doigt en remarquant que les paupières de Llewellyn s'abaissaient légèrement. C'était ce qu'il s'autoriserait de plus proche d'un tressaillement, sur la scène soigneusement aménagée où il avait décidé de l'affronter.) Mais peu importe, je réglerai sous peu mes comptes avec lui. Je préfère m'occuper de vous avant.

Les dents blanches apparurent brièvement.

— Je suis flatté.

— Vous ne devriez pas. Après tout, vous n'êtes que le problème le plus mineur.

Des étincelles crépitèrent, la tension haletante monta d'un cran. Le feu brûlait haut et fort, oui, mais pas assez pour produire une chaleur pareille. S'y ajoutaient le liquide dans le verre et les ombres massées sur les murs – qui pouvaient dissimuler un Bouclier ou deux… voire une demi-douzaine. Il fallait aussi se méfier du cadavre éviscéré et de l'ensemble de la demeure, dont les grincements et craquements avaient peut-être un *tout petit* quelque chose de bizarre pendant que la nuit tombait et que le brouillard jaune s'appesantissait ardemment. Les bruits étaient un peu trop nets, trop pesants.

Bref, Llewellyn Gwynnfud avait peaufiné le décor pour une raison précise. Emma s'éloigna du corps d'un petit pas sur la gauche.

— Grayson ne s'attendait pas à cela, constata-t-elle tandis que ses deux compagnons suivaient le mouvement, Mikal en silence, Éli avec un imperceptible grincement de bottes.

Llewellyn resta de marbre en levant son verre pour contempler le tourbillon du cordial.

— Vous avez trouvé un autre Bouclier. Qui a-t-il tué, celui-là ?

Manière indirecte de rappeler Crawford à son interlocutrice, dans l'espoir de la déstabiliser, bien sûr.

— Beaucoup moins de gens que vous, à mon avis. Vos anciens Boucliers ont tous été déchiquetés dans une venelle, me semble-t-il. (Lorsqu'elle montra d'un geste brusque le cadavre indécemment exposé, elle eut le plaisir de voir tressaillir l'adversaire.) Exactement comme lui.

Vous suivez clairement un schéma, Lord Sellwyth. (Elle baissa la main.) Oui, *Sellwyth*. Dinas Emrys appartient à votre famille depuis longtemps, me semble-t-il. (Une pause.) J'ai toujours eu envie de visiter la propriété. Peut-être l'heure est-elle venue.

S'il fallait en croire la légende de l'Âge du Feu, l'antique citadelle comtale était concernée par la *Pax Draegonir*. Les simulacres des dragons y tenaient conclave en présence de leur progéniture endormie, le Troisième Drake, celui dont descendaient tous les petits drakes de l'époque contemporaine.

Les deux premiers Grands Drakes étaient morts ou plongés dans un sommeil si profond qu'ils auraient aussi bien pu l'être – du moins les magiciens l'espéraient-ils. Quant à Vortigern, qui reposait juste sous la surface de l'île, Britannia Elle-même aurait été bien incapable de dompter une créature d'une telle puissance.

Le Prime s'était figé. Il produisit un petit *Tss, tss !* avant de continuer :

— Vous êtes *si* rapide, très chère. Maintenant, écoutez-moi une minute.

— Vous avez toute mon attention.

Pour l'instant.

— C'est une de vos plus grandes qualités. La manière dont vous savez écouter en écarquillant vos yeux. (La langue de Llewellyn apparut, le temps d'humecter ses lèvres pleines.) La marée monte.

La manière dont il arqua le sourcil réduisit la solennité de la déclaration, mais il n'en était pas moins sérieux.

Terriblement *sérieux,* se dit Emma.

— Allez-vous vraiment continuer à perdre votre temps avec votre curieuse manie du devoir ? demanda-t-il d'une voix douce, en pesant chacun de ses mots. Vous êtes tellement douée… et ravissante, qui plus est. J'ai beaucoup regretté notre séparation.

Vous m'avez laissée tomber comme une patate chaude à la seconde où vous vous êtes dit que cette Française vous donnerait un plus, et je ne voulais pas partager mon lit avec une femme. Ensuite, il y a eu Crawford, mais vous n'avez pas pris la peine de vous montrer. Sans doute étiez-vous trop occupé par le meurtre et la haute trahison. Emma se contenta toutefois de pencher la tête de côté. La pierre sur sa gorge restait glacée, au repos.

— Vous êtes là, continua son interlocuteur, mais vous ne vous êtes pas encore lancée à l'attaque. Vous avez donc besoin de renseignements que vous vous croyez capable de m'arracher, à moins que vous ne soyez intriguée, mais je parierais sur la première hypothèse. Toutefois, très chère, au cas où vous seriez intriguée, laissez-moi vous poser une question : que pensez-vous de l'immortalité ?

Franchement, Llewellyn, quel appât ridicule, même venant de vous.

— C'est très surfait. Les Prime vivent si vieux, de toute manière. Et puis l'immortalité ne s'obtient qu'à certaines conditions. Essayez autre chose, Llewellyn.

— Non, l'immortalité ne s'obtient pas forcément qu'à certaines conditions.

Ah. La pierre philosophale. *C'est donc ce qu'on vous a proposé ? Ou ce qu'on vous a accordé. Auquel cas...*

— Suis-je censée déduire de cette affirmation qu'on vous a donné une pierre pour services rendus et qu'il faut la créditer de votre état merveilleusement revivifié, au lieu du simulacre dont nous parlions il y a peu ? Llewellyn. *Franchement.* Je déteste qu'on insulte mon intelligence.

— Dès que le réceptacle de Britannia aura été brisé et notre ami réveillé, très chère. Les drakes ne gaspilleraient pas un atout aussi utile.

Vous feriez bien de ne pas l'oublier. La chaleur devenait pénible.

— On ne peut fabriquer une pierre qu'avec le cœur d'un drake. Or tuer un drake entraîne une malédiction, l'auriez-vous oublié ?

— Vortis a une nombreuse progéniture.

Elle se sentit glacée jusqu'aux os, malgré l'atmosphère étouffante.

— Et vous vous imaginez qu'il va tuer un de ses enfants pour vous ? Allons, Llewellyn, ne soyez pas idiot.

— Il va en tuer deux. Parce qu'il est question de deux pierres. Dont l'une destinée à Grayson. Hélas, par suite d'un malencontreux accident, je vais être en position de la donner à mon gré. (Le Prime s'humecta à nouveau les lèvres, très vite. Le cœur d'Emma bondit dans sa poitrine à lui briser les côtes.) Vous êtes la seule compagne à avoir retenu mon attention assez longtemps pour mériter pareil cadeau. *Pensez*-y, Emma. Vous et moi… n'est-ce pas une idée merveilleuse ?

Et vous avez persuadé la duchesse de Kent que vous l'aideriez à dominer sa fille. Vous êtes faits l'un pour l'autre, c'est sûr.

— Vous êtes fou, dit la jeune femme à voix haute. Je suis la servante de Britannia, au cas où vous l'auriez oublié.

— Vous faites des courbettes devant cette prostituée magique parce que vous y trouvez votre avantage. Allons, Emma, ne jouez pas aux vertueuses avec moi. Je vous connais. Intimement.

Il n'avait pas fondamentalement tort. Il avait même davantage raison qu'elle ne voulait bien l'admettre – compréhension qu'elle ressentit comme une gifle d'eau froide.

— Il semblerait que non. (L'eau se transforma en gangue de glace enveloppante.) Vous croyez vraiment que quelques promesses fumeuses me pousseraient à trahir ? Je vous ai quitté parce que vous deveniez *ennuyeux*, Llewellyn. (Elle inspira profondément avant de lancer l'impardonnable :) Un Bouclier est bien moins pénible et bien plus… *athlétique*, voyez-vous.

L'adversaire blêmit, ses yeux pâles étincelèrent, et son petit verre produisit une note aiguë sous ses doigts crispés.

C'est presque trop facile. Les hommes ont tous le même point faible… dans les culottes.

Il bondit sur ses pieds en jetant le cordial de côté. Le cristal vola en éclats dans l'âtre, où le liquide rouge s'épanouit en brasier d'un blanc bleuté. La magie se déploya, prête à frapper Emma, qui la repoussa avec une facilité méprisante. Une partie du plafond s'effondra, tandis qu'une flamme magique traversait brusquement les quatre étages de la demeure puis s'élevait dans la nuit londinienne embrumée. Llewellyn articula un Mot, l'atmosphère s'emplit soudain de poussière, mais Emma, plus rapide, cracha une demi-mesure de chant qui coupa net le sortilège entamé. Le Prime retomba dans le fauteuil qu'il venait de quitter et qui recula sous le choc en déchirant l'horrible tapis, avant de s'écraser contre les lourds lambris de chêne.

Des claquements de métal et des cris s'élevèrent soudain autour de la jeune femme sans qu'elle y prête attention : les Boucliers de Llewellyn qui jaillissaient de leur cocon d'invisibilité n'étaient pas de son ressort. Dans un duel de ce genre, les mages se consacraient l'un à l'autre, pendant que leurs gardes du corps se débrouillaient entre eux.

Cela valait-il mieux, se dit Emma, la main chauffée par la serre, en regardant l'ennemi se relever dans un grondement de tonnerre.

Aucun des Prime qui avaient affronté Lord Sellwyth en duel ne l'avait jamais vaincu.

29

L'idée de la décevoir me répugne

Sans doute valait-il mieux qu'il ait pris de la coja, faute de quoi le voyage aurait été encore *plus* cauchemardesque. Le martèlement des pistons mécaniques, le hurlement de la vapeur et des charmes œuvrant ensemble à un rythme infernal – voilà qui suffisait à mener au bord de la folie son cerveau sensible de mentah, meurtri si peu de temps auparavant. Alors que le compartiment était correct, avec ses banquettes rembourrées et sa fenêtre bien fermée – Clare le vérifia, car il n'avait aucune envie de profiter des cendres voletantes bien évidemment semées par les convois.

Lorsque les trois hommes atteignirent Douvres, dans le froid et le brouillard, ils se trouvèrent confrontés au problème stimulant, car difficile, du logement. Valentinelli ne fut d'aucune aide, probablement parce qu'il se souciait comme d'une guigne de l'endroit où il posait pour dormir sa tête intéressante, mais Clare avait besoin d'un minimum de confort. Il ne fallait pas non plus oublier la question de l'anonymat… Un hôtel respectable finit cependant par louer une de ses chambres aux voyageurs. Clare regardait par la fenêtre les points jaunes lumineux des becs de gaz, de plus en plus infimes sur la pente descendante menant à la mer, quand le Napolitain l'écarta en poussant un sifflement mécontent puis ferma d'un geste brusque les rideaux à motif d'ananas. Sigmund, qui avait pourtant fait la sieste dans le train, ne s'en allongea pas moins sur les couvertures d'un des lits sans même ôter ses bottes. Quelques secondes plus tard, il ronflait déjà.

— *Porco,* cracha Valentinelli en s'installant dans un fauteuil, près du feu de charbon.

Clare s'assit dans l'autre, les pieds sur un repose-pieds trop dur pour être confortable, tendu du même tissu à ananas que les rideaux. La coja pétillait toujours en lui, aiguisait ses facultés, lui permettait d'écarter les pensées encombrantes. Ses capacités brûlaient de servir dans leur totalité.

Il joignit le bout de ses doigts sous son nez et chassa de son esprit le sommeil bruyant du Bavarois. L'Italien le fixait de ses yeux noirs, mi-clos et pensifs. La lampe posée près de lui sur une petite table l'enveloppait d'une chaude clarté ; le feu était des plus agréables.

Le voyage, expérience déplaisante et agitée s'il en était, avait bien failli déstabiliser son excellent dîner. Le pendentif de Mlle Bannon lui glaçait la peau ; il se demanda comment elle se débrouillait.

Puis ferma les yeux.

— Eh, *mentale* ? (Valentinelli s'agita dans son fauteuil.) Prenez le lit, non ? Je vous réveille au bon moment.

— Je suis très bien où je suis, merci. Il faut que je réfléchisse.

— Elle vous a eu. (Le gloussement du spadassin n'avait rien de joyeux.) La *strega*, elle nous a tous.

L'agacement de Clare ne fit que croître.

— Je vous prie de me laisser tranquille, *signor*, à moins que vous n'ayez quelque chose de vraiment utile à me dire.

— Utile… (Le ton de Valentinelli s'assombrit.) Nous sommes très, très utiles, *mentale*. Elle nous envoie chercher une cargaison de je ne sais quoi. Un appât. Encore une fois. On accroche le *mentale* et Ludo, et on voit ce qui se passe.

— Nous ne sommes pas un appât, protesta aussitôt Clare.

— Ah, non ?

— Non. À vrai dire, je crois que nous sommes le dernier espoir de Mlle Bannon. (Silence.) Réfléchissez, noble spadassin. Nous sommes à trois contre des ennemis qui visent rien de moins que la destruction de l'Empire et, peut-être, le meurtre du réceptacle physique de Britannia. Compte tenu de l'attachement de Mlle Bannon à Victrix, ne trouvez-vous pas instructif qu'elle nous abandonne la défense de Sa Majesté ? Car c'est ce qu'elle fait en nous envoyant à Douvres. Elle s'occupe d'une menace *plus dangereuse*, à son avis, que la rébellion, voire l'assassinat de la reine. Elle nous laisse cette partie des poursuites engagées contre la conspiration… ce qui a des implications fort dérangeantes. Et puis avez-vous remarqué son nouveau Bouclier ? Sans doute, puisqu'il a dîné avec nous. Mlle Bannon l'a engagé, elle qui se refusait manifestement avec énergie à prendre un autre garde du corps. Je pense donc que la situation est on ne peut plus grave.

Il pencha légèrement la tête de côté, sans rouvrir les yeux. Des figures géométriques, des spirales entrelacées et la probabilité de la déduction peuplaient l'obscurité réconfortante étendue sous ses paupières.

— J'ajouterai qu'elle nous a quittés avant la fin du repas et qu'elle est sortie de chez elle avec une certaine ostentation, afin d'attirer si possible les poursuivants dans son sillage en s'agitant sous le nez d'éventuels ennemis tel un mouchoir à la fenêtre d'un wagon. Non seulement elle a porté à leur *maximum* nos chances d'échapper à une attention malveillante, mais elle m'avait en outre donné sa parole de ne pas me traiter en appât. Non, noble assassin, Mlle Bannon compte sur nous. Et je ne pense pas qu'elle soit femme à beaucoup compter sur autrui.

Le silence qui gonflait la chambre à la faire exploser avait plusieurs composantes – le murmure de la lampe, les contorsions chuchotantes et les brèves flambées du feu, un égouttement régulier, dehors. Le brouillard de Douvres ne ressemblait pas à la soupe jaune de Londinium, mais n'en avait pas moins englouti la ville depuis les falaises de craie jusqu'à la gare. Il étouffait les bruits des asiles de nuit et des pubs où les marins buvaient en retrouvant la terre ferme ; il étouffait le claquement des sabots et le grondement des roues devant l'hôtel. Il donnait même à la chambre bien chauffée une odeur âcre et piquante, à laquelle se mêlait l'arôme du sel.

Valentinelli lâcha tout bas un juron dans sa langue maternelle.

— Exactement, commenta Clare d'un ton sec. Maintenant, monsieur, tenez-vous tranquille. Il faut que je réfléchisse. Car je vais être d'une franchise brutale : il n'y a guère d'espoir que nous accomplissions la tâche à nous confiée par Mlle Bannon, mais l'idée de la décevoir me répugne.

Sans parler du fait que Londinium et, à vrai dire, la Britannie tout entière connaîtraient des tourments prolongés si jamais Victrix disparaissait du monde des vivants et si Britannia devait se lancer à la recherche d'un nouveau réceptacle… ou même si la reine retombait sous le joug de sa mère. *Une incarnation malheureuse, c'est une île malheureuse.* Elle souffrirait du mauvais temps, de piètres récoltes ou d'une anomie rampante, qui s'insinuerait jusque dans la moindre fibre de l'Empire, mais elle souffrirait.

Et puis, ma foi, cette histoire constituait un véritable affront à l'ordre, public et autre, que chérissait tout bon sujet de Sa Majesté.

Ils ont quantité de machines logiques. Il faut que je sois prêt.

Un observateur aurait cru Clare endormi, alors qu'il accédait en réalité au curieux dédoublement caractéristique des mentahs. Une moitié de ses facultés cherchait comment faire trébucher les trois parties liguées contre Britannia, pendant que l'autre, aiguisée par la coja, repoussait la moindre distraction pour entamer une série d'exercices mathématiques compliqués. Les équations que la machine logique l'avait obligé à résoudre sans préparation s'étalaient à présent sur ses tableaux noirs mentaux. Il entreprit de les démêler à loisir et de découvrir quels motifs sous-tendaient leur éclat aveuglant.

Clare travaillait, immobile, le front emperlé de sueur.

Il reprit ses esprits à cause de l'étau refermé sur son bras : la main de Valentinelli.

— Réveillez-vous, chuchotait l'assassin. Des bateaux arrivent.

La flamme tremblotante de la lampe projetait des ombres mouvantes sur les ananas en relief du papier peint. Cette maudite chambre était une véritable caisse de fruits tropicaux, Clare s'en fit la réflexion morose en s'étirant maladroitement pour se dégourdir les jambes. Il arrivait que le corps proteste après une longue période de torpeur. Au bout de quelques minutes d'étirements, sous l'œil curieux et vaguement amusé de Valentinelli, il mit la main sur son chapeau et s'aperçut sans surprise que Sigmund bâillait en se grattant les côtes. Après quoi le Bavarois jeta par la fenêtre un coup d'œil prudent.

— Trop calme, murmura-t-il. Je n'aime pas ça.

— Ludo non plus. (Pour une fois, l'Italien n'avait pas l'air de mauvaise humeur.) Mais c'est peut-être la marée. Ou le brouillard.

Clare se lava la figure dans la cuvette. Un quart d'heure plus tard, les trois hommes, en route pour les quais, baignaient dans une atmosphère cotonneuse. Quelques minutes supplémentaires, et ils ne songeaient plus à se plaindre du calme.

Les ports – y compris d'ailleurs Londinium – dormaient rarement, car les navires que la houle y amenait sans interruption représentaient un levain puissant. Cris et jurons perçaient jusqu'à la brume épaisse, accompagnés du choc des amarres et du chant des leveurs de poids à l'ouvrage. Les sorciers du sel chantaient aussi, en entrelaçant les doigts sur des rythmes compliqués afin d'écarter le brouillard en longues cordes tressées. Grâce à eux, leurs confrères des bateaux guidaient en toute sécurité vers les quais les masses de bois et de tissu flottantes dont ils occupaient la proue. Les pilotes juraient et crachaient, les colporteurs, les marchands, les agents se côtoyaient. Les voyous et ravisseurs impatients attendaient avec leurs récoltes toutes fraîches de marins charmés, bien alignés, qui leur vaudraient un shilling par tête, parfois moins – en cas de difformité manifeste, entre autres. Les malheureux resteraient prisonniers Dieu seul savait combien de temps sur des navires dont ils constitueraient l'équipage. Le don de magie le plus infime permettait d'échapper à ces curieuses caravanes, composées d'hommes parfaitement banals, mais elles n'en étaient pas moins nombreuses. Car que pouvaient faire les victimes des bandits, lorsque le bateau sur lequel elles avaient été enchaînées entrait dans un port étranger ? Il ne leur restait qu'à signer, à peine plus librement, soit dans le seul but de toucher la paie prévue à la fin du voyage, soit parce qu'on finissait par avoir la mer dans le sang.

Bref, la foule était immense, malgré l'heure matutinale et l'obscurité. Quelques questions indirectes permirent aux trois curieux d'apprendre que le *Srkany* venait en effet de jeter l'ancre, en provenance de La Vieille-Emsterdamme.

À vrai dire, il était même arrivé pendant la nuit puis reparti avec la marée descendante. Nul ne savait où, et la capitainerie du port se refusait en principe à communiquer ce genre de renseignements, mais Clare en conçut d'autant moins de contrariété que Sigmund manifestait toujours en pareilles occasions un véritable génie. Il le démontra une fois de plus en engageant la conversation avec un leveur de poids… lequel avait participé au déchargement de la cargaison, y compris plusieurs caisses à destination d'une propriété des alentours d'Upper Hardres. Des caisses fort lourdes, que l'uniciste avait copieusement maudites, car elles réagissaient bizarrement aux charmes de levage et d'équilibrage.

Clare aurait volontiers supputé qu'il s'agissait de la propriété même où Masters avait perfectionné le noyau, et peu importait qu'elle appartienne à la Couronne. Sigmund offrit une pinte de bière à son austère informateur, puis les trois hommes replongèrent dans la foule. Clare se sentait nerveux, sans vraiment savoir pourquoi. Peut-être la raison de son malaise ne s'était-elle pas encore présentée à son esprit, parce qu'elle cherchait à se dégager d'une observation à laquelle il n'avait pas accordé l'attention requise.

Lorsque enfin il mit le doigt sur la cause de sa démangeaison mentale, elle devint assez prononcée pour qu'il attrape le Bavarois par le bras afin de l'attirer dans une venelle voisine, commodément obscure, quoique puante.

— Regardez, murmura-t-il. (Sigmund n'eut pas la sottise de protester contre la manière cavalière dont il était traité.) Là. Et là. Que voyez-vous ?

Valentinelli jura en se fondant dans l'ombre derrière eux. Clare éprouva peut-être une très légère satisfaction à l'idée d'avoir repéré avant lui ce qu'ils cherchaient sans le savoir.

De l'autre côté de la rue se tenait un robuste inconnu aux favoris impressionnants, à l'allure indéniablement militaire et au manteau taillé dans une étoffe rare en Britannie. Il avait beau marcher en crabe, comme s'il n'avait pas encore repris l'habitude de la terre ferme, il avait déjà exécuté un aller-retour complet devant une taverne anonyme, où le gin coulait à flots et où régnait une vive animation, malgré l'heure matinale. D'ailleurs, il pivotait, prêt à poursuivre son va-et-vient.

Maintenant que l'attention de Clare s'était concentrée sur l'homme en question, d'autres détails incohérents l'éblouissaient littéralement.

— Et le type en gris, là. Vous voyez comment il tient sa pipe ? Jamais un Anglais ne s'y prendrait de cette manière. Quant à ses bottes… elles viennent de Hesse et brillent comme des sous neufs. Et là-bas, regardez. Encore un Hessien, c'est évident à son manteau. Vous remarquerez qu'il le porte à l'envers. Il y a aussi les deux spécimens à la porte de la taverne. Les mêmes bottes, le même manteau. Ils ont essayé de se déguiser, l'un grâce à un mouchoir, l'autre avec ses horribles culottes, mais leurs favoris les dénoncent. Ces attributs pileux ne sont pas à la mode de notre côté de la Manche, mon cher Sigmund. Alors, que vous apprennent nos observations ?

Le Bavarois écarta les mains en attendant que Clare réponde à sa propre question rhétorique.

— Ce sont des Prussiens, mon bon. Des mercenaires, je parierais bien dix livres là-dessus. Regardez les mains de ces deux-là. Ils sont habitués à manier le fusil. Et celui qui se tient là-bas. C'est le capitaine. Il gonfle discrètement la poitrine afin que nul subordonné ne manque l'insigne de son rang qu'il a été contraint de retirer. Quant à l'autre, là... Il surveille la rue.

— Nous sommes à Douvres, protesta Sigmund d'une voix lente. Des tas d'hommes de tas de pays viennent ici, *ja* ?

— Indéniablement. (Clare fronça les sourcils.) Mais il y en a deux à la porte, un autre là, qui monte la garde, le capitaine qui patrouille... peut-être à la recherche des traînards, qui sait ? Ou pour vérifier que personne ne surveille l'auberge. Parce que cette taverne, et sans doute aussi la moindre des chambres associées, sont pleines à ras bord de mercenaires prussiens. *Voilà* pourquoi les condensateurs prussiens. Et *voilà* ce que transportait le navire par ailleurs. Je m'en doutais.

Valentinelli jura derechef.

— Allons-nous-en. *Maintenant*.

— D'accord. (Clare enfonça plus fermement son chapeau sur sa tête.) Il nous faut des chevaux. Je doute que le train nous emmène à Upper Hardres avant midi.

30
Duel et Discipline

Le Cercle Majeur brillait autour d'Emma. Les symboles de charte mercuriels emprisonnés dans sa double enceinte sifflèrent, crachotèrent lorsque Llewellyn jeta un Mot à la jeune femme, qui le repoussa, la gorge gonflée par le chant ; un trou supplémentaire apparut dans le mur du salon, manquant de peu le Bouclier qui se jetait sur Mikal. Lequel pivota avec une économie de mouvement admirable pour lui planter un poignard dans le cou. Au bruit, on aurait dit une hache s'enfonçant dans du bois sec.

Llewellyn était mal à l'aise, car Emma l'avait toujours surpassé de loin quand il s'agissait de diviser sa concentration. L'eau contaminée qui représentait l'adversaire léchait les contours de sa volonté ; elle riposta par un lac, un océan de pureté, tandis qu'un Mot prenait forme sous son chant puis s'épanouissait dans un éclat éblouissant, dont le feu explosa à la surface des flots troubles qu'il brûla sans pitié. Le Lord recula d'un petit pas dans son propre Cercle ; ses yeux pâles se plissèrent. Le Mot qu'il prononça en réponse éteignit le brasier, une nuit écrasante s'abattit sur Emma et *serra*.

Toutefois, elle s'y attendait : c'était un des trucs préférés de Monsieur. Une glissade de côté – il n'était pas question de déplacement *physique* –, puis elle leva brusquement la main. La malédiction jaillit de ses bagues, élégant symbole de charte meurtrier qui transperça les voiles de la protection éthérique. Llewellyn esquiva juste à temps : il eut beau bondir, son bras gauche fut rejeté en arrière tandis qu'une gerbe de sang jaillissait de son épaule. Indifférent à la blessure, il lança la main droite en avant, dépensant ses forces sans compter pour fissurer les protections d'Emma. Elles scintillèrent, frissonnèrent… tinrent bon – mais il s'en fallut de peu.

Un ruissellement cramoisi, presque noir à la lumière incertaine, descendait le bras de Llewellyn. Sa redingote allait être fichue. Une brusque envie de rire menaça de déloger la prise d'Emma, qui reconnut l'attaque à temps et la laissa glisser sur elle. Son chant adopta la vibration sonore d'un hymne. Les traits de son adversaire se tordirent – mais elle ne doutait pas d'avoir l'air aussi peu urbaine.

Fort heureusement, je ne suis pas une dame. Elle accentua l'attaque d'une volonté impérieuse, sa voix gagnant en volume tandis que celle de l'ennemi vacillait. Le sang qui fonçait la manche de la redingote coulait toujours, mais trop lentement – globules en suspension tournoyant langoureusement sous une main crispée. Les poils d'Emma se hérissèrent.

La colonne vertébrale de Llewellyn se tordit. Son sang ralentit encore. Elle flaira le début d'une Œuvre Majeure, vacillant à la frontière du probable et du possible, structure magnifique d'entrelacs cristallins, calcifiés par un acier chauffé au blanc le plus aveuglant.

Il l'alimente avec le sang. Attention, Emma, sois prudente !

Si elle n'avait pas été autrefois aussi proche de lui, elle n'aurait pas repéré la faiblesse dissimulée avec soin au plus profond du nid d'immenses épines brûlantes.

N'hésitez pas, lui avait-il dit et répété, la main sur sa hanche, dans la chaleur et la sécurité des lits douillets qu'ils partageaient alors. *Lors d'un duel, l'hésitation, c'est l'échec.*

Elle attaqua le trou brut barbelé de pointes en faisant de la force éthérique une lame aiguisée, étincelante, *ployante*. Une secousse lui remonta les bras, lorsque son Œuvre muta pour s'adapter à celle de Llewellyn. C'était l'instant critique, car si elle avait mal évalué la structure à laquelle elle s'en prenait, ses défenses s'affaibliraient et le sortilège dirigé contre elle la frapperait de plein fouet. Mais elle ne s'était pas trompée.

À l'instant où l'Œuvre qu'elle venait d'élaborer explosait sous l'adversaire, il se froissa littéralement, rejeté en arrière telle une poupée de chiffon. Des symboles de charte brisés tourbillonnèrent, pluie d'étincelles dans le moindre coin d'ombre, tandis que la demeure tremblait sur ses fondations. La silhouette inerte du Prime s'abattit dans la cheminée, une bouffée de flammes bleues écorcha les yeux sensibilisés d'Emma, et deux des Boucliers ennemis s'effondrèrent en plein mouvement quand leur maître les sacrifia au choc en retour.

Ce n'est pas une bonne si…

Mikal poussa un cri de rage inarticulé, note cuivrée éclatante sur fond de soudain silence étouffant. Il se jeta sur elle, les poignards brandis, mais la contorsion instinctive d'Emma se révéla inutile.

Ce n'était pas elle qu'il visait. Au contraire. Il avait percé l'ennemi à jour bien mieux qu'elle et réagi bien plus vite. Figée, ses défenses inutiles crachant des étincelles pendant que la pierre sur sa gorge se réchauffait à peine, elle regarda son Bouclier la dépasser…

… et plonger droit dans un tourbillon de faux magiques, alors que la silhouette de Llewellyn, voilée d'obscurité, se relevait dans les ruines de la cheminée. Les lames éthériques s'épanouirent en une rose noire meurtrière. Il y eut un jaillissement obscur. Mikal tomba.

— Tenez-lui la tête en l'air, ordonna Emma, les mains empoissées de sang chaud. Là. Et *là*.

La force magique se déversait de ses doigts. Ses boucles d'oreilles frissonnaient, car l'énergie jusque-là emprisonnée dans leurs longues perles oscillantes s'enroulait délicatement autour de son cou, puis de ses clavicules, avant de ruisseler le long de ses bras pour aller refermer le ventre de Mikal.

Les paupières du blessé papillotèrent. Éli le tenait par les épaules, ses joues pâles éclaboussées de sang et autres fluides. La concentration d'Emma n'admettait aucune hésitation. Elle lissa la chair violentée, pendant que les symboles de charte viraient au rouge en s'enfonçant dans les muscles déchiquetés. Le langage de la Restauration ne pouvait qu'obéir aux lèvres étrangères qui en formaient les syllabes, même si elle ne faisait pas partie des Blancs, dont la Discipline encourageait les soins par toutes ses branches, ni même des Gris, en quête d'Équilibre. Non, dans sa Discipline d'un Noir d'encre, les forces primales concernées étaient trop immenses pour se soucier de détails tels que la peau et la chair déchirées.

Peu importait. Elle avait décidé que la Restauration la servirait, et il n'était pas question de désobéissance. Les muscles se reformaient grâce à l'étincelle de vie qu'ils abritaient, bien plus puissante que la jeune femme ne l'aurait cru possible. Les yeux de Mikal s'ouvrirent, iris ambrés brillant d'un feu impie. Lorsqu'il poussa un long cri inarticulé, tonitruant, elle se laissa aller en arrière sur ses talons, le visage enduit de plâtre et de brique pulvérisés. Dans son empressement à fuir, Llewellyn était passé à travers les murs.

Il a eu entièrement *raison,* songea-t-elle, sinistre. Mais il fallait commencer par le commencement. Elle regarda Éli, qu'elle découvrit livide, hagard. Réaction puérile, mais elle ne se sentait pas le courage de le réprimander.

— Il s'en remettra, dit-elle d'un ton las. Maintenant, écoutez-moi avec attention…

— J'écoute, répondit-il par automatisme.

Bien entraîné, quoique pas très imaginatif, apparemment. Mikal, les yeux clos, ensanglanté quoique entier, se tassa un peu dans les bras de son frère Bouclier. Le corps de Grayson n'était plus que ruines, le sofa sur lequel il avait été abandonné réduit en miettes. Emma ne se rappelait même pas à quel moment du duel c'était arrivé.

Peu importait. Mikal était sauvé, il fallait s'en contenter. Le fardeau maudit du devoir pesait sur les épaules de sa maîtresse.

— Emmenez-le au palais de St. James. Dites au garde en faction que c'est le Corbeau qui vous envoie. On vous introduira auprès d'une personne que je ne nommerai pas. Prévenez-la que Lord Sellwyth est un traître et qu'il n'est pas mort. Dites-lui *Dinas Emrys*, puis racontez-lui tout ce dont vous avez été témoin ce soir en répétant mot pour mot ce que vous avez entendu. Mikal ajoutera ses observations à votre rapport. Ensuite, restez auprès de la personne en question et protégez-la *au péril de votre vie.* Mes instructions sont-elles claires ?

— Très claires. (Éli déglutit avec difficulté. Ses vêtements étaient en piteux état. À vrai dire, les trois visiteurs étaient couverts de plâtre pulvérisé, qui les maquillait d'un blanc voyant.) Dites-moi, Prima, où…

Allait-il vraiment l'interroger, *elle* ?

— Silence ! Je vais partir à la poursuite de Lord Sellwyth. (Elle s'interrompit… puis admit en son for intérieur que son interlocuteur avait besoin d'explications. Après tout, il venait juste de se lancer dans la partie.) Je vais ouvrir les portes de ma Discipline, Éli. Restez ici avec Mikal en attendant qu'il soit en état d'aller à St. Jemes. (Une autre pause, plus longue, pendant qu'elle touchait la joue du Bouclier inconscient, blancheur sur laquelle ses doigts nus posèrent une tache rouge.) Je… je ne veux pas qu'il voie ça. Ni vous non plus, ajouta-t-elle, une seconde plus tard.

Elle se retint toutefois de continuer : *Si jamais il n'arrive pas à St. Jemes sain et sauf, si jamais vous ne le protégez pas en chemin, je vous poursuivrai, et ce que je m'apprête à faire à Llewellyn paraîtra miséricordieux comparé à ce que je vous infligerai.*

Une déclaration pareille n'aurait pas été convenable. La main d'Emma retomba. Elle se redressa en se débarrassant de la poussière et de la saleté grâce à un sortilège de nettoyage crépitant.

La piste de destruction ne traversait que certains murs, mais la maison tout entière vibrait encore de l'écho du duel. Le plâtre s'était changé par plaques en verre ou en acier, à cause des plumes neigeuses ou ténébreuses qui voletaient çà et là, transmutant de vulgaires matériaux ordinaires sans que personne sache pourquoi. Des draperies de moisissure pendaient des plafonds, vers lesquels dégoulinaient par endroits de minces ruisselets prenant leur source sur le sol. La gravité même avait souffert. L'irrationalité finirait par s'épuiser à travers les autres actes de magie exécutés à proximité, mais il y faudrait du temps.

Emma traversa le mur extérieur en secouant légèrement la tête, car les bords du trou béant qui crevait les briques, transformés en longues franges de soie rouge onduleuses, frissonnaient malgré l'immobilité du brouillard. De sinistres petits baisers glissants effleurèrent ses joues et le dos de ses mains.

Llewellyn et ses derniers Boucliers s'étaient précipités vers les écuries. Le Chancelier de l'Échiquier disposait lors des cérémonies officielles du privilège de faire tirer son carrosse par deux griffons, du moment qu'il en payait l'entretien.

Et, bien sûr, Lord Sellwyth pouvait réquisitionner les créatures en question pour s'échapper.

J'ai vraiment dû lui faire très, très peur.

Les fuyards avaient pris le temps de lâcher les griffons sur les chevaux mécaniques, dont les lambeaux tapissaient littéralement les écuries dévastées, où régnait la puanteur brûlante des abats et du sang. Le sol était couvert d'esquilles d'os. Grayson possédait une véritable collection de bêtes Altérées, mais la moindre d'entre elles avait été réduite à l'état de bouillie d'os, de métal et de viande hachée.

Peu importe. Il est temps.

Emma se redressa de toute sa taille, les poings serrés dans les plis de ses jupes déchirées. La vision de Mikal – un corps brisé – se dressa devant ses yeux, mais elle réussit à la chasser, malgré la suée que lui valut l'effort. Le plâtre pulvérisé dont elle était maquillée se transforma en pâte lisse, tandis qu'elle luttait pour contenir la force qui enflait en elle.

Après avoir repris le contrôle d'elle-même, elle parcourut l'écurie des yeux comme si elle la voyait pour la première fois.

La mort est là.

Très bien. Elle était une Endor, l'heure avait sonné de le rappeler à Llewellyn. D'autant plus que s'il arrivait à destination et entamait la prochaine étape à laquelle il pensait très certainement, la reine serait en danger.

Idée qui déplaisait fort à Emma Bannon, magicienne Prime. Elle inspira longuement, régulièrement, indifférente à ce qui l'entourait, concentrée sur la porte verrouillée, barrée, fermée au plus profond de son être.

Sa Discipline se… déploya.

La magie inférieure se composait des chartes et des charmes dépendant de la force stockée puis renouvelée à chaque retournement de marée. La Discipline libérait un pouvoir qui n'obéissait pas au mage. Une puissance qui *était*, tout simplement, qui œuvrait par le passage brusquement ouvert à son avantage jusqu'à ce que cette liaison s'affaiblisse et disparaisse. Lorsque la porte se refermait, le monde avait *changé*.

En cela résidait le danger. Le risque de se perdre soi-même.

Une fleur brutale s'épanouit en Emma, épines couvertes de pourriture, terre dans sa bouche. Des taches de lèpre rampèrent sur sa peau, goût d'ossements et de cendres amères.

— *Aula naath gig*.

Une langue plus ancienne encore que les mots sirupeux de la Restauration, un chant qui prit forme en s'arrachant aux amarres intérieures de la jeune femme. La magie s'éleva, libre, inaltérée.

Les os, la chair, le métal répandus dans l'écurie… bougèrent.

31

Il y a proie et proie

Heureusement, Mlle Bannon leur avait concédé une bourse bien garnie, car louer des chevaux mécaniques pour gagner Upper Hardres revenait ridiculement cher. Ludovico se fit un devoir de le signaler au propriétaire desdits chevaux, avant de se livrer à un marchandage si poussé qu'il sortait des limites du raisonnable. Le spadassin y prit manifestement un plaisir imprudent, finit par se faire traiter de sale romanichel et s'amusa ensuite à renforcer les préjugés de son interlocuteur par des crachats et des insultes au moment le moins judicieux. Sigmund ne fut évidemment d'aucune aide – il se serait laissé voler jusqu'à sa chemise et faillit d'ailleurs en arriver là ; seule l'intervention bienvenue du Napolitain lui évita cette extrémité. Conclure le marchandage de manière plus ou moins diplomatique exigea de Clare une patience dont il ne se sentait pourtant pas outrageusement pourvu.

Toutefois, lorsque l'aube se leva sur les falaises de Douvres, ils étaient en selle. Une demi-heure plus tard, ils abandonnaient dans leur sillage la ville tentaculaire.

Le trajet se réduisit à un badigeon vert et gris, car Clare se concentrait pour l'essentiel sur ses facultés internes, son chaudron mental rempli presque à exploser d'équations. Le motif d'ensemble vacillait, juste hors d'atteinte. Il ne connaissait pas les travaux de Throckmorton, qui avait en outre subi d'autres influences… et s'il avait lu la monographie consacrée aux schémas logiques par Roderick Smythe, force lui était d'admettre que l'entrelacs des équations à résoudre ressemblait autant aux exemples donnés dans cet ouvrage que des ciseaux à ongles à l'Audoricon Infini de Brocarde.

Le brouillard avide chercha bien à suivre les voyageurs, mais à quelques kilomètres de Douvres, ils débouchèrent soudain dans la lumière grise aqueuse de l'aube. Le monde se réveillait en toute discrétion, les oiseaux même oubliant de célébrer le soleil.

La vue était pour l'essentiel entravée par les haies vertes imposantes qui encadraient la route. Valentinelli se tassait sur sa selle comme s'il regrettait d'être là. Sigmund se cramponnait à ses rênes avec l'énergie du désespoir. Clare, lui, aurait plutôt apprécié la promenade, sans son travail mental ininterrompu. Lorsqu'ils atteignirent le sommet d'une côte d'où s'offrirent à leur vue les deux villages d'Hardres, Upper et Lower, la logique d'ensemble des équations lui échappait toujours. Une brume de charbon et de fumée s'élevait sous les gros nuages gris du mauvais temps qui arrivait de loin, parfaitement visible. La propriété à laquelle s'intéressaient les trois hommes se trouvait de l'autre côté de Lower Hardres.

Malgré sa mauvaise position en selle, Valentinelli était en réalité bon cavalier : son cheval bai pressa le pas autant que possible en toute sécurité. Le martèlement des sabots battait le rythme soutenu d'un trot rapide, qui virait quand l'Italien le jugeait bon à un petit galop capable de démonter le squelette des voyageurs. Le temps obsédait Clare de son écoulement : lorsqu'ils toucheraient au but, très bientôt, l'urgence ne ferait que s'accentuer.

Ils dépassèrent un panneau indicateur usé, *Carrière de Hardres, Ltd, 5 km.* La flèche indiquait fièrement un chemin de terre envahi par la végétation, mais qui avait beaucoup servi ces derniers temps si on se fiait à l'herbe sale écrasée qui le recouvrait. Le soleil refusait de se montrer. L'odeur de sève fraîche de la pluie régnait sans partage.

— *Mentale*, appela le Napolitain par-dessus son épaule. Qu'est-ce qu'on risque de trouver ?

Clare éprouva un certain soulagement à détourner son attention des équations. Ses rangées de tableaux noirs mentaux s'étaient couverts d'une forêt de gribouillis blancs hideusement tors.

— Des mécas, répondit-il, les facultés paresseusement dirigées vers la question posée. Plus peut-être un mentah, chargé d'installer les nouveaux condensateurs. Ce qui m'ennuie, c'est qu'il y aura sûrement quelques professionnels de la violence. Nous ne sommes pas si loin de Londinium. S'il est arrivé des Prussiens à Douvres, il en est arrivé ailleurs. À Brighton et Hardwitch, évidemment.

Ce qui représente une planification prodigieuse. Mais ils n'ont pas besoin d'être très nombreux... juste assez pour tenir le palais, Whitehall et l'Armurerie, au pied de la Tour. L'essentiel, en fait, c'est la manière dont ils comptent s'en prendre à Britannia ou à Son réceptacle.

Penser à l'incapacité de Britannia et à l'emprisonnement de la reine Victrix fit naître une curieuse sensation dans la région stomacale de Clare. Il ne pouvait pourtant en accuser son dernier repas, puisqu'il s'agissait de l'excellent dîner de Mlle Bannon.

Ma foi, si vraiment c'était le dernier, reconnaissons qu'il était délicieux. Et que je l'ai pris en bonne compagnie.

— Hmm. (Valentinelli sourit, éclair de dents blanches dans son visage mat.) Je vais vous dire. Je tue les mercenaires, vous tuez l'autre *mentale*. Simple.

— Je ne peux pas le tuer tant que je n'en sais pas davantage sur ses projets.

— Bon. Il s'y connaît en torture ? demanda le Napolitain avec un signe de tête en direction de Sigmund.

— Les salopards qui ont cassé ma *Spinne*, oui, je les torture, intervint le Bavarois. Baerbarth inventera même de *nouvelles* tortures !

— Je ne crois pas, mon vieux. (Clare réprima un soupir.) Dieu du ciel. Un mentah ne réagit pas à ce genre de choses de la même manière qu'un mercenaire.

Le reniflement de l'Italien fut un chef-d'œuvre de mépris.

— Un homme qui souffre répond aux questions. Surtout quand c'est Ludo qui les pose. Pas grave. On va voir en arrivant.

— Si vous vouliez bien renoncer à vous exprimer comme une piètre imitation de marionnette pour enfants, *signor*, nous nous entendrions beaucoup mieux.

Clare eut une seconde de regret : il n'aurait pas dû dire une chose pareille, mais son irritation avait atteint un degré considérable. Ni Sigmund ni le spadassin n'étaient *logiques*, contrairement à Mlle Bannon. Laquelle n'était pas logique non plus, bien sûr, et…

Une seconde. Son attention s'accrocha à cette pensée, mais n'obtint pas la permission de la suivre.

— Je devrais donc parler comme un courtisan ? (La même élocution scolaire, sèche et cultivée que la fois précédente. Valentinelli avait l'air franchement agacé. D'ailleurs, il s'était redressé.) Sans le sortilège qui nous enchaîne, *monsieur*, nous nous rencontrerions sur le pré.

— Quand vous voudrez, *signor*, répondit Clare, très collet monté. Dès que cette sale affaire sera terminée. En attendant, voulez-vous, *je vous prie*, avoir l'obligeance de ne pas vous exprimer comme un idiot ? J'ai beaucoup de respect pour votre intelligence, mais aucune envie de perdre mon temps à vous demander de vous conduire en homme doué de ladite intelligence.

Silence, que brisait juste le claquement des sabots. Il battit des paupières.

Penser que Mlle Bannon est peut-être en danger me dérange profondément. Ce n'est pas logique, mais... Mon Dieu, mon Dieu, il s'agit d'une magicienne*, Archibald ! Ne sois pas ridicule !*

— C'est une habitude, monsieur, dit enfin Valentinelli. J'aime qu'on me sous-estime, tout le monde, sans exception. Ça me facilite considérablement la vie.

— Tout le monde ? Y compris Mlle Bannon ?

— C'est sans doute la seule personne à ne l'avoir jamais fait. (La voix douce et cultivée était glaçante.) Voilà pourquoi je la déteste.

Eh bien...

— Ah. (Que répondre à cela ?) J'aurais cru que ce serait réconfortant.

— Les hommes n'aiment pas les femmes qu'ils ne surprennent pas, *mentale*.

Voilà qui est fort révélateur.

— Je vois.

Valentinelli fit prendre le petit galop à son cheval. Son interlocuteur s'empressa de l'imiter. Le Bavarois gémit. Ils touchaient au but.

La logique des équations échappait toujours à Clare.

— Il n'y a personne, déclara Sigmund, rouge et suant.

Les yeux rivés sur le manoir croulant, Clare lui fit signe de se taire. Les trois hommes s'étaient cachés dans une haie démesurée d'où ils observaient le petit château, sorte de boîte au toit de tuiles tristement crevé, aux jardins décrépits envahis par une végétation anarchique, aux fenêtres barrées sans conviction par des planches vermoulues. Les mauvaises herbes avaient réussi à pousser jusque entre les dalles. La propriété tout entière dégageait une telle impression de laisser-aller et d'abandon que Clare était à moitié tenté de donner raison à Sigmund.

À moitié seulement.

Valentinelli se contenta de montrer quelque chose du doigt. Les endroits où les chariots avaient écrasé les hautes herbes. La piste menait droit aux trois marches que dominait la grand'porte du manoir, noircie par le feu.

Un feu récent. D'origine chimique, me semble-t-il. Ce qui n'est pas vraiment de bon augure.

Le Napolitain pencha la tête de côté. Une lueur bizarrement froide s'alluma dans ses yeux sombres.

Clare se sentit soudain glacé. Heureusement, les chevaux se trouvaient dans un petit bosquet, de l'autre côté du portail écroulé. La verdure qui dissimulait les curieux semblait soudain constituer un écran bien précaire.

En effet, des grincements de métal, des cliquetis d'engrenages, des pétillements d'étincelles s'élevaient à présent du manoir. Il frissonna, façade de pierre soudain parcourue de fissures, tandis que la terre grondait et vibrait, comme si une gigantesque bête endormie se retournait dans ses profondeurs sans se réveiller.

Un éclair aveuglant illumina l'esprit de Clare : la carrière ! *Oui. Ils n'auraient pas à creuser beaucoup pour se cacher. Pas étonnant qu'il y ait eu des charrettes. Des souterrains... pourquoi n'y ai-je pas pensé plus tôt ?*

Un nouveau frisson secoua la demeure. Des pierres tombèrent. Une caverne s'ouvrit dans la façade, crachant de la vapeur, de la fumée, des arcs d'électricité blanc-bleu. Les sens de Clare lui fournissaient des informations qu'il trouvait à la fois déplaisantes et peu fiables, mais après les avoir examinées sous tous les angles, il conclut à leur indéniable véracité. Non, il ne devenait pas fou.

Un homonculus mechanisterum géant avait été construit *dans* le manoir.

L'éclat de rire incrédule de Sigmund fut enseveli par le vacarme de tonnerre.

— Une *Spinne* ! hurla le Bavarois. Ah, les salauds ! Les *Schweine* !

Le méca sortit du petit château en se redressant de toute sa taille. Des pierres et des débris de toutes sortes dégringolaient de sa carcasse comme l'eau sur le dos d'un canard, pendant que les facultés sollicitées de Clare engloutissaient le moindre détail à leur portée. Les pattes de la chose se déplièrent puis se posèrent lourdement à terre, l'une après l'autre, rêve dément d'araignée mécanique prenant forme par cette belle matinée ensoleillée ; le céphalothorax et l'abdomen luisants se soulevèrent ; les condensateurs prussiens scintillèrent, bien alignés au bas du corps – il en émanait un bourdonnement capable de déchausser les dents des observateurs. Le schéma logique qui sous-tendait la répartition des petites lumières meurtrières vacilla, aux frontières de la compréhension de Clare. Des bandes d'acier maintenaient sur le dos du méca des conteneurs transparents pleins d'un liquide vert bouillonnant, où baignaient…

C'était pour ça qu'il leur fallait les systèmes nerveux centraux. Le corps de Clare refusait de bouger, mais son cerveau travaillait à plein régime. *Un mentah aurait donc tenté une forme quelconque de magie Altérative ? Mais comment ? Ce n'est pas possible !*

La terre tremblait toujours. L'imagination de Clare lui présenta l'image d'autres mécas, construits aux tréfonds d'une carrière abandonnée. Le disque d'or logé dans leur poitrine s'animait en clignotant, pendant que les ouvriers chargés de les fabriquer gambadaient avec une furieuse félicité mécanique, une lueur cramoisie d'intelligence démente au fond des yeux – car Clare avait soudain la quasi-certitude qu'il s'agissait de *choses* très proches de l'épouvantail en métal des Blackwerks.

Un dragon capable d'étendre son autorité sur la puanteur, le vacarme et la chaleur infernale qui régnaient là-bas, n'avait sans doute aucun mal à exiger de ses mignons d'acier en perpétuel mouvement qu'ils s'activent ici dans l'obscurité humide des souterrains. Une autre pensée acheva de glacer le curieux : peut-être plusieurs drakes s'étaient-ils associés pour produire ce spécimen horriblement déviant de l'art du mechanisterum.

— *Couchez-vous !* hurla Valentinelli en le poussant brutalement contre Sigmund.

Les deux génies tombèrent en gigotant. Le chapeau de Clare disparut dans les broussailles envahissantes, tandis que l'odeur délicieuse de la sève libérée par les branches brisées lui envahissait les narines, mêlée à celles de l'ozone, de l'huile à machine surchauffée, du métal roussi et de la pierre pulvérisée.

Le méca était immense. *Pas étonnant que les équations soient aussi complexes. Voilà qui change indéniablement les choses...*

L'Italien s'accroupit, heurtant de la hanche l'épaule de Sigmund, qui mordit derechef la poussière. Clare ne put s'empêcher de se demander si, peut-être, le spadassin ne profitait pas de l'occasion pour… Toutefois, la question en resta là, car la gigantesque bestiole artificielle qui s'extirpait du manoir disposait à l'évidence d'un moyen de détecter les intrus. Les yeux logés dans sa tête arachnoïde suintaient d'une électricité dorée malsaine, pendant qu'elle prenait position sur les ruines fumantes. Des cliquetis tonitruants firent frissonner les alentours, puis des panneaux coulissants dévoilèrent les ouvertures pratiquées aux endroits occupés par les filières des araignées. Lorsque des canons y apparurent en bourdonnant, l'estomac de Clare envoya un message de franche détresse au reste de sa personne.

Les canons décrivirent un grand arc de cercle pour se pointer sans hésitation vers les trois curieux. Le Napolitain jura…

… juste avant qu'une explosion énorme réduise à l'insignifiance tous les autres bruits du monde.

32

La chevauchée fantastique

Blancheur de l'os, vermillon du muscle, noir du métal. Peaux bigarrées, fumantes et puantes, se tordant pour se dégager des entrailles et de la paille. Condensation des sabots, échardes de métal courbées par une magie crépitante, qui enveloppait les esquilles d'os afin de les fondre les unes aux autres jusqu'à recréer des jambes.

Emma, les yeux ouverts mais aveugles, totalement noirs, les mains tendues, la paume en l'air, douces coupes abandonnées. Penchée en avant comme si elle luttait contre un vent puissant, alors que ses cheveux se soulevaient à peine. Jupes déchirées frissonnantes, peau livide couverte de symboles de charte, aux glyphes anguleux curieusement ternes.

Quoique. Les contours aigus des symboles noirs qui couraient sur son corps avaient la vague phosphorescence verte des fongus.

Un chant s'élevait de sa bouche sans tonus, alors qu'elle ne chantait pas, car ses lèvres entrouvertes ne bougeaient pas davantage que sa langue. Les mots s'élevaient formés de sa gorge passive, puisés dans un idiome parfaitement étranger à la Restauration ou à la Destruction, aux Noms, aux Enchaînements et aux Liens, mais aussi au Blanc et au Gris, puisqu'il émanait du Noir le plus profond. Un idiome auquel elle donnait toute liberté.

La Discipline d'un mage n'était pas tout à fait innée, mais on ne pouvait pas non plus vraiment parler de choix. Les prédispositions et la personnalité du sorcier, du charmeur, de l'uniciste ou du Magus limitaient ses possibilités jusqu'à ce qu'il aboutisse, durant sa dernière année de Collegia, à une Discipline qui lui semblait rétrospectivement prévisible de longue date.

Les non-mages donnaient aux mots un sens qu'ils n'avaient pas ; voilà pourquoi le Gris leur inspirait une telle peur et le Noir une telle haine. Le Blanc infligeait parfois les pires souffrances en cherchant à soigner, alors que le Noir – à en croire ses adeptes – offrait le repos de la nuit après le dur labeur du jour.

Les pratiquants du Blanc protestaient avec véhémence contre pareilles affirmations ; ceux du Gris, eux, tenaient leur langue.

Quant aux enfants de l'Endor, ils éveillaient jusque chez les Noirs une sorte de… ah, peut-être pas de crainte, pas exactement, mais de prudence. Il y avait de cela bien longtemps, l'un d'eux avait redonné corps à une ombre pour complaire à un roi. On parlait encore tout bas de cet exploit avec une crainte révérencieuse.

Des hanches massives se formèrent, chair réarrangée et fibres rattachées au squelette recréé. Le métal de la mécanique ornait chaque os de filigranes brillants, tirait ses fils dans chaque muscle… et pétillait de la luisance verdâtre malsaine qui auréolait les symboles de charte courant sur Emma.

Une silhouette apparut derrière elle, indistincte dans la poussière de plâtre et la brume de magie. Ou, plutôt, deux silhouettes, l'une lourdement appuyée sur l'autre.

Des hommes de haute taille, musclés, qui progressaient à travers les briques tombées et la destruction provoquée par le Prime fugitif. L'un avait les yeux sombres, l'autre d'un ambre brûlant dans l'obscurité.

Les doigts délicats d'Emma se raidirent. Le chant prit une profondeur d'une sonorité éclatante. Le garrot apparut. C'était indéniablement un cheval qui se matérialisait, mais d'une taille anormale. Les morceaux de peau s'assemblaient de manière obscène le long de ses jambes en se collant à sa musculature ornée d'arabesques métalliques. Son cou fièrement dressé, bosselé de vertèbres à l'os vitreux, s'allongeait jusqu'aux fines épines de sa modeste crinière. Sa queue évoquait une chute de crin tombant d'une montagne d'acier. Sa tête se composait de deux crânes Altérés, fondus pour n'en former qu'un, plus gros, subtilement *différent*, aux dents aiguës telles qu'aucun cheval – mécanique ou non – n'en avait jamais eu et aux orbites osseuses pleines d'un terrifiant néant obscur.

La bête se tenait parfaitement immobile, mais une ondulation la traversa quand sa peau acheva de s'assembler. D'autres morceaux de métal frissonnèrent puis décollèrent brusquement du sol, magnétisés par magie pour composer des plaques de barde. Les débris de cuir des rênes et harnais se réunirent en selle.

L'amalgame de chair et d'os, de métal et de magie était à présent un destrier massif, aux épaules raidies par la lutte que livrait la force éthérique pour violer les lois de la Nature. Son armure disparaissait à demi sous un caparaçon vert et noir, tissu arachnéen de poussière et de phosphorescence qui en voilait les arêtes les plus cruelles. La créature attendait, la tête basse.

Les doigts d'Emma s'agitèrent. Le chant s'interrompit, se transforma dans sa gorge, donna naissance à un unique Mot.

— *X...v !*

Malgré l'absence d'écho, il se prolongea une éternité, déchirure imposée à l'étoffe du monde, rideau brusquement écarté. Quelque chose… vint.

Le *Khloros* leva sa tête massive. Des étincelles d'un vert végétal flambaient dans ses orbites. Un claquement parcourut tout son corps quand sa barde bougea, se rajusta sous la gaze de poussière et d'éther qui l'enveloppait.

Silence crépitant. Toutefois, l'Œuvre n'était pas terminée car, lorsque Emma s'approcha de sa monture, la pierre noire qui ornait sa gorge émit une flamme d'un vert printanier radieux, aussi douloureux à l'esprit qu'à la rétine. La jeune femme bondit. Sa main se referma sur le pommeau de la selle, son pied trouva un énorme étrier en argent repoussé. Déjà, la cavalière avait pris place, légère comme une plume, au tintement curieusement musical de ses éperons. Sa propre armure apparut peu à peu, constituée d'une pluie de métal dont les fragments tambourinaient sa peau aux glyphes noirs avant de s'étaler tel un liquide. Ils montèrent jusqu'à ses mollets, qu'ils enveloppèrent de jambières, puis poursuivirent leur progression jusqu'à ses cuisses et son torse. La tête rejetée en arrière, une cascade de boucles sombres libérée dans le dos, elle attendit qu'un casque pousse à partir de ses épaulières hérissées de pointes. L'éclat vert se mua en symboles de charte et de charme qui circulaient à travers le métal noirci par la magie. Les gantelets écailleux grincèrent quand Emma plia ses doigts, dont la pâleur avait disparu comme celle des brindilles de bouleau sous une crue d'encre.

Le Mot jaillit une deuxième fois des profondeurs obscures du casque.

— *X...v !*

Le *Khloros*, le Grand Cheval Blême, hennit. Un hennissement qui détruisit tout ce qu'il restait d'intact dans l'écurie. Les deux témoins de sa naissance tressaillirent.

— *X...v !*

Le Mot retentit pour la dernière fois, chargé de la force et du crépitement de la conflagration.

Le *Khloros* secoua sa crinière barbelée. Ses sabots avant se soulevèrent. Il se cabra, et sa cavalière suivit le mouvement avec une grâce fluide douloureuse, indiscernable de sa soudaine splendeur vénéneuse. Lorsque le tonnerre du Mot mourut, Emma montait une chose d'une beauté impie, enveloppée d'un brasier vert pâle mouvant. Chacune de ces flammes brûlait autour d'un cœur de néant, mince trait noir du rien absolu qui s'étire entre les étoiles.

Le casque à trois pointes s'inclina parmi des lucioles erratiques de magie égarée. Le *Khloros* volta, caracole d'une élégance exquise, maladive. Ses sabots laissaient des écorchures de givre sur le sol frissonnant, révolté. De l'obscurité dominée par les trois pointes surgit la voix de la magicienne, mais elle ne lui appartenait plus ; c'était le soupir désincarné de celle qui, de toute éternité, accompagnait la Vie.

— *La Mort*, murmura-t-elle.

Le *Khloros* se libéra dans le claquement musical du métal contre la pierre. Cette fois, son hennissement destructeur perça le seul mur intact de l'écurie, puis il bondit, vague écumeuse, tandis que les deux hommes tombaient à genoux dans les décombres. Un grincement menaçant s'éleva du toit, mais ils ne bougèrent pas, cramponnés l'un à l'autre tels des enfants au sortir d'un cauchemar.

Le premier, aussi pâle et tremblant qu'un vieillard sénile, se pencha de côté, secoué de nausées.

Le second vacilla, rayonnant. Ses yeux d'ambre étincelaient.

— Magnifique, murmura-t-il.

Des cris s'élevèrent au loin.

Ils étaient partis.

La terre même refusait le contact du Khloros*, dont les sabots arrachaient à l'air torturé des étincelles d'un vert cendreux. Galop fluide, cou arqué, crinière métallique semant sur son passage d'autres étincelles, il emportait une Cavalière qui ne faisait qu'un avec lui. Les hurlements haletants de Londinium couvraient de leur musique le martèlement de sa course.*

Car Emma ne s'était pas contentée d'appeler le Grand Cheval Blême. La magie dont elle débordait n'avait pas encore atteint marée haute. La ville frémissait telle une corde de guitare à chaque pas de sa monture ensorcelée.

Et les morts réagissaient.

Ils se levaient de leurs tombes, ombres arachnéennes au grand sourire hideux. Le Khloros *ne pouvait fouler son coussin d'air que si le sol en dessous avait été contaminé par la Mort, mais rares étaient les lieux interdits à sa magie. La terre consacrée ne le dérangeait pas, car les cadavres y participaient.*

Voilà d'où venaient les cris. Pendant que le Khloros *allait au petit galop, pendant que sa Cavalière regardait droit devant elle sous son casque, les morts auxquels parvenait le bruit de leur passage se levaient. Les plus forts, enterrés de frais, les suivaient à pied comme des chiens, à moins de disposer de leurs propres montures – choses* spectrales pourrissantes aux sabots disparus, condamnées à courir sur des extrémités sensibles.

Car, depuis que Londinium était Londinium, il s'y trouvait des chevaux pour servir, travailler... et mourir.

Les vivants fuyaient, terrorisés, même si les morts évitaient le souffle brûlant de leur peur. Certains, bien rares, prétendaient avoir vu le visage de la Cavalière... mais ils parlaient d'un cavalier. Ceux dont le regard avait bel et bien percé l'obscurité profonde du casque restaient muets, car ils avaient reconnu une femme aux joues pâles, aux yeux étincelants. Leur flamme à eux vacillait déjà. Moins d'une semaine plus tard, ils seraient couchés dans la terre froide.

La Mort partait à l'ouest, vent glacé qui arrachait les volets, brisait les carreaux, abattait les cheminées, réduisait en miettes les pavés et les façades de brique suivant des schémas curieusement géométriques. Le West End, quartier des riches et des puissants, tremblait sous le fouet de l'Éternel. D'aucuns sur Picksdowne prétendaient voir les morts immatériels se lever dans les rues. L'énorme cloche noire dépourvue de battant accrochée dans la Tour sonna un coup très net. L'Ombre leva sa tête difforme, où les yeux posaient deux pièces d'argent ternies. Le dôme de protection éthérique qui recouvrait le palais de St. Jemes s'illumina, brasier d'un blanc aveuglant, conscient qu'il se passait quelque chose de redoutable.

La Cavalière coupa à travers un coin de Hidepark. Des mois plus tard, une cicatrice noire subsistait encore dans la verdure luxuriante de Cumber Gate – mais les gens bien nés faisaient mine de ne rien voir au passage, lors de leur promenade quotidienne en carrosse.

Quand le Khloros prit brusquement au nord, virant tel un oiseau géant, seule la marée d'ombres cristallines quasi invisibles qui le suivait vit se lever la tête casquée *de sa maîtresse. On aurait dit qu'elle scrutait le ciel, en quête de… de quoi ? Que pouvait bien poursuivre une créature pareille par une nuit pareille ?*

Quoi qu'il en soit, elle trouva ce qu'elle cherchait, car une brusque tension raidit sa silhouette tandis que ses gantelets écailleux se crispaient sur les rênes. La tête massive du Khloros *se leva, elle aussi, comme si le traître avait laissé d'âcres traces spectrales sur le fond de nuages jaunes veloutés qui réfléchissait les lumières nocturnes de Londinium. Le Grand Cheval Blême mâchonna ces restes, et le martèlement de ses sabots accéléra.*

Un dernier Mot jaillit de la gorge de la Cavalière. Festonné de glace, dépourvu de poids. Les morts alentour se ruèrent en avant. À la voir si luisante, on l'aurait crue enduite d'une huile froide pesante. Le brouillard qui l'environnait gelait en un clin d'œil et dispersait dans la nuit des étincelles de phosphorescence égarée. Les sabots du Grand Cheval Blême frappèrent un banc de vapeur bouillonnant, puis sa masse s'éleva d'un bond, tel un poisson hors de l'eau.

Ils volaient, portés par un nuage de morts tourbillonnant. Leur ombre mouvante courait sur terre en contrebas, terriblement noire et nette, alors que la lumière manquait pour la découper. Au cœur obscur de cette ombre se trouvait quelque chose de flétrissant. Les vivants qui occupaient les maisons en contrebas frissonnaient sur son passage, sans vraiment savoir pourquoi.

Plus de trois cents kilomètres séparaient Londinium de Dinas Emrys, qu'il fallait atteindre avant l'aube. Le Khloros *porterait sa Cavalière tant que subsisterait la force éthérique qui maintenait le passage ouvert.*

La Mort quittait Londinium, à la poursuite d'un traître aux ailes de griffon.

33

On ne meurt qu'une fois

Clare se releva, titubant, un tintement dans les oreilles, le visage empoissé d'une chaleur épaisse. *Problème classique du canon : il est difficile de viser, surtout depuis une nacelle.* Il secoua la tête. Valentinelli se retrouva soudain devant lui, accroupi, saignant. Ses lèvres minces s'agitaient sous ses cheveux sombres roussis, franchement décoiffés. Le mentah battit des paupières : ainsi donc, il était sourd.

Momentanément ou...

Comme en réponse à sa question informulée, le monde envahit à nouveau ses oreilles. Un vacarme tonitruant transperça son crâne fragile, menaçant de convertir son cerveau en soupe claire gargouillante. Ses genoux frappèrent la boue fumante. Sigmund apparut à son tour ; un filet de sang rouge vif descendait le long de son visage maculé de suie.

Clare avait beau s'efforcer à la déduction, ses facultés ne lui obéissaient plus. La coja, cette fausse amie, s'était retournée contre lui. Et ce que l'immense arachnide mécanique venait de leur expédier ne l'aidait pas non plus.

Un projectile... électrifié, d'une manière ou d'une autre... Le méca baignait dans la force électrique ; les condensateurs la maintiennent très élevée. Le noyau ! Le noyau maître !

Cette pensée lui fit l'effet d'une grosse planche de bois à un homme en train de se noyer. Il s'y cramponna mentalement avec la force du désespoir.

Un flux de valeurs en évolution ! C'est ça !

Une seconde aveuglante, il vit tout – y compris les Blackwerks, où la moindre différence se définissait par un *éventail* au lieu d'une unique valeur précise. Le problème, ce n'était pas l'irrationalité, mais une rationalité trop étroite pour englober tout ce qu'on observait.

« Il y a plus de choses au ciel et sur la terre, Horatio, que n'en rêve votre philosophie. »

La pression accumulée sous son crâne diminua instantanément, à son grand soulagement. Merveilleux ! L'information sensorielle s'agençait à présent comme elle était censée le faire. Il rouvrit les yeux – il n'avait pas eu conscience de les fermer – pour découvrir au-dessus de lui le visage grêlé de son garde du corps : il s'était écroulé, le spadassin l'avait rattrapé et le tenait d'ailleurs toujours dans ses bras. Des flocons de suie charbonneux s'élevaient en dansant du sol carbonisé, les haies noircies croustillaient, tout cela dans un disque parfait qui avait manqué ses cibles de justesse. Si Valentinelli n'avait pas bousculé ses compagnons puis empêché Sigmund de se relever, les trois hommes auraient été pris dans l'explosion au lieu de se trouver à sa marge enfumée.

La terre apaisée reprenait son équilibre après le viol dont elle avait été victime. C'était à peine si on entendait au loin un vague grondement de tonnerre. Peut-être même s'agissait-il d'une sorte d'écho, provoqué par des nerfs soumis à rude épreuve.

Calcul de la longueur du pas. L'arachnide est obligé d'aller lentement, à cause des mécas de taille inférieure, mais ils ne se fatiguent pas. Les sous-équations du noyau vont gérer ça... Je me demande par quel moyen il s'adresse aux récepteurs ? Un signal invisible, à portée... de l'électricité pure, peut-être ? Non. Ni du magnétisme. Un mélange des deux ? Est-ce réellement possible ? Par magie ? Non, la machine logique ne le permettrait pas. D'où je déduis que les cerveaux des conteneurs n'ont pas été Altérés. Il me faut davantage de données.

Les lèvres de Valentinelli bougeaient toujours. Sigmund acquiesça, se pencha…

… et gifla son ami. Sans ménagement. Sa main durcie par le travail s'abattit sur la joue de Clare.

Le choc lui envoya la tête de côté. Il reprit ses esprits avec le bruit d'une roue de carrosse tressautant dans un nid-de-poule.

— Merci, haleta-t-il. Dieu du ciel. *Voilà* qui était des plus désagréable !

Le Napolitain se détendit légèrement puis jura en italien, plus pour exprimer son soulagement qu'autre chose. Clare battit des paupières, découvrit que ses membres lui obéissaient à nouveau et se remit sur ses pieds avec l'aide du spadassin. Son chapeau lui apparut, dans des broussailles fumantes.

— Une *Spinne* ! croassa le Bavarois. Vous avez vu ça, Archie ? Ces salopards ont construit une *Spinne* ! Une vraie beauté, en plus. On les poursuit, hein ? On les poursuit, et on voit comment ils ont construit cette *Fräulein Spinne, ja* !

Se pencher pour récupérer son chapeau se révéla quelque peu problématique, mais Clare y parvint néanmoins. Il pivota vers le tas de ruines fumant qui avait autrefois été un manoir plutôt charmant, quoique décrépit.

— Certes.

— La *strega* ne paie pas assez pour ça, marmonna l'Italien d'un air sombre. Cette *chose*… c'est le *Diavolo*.

À la surprise générale, il conclut cette affirmation en se signant à la manière des papistes.

— Vingt guinées, lui rappela Clare avec une jovialité un peu forcée. D'ailleurs, je vous ai entendu dire que vous affronteriez le Démon en personne, mon royal ami.

— Vingt guinées, ce n'est pas assez *du tout*. (Valentinelli s'exprimait peut-être à présent d'une voix sans fard : sèche et cultivée, mais sous-tendue par le rythme de sa langue maternelle, malgré le manque de musicalité du britannique.) Ce n'était pas un boulet de canon, *signor*.

— Ni un tendre baiser. (Clare se recoiffa de son chapeau. L'odeur du poil brûlé, de la végétation brûlée, de la pierre et de la poussière brûlées dominait le monde. Si l'Italien avait conscience de la disparition de ses sourcils, il ne le montrait en rien. Son interlocuteur se demanda d'ailleurs si les siens n'avaient pas disparu aussi.) Allons, messieurs. Il faut retrouver les chevaux, s'ils n'ont pas décampé. Le travail nous attend.

— Une minute. Ce… cette *chose*… (le spadassin avait les mains crispées, les vêtements fumants, le manteau en piteux état, les cheveux roussis. À vrai dire, les trois voyageurs formaient maintenant un groupe de bravaches assez piteux)… comment comptez-vous l'arrêter ? Qu'est-ce qu'elle va faire, hein ? Et qu'est-ce qu'on va faire, nous ?

Sigmund, lui, regardait dans la direction où était parti le grand méca. Ses grosses mains rudes s'ouvraient et se refermaient dans le vide comme s'il tenait à la gorge le constructeur de l'artefact.

Clare se livra à un examen de sa propre personne en tapotant ses poches. Son pistolet n'avait pas tiré, Dieu merci. Sa montre était là aussi ; il la sortit, la consulta, la remonta – gestes d'une familiarité apaisante.

— Commençons par récupérer les chevaux. (Il rangea sa montre, tira sur ses manchettes, épousseta son manteau, tapa des pieds pour débarrasser autant que possible ses bottes de la suie et de la poussière. L'argent de Mlle Bannon était toujours en sécurité.) Ensuite, nous irons à la carrière, à cinq kilomètres. Avec de la chance, nous y trouverons quelques mécas à voler, car l'éventail des valeurs en aura certainement exclu certains. (Il s'interrompit.) Dans le cas contraire, nous aviserons. Après quoi nous rejoindrons Londinium, où nous ferons de notre mieux pour étouffer la rébellion dans l'œuf.

Des gardes Altérés veillaient à l'entrée de la carrière, mais Valentinelli demanda à ses compagnons de l'attendre dans un vallon ombragé puis disparut au virage suivant du chemin de terre. Il reparut quelques minutes plus tard en essuyant un de ses poignards à lame sombre sur un chiffon, qu'il lâcha ensuite avec la plus parfaite indifférence. Clare n'eut pas besoin de se livrer à un examen approfondi des traînées cramoisies qui maculaient le lambeau de tissu pour en déduire la provenance : une chemise, déchirée dès que son propriétaire avait cessé de respirer.

Heureusement, les corps au cou bizarrement tordu n'étaient pas tournés vers le sentier. Leurs Altérations se devinaient à peine – cages thoraciques déformées et jambes trop épaisses qui suggéraient des modifications de la morphologie humaine capables d'écœurer Clare en personne, s'il n'avait eu d'autres préoccupations.

— Du kiel, murmura-t-il.

Il s'agissait bel et bien d'une carrière souterraine. Contrairement à l'ardoise, le kiel se découpait dans n'importe quel sens. Ses veines, affligées de curieuses torsions, offraient à la magie une légère résistance qui obligeait les ouvriers à l'extraire manuellement. Il suffirait de quelques traces de kiel pour camoufler des mécas à la perfection avant qu'on mette en route leurs machines logiques.

L'entrée se présentait comme une caverne d'un noir d'encre, malgré la lumière de plus en plus intense du jour. Les nuages se dissipaient ; une belle journée printanière s'annonçait. Les mécas allaient briller sous le soleil en marchant sur Londinium.

Y avait-il dans les districts entourant l'antique cité d'autres carrières prêtes à accoucher d'un flot de monstres de métal ? Sans doute. Combien ?

Plus que nous ne le voudrions. Occupe-toi de ce que tu as à faire ici et maintenant, Archibald.

— Archie… (Le Bavarois avait blêmi, sous son masque de suie.) Là-dedans ?

— Allons, Sigmund. Vous êtes un grand fauve aux yeux de Mlle Bannon, me semble-t-il. Regardez… (Clare tendait le doigt.) Il y a sans doute des quinquépines. Ou des lampierres. Si vous voulez bien jeter un coup d'œil, *signor* Valentinelli…

Les trois hommes ne tardèrent pas à être munis de lampierres en cages dont les surfaces, sombres et huileuses, absorbaient la lumière. Elles avaient l'air chargées, mais Valentinelli s'empara aussi par précaution d'un quinquépine plein de carburant, à la mèche coupée avec soin. Clare songea à lui demander s'il avait des lucifers, mais l'éclat des yeux sombres le persuada que ç'aurait été une question idiote.

Les intrus s'engagèrent dans la gueule de la caverne. Vingt mètres plus loin, l'obscurité était si profonde que les lampierres se mirent à briller. Ils foulaient la roche nue, balafrée et lissée par les frottements. Le matériel des ouvriers s'entassait contre les murs – pics, pelles, cordes, tonnelets de tailles diverses et variées, bouts de bois, monticules de casques de mineurs, chandeliers. Au bout de cinquante mètres, les trois hommes marchaient dans de minuscules sphères de lumière argentée, environnées d'une nuit d'encre. À cent mètres, un carrefour. Le passage principal continuait à descendre puis s'achevait dans ce qui était a priori une sorte de monte-charge, tandis qu'un boyau plus étroit en partait sur la droite.

Valentinelli évoquait une caricature, avec la lumière des lampierres qui s'engloutissait dans ses pupilles et les crevasses de son visage couturé de cicatrices, barbouillé de suie.

— *Signor ?*

Clare déglutit à sec, le doigt tendu vers le conduit le plus modeste.

— Par là.

— Comment auraient-ils... (Une quinte de toux interrompit Sigmund.) Non, bien sûr. Ça, c'est pour les fournitures, et *ça*, pour les gens.

Clare acquiesça, enchanté. Valentinelli leur tendit sa lampierre avant de se glisser dans l'étroit passage. S'il y avait d'autres gardes plus loin, il ne voulait pas être aveuglé. Bonne idée, mais ils n'allèrent pas franchement plus loin : le boyau s'achevait par une plate-forme en bois, dont les deux frêles rambardes dominaient une fosse noire comme l'Enfer d'où dépassaient les montants d'une échelle.

— *Ach, Scheisse.*

La voix de l'Allemand porta jusqu'aux deux autres parois de la fosse, car un faible écho en revint aux intrus.

— Courage, Sigmund. On ne meurt qu'une fois.

Le ricanement totalement dépourvu de gaieté du spadassin résonna à son tour.

— Dans ce cas… Après vous, *signor*.

Cette réplique ironique ne l'empêcha pas de bousculer Clare pour passer le premier, non sans lâcher une sorte de petit feulement agacé. Il reprit sa lampierre, tira un mouchoir de sa poche et attacha en un clin d'œil la cage à son gilet déchiré. Déjà, il testait l'échelle avec un aplomb considérable.

— Ça ira. Vingt guinées. Pas assez, non non non.

La descente fut plus pénible mentalement que physiquement. La sueur au front, Sigmund marmonnait tout bas d'horribles imprécations et tremblait si violemment qu'il faillit faire tomber une des échelles : il y en avait en effet plusieurs, toutes de six ou sept mètres de long et menant à de solides plates-formes en bois gondolées. Pendant que l'éclat des lampierres s'intensifiait, Clare cherchait à calculer en quelles proportions l'air des profondeurs allait être vicié, quand l'Italien bondit sur la terre ferme en poussant un grand soupir – presque un sifflement. Il leva son lumignon.

Les intrus avaient atteint une vaste salle creusée dans la roche. Vide, pour l'essentiel, mais couverte de crasse et de poussière pleines de traces toutes récentes. L'autre moitié du gros monte-charge se trouvait sur leur gauche, dans un creux artificiel. Les murs et le sol paraissaient étonnamment lisses, presque vitreux, tandis que les cintres du plafond évoquaient une cathédrale, en plus étrange. Ils avaient quelque chose de presque… organiques.

Où les constructeurs de ce complexe ont-ils bien pu aller ? Une curieuse vision mentale s'imposa brièvement à Clare : les machines s'infiltraient par les fissures du sol, car le métal liquéfié retournait à la terre. Il la repoussa, agacé par ce fantasme.

Sigmund poussa un jappement de soulagement quand ses bottes se posèrent sur la terre ferme. De grosses perles de sueur traçaient des sillons sur son visage charbonneux.

— Archie. Je vous déteste.

— Ha !

Le cri triomphant de Clare transperça le silence.

L'immense caverne abritait quelques mécas bipèdes comme ceux qu'ils avaient vus dans l'entrepôt, au pied de la Tour. Recroquevillés, curieusement isolés, mais tournés jusqu'au dernier vers le fond de la salle, plongé dans une nuit totale. On imaginait sans peine les innombrables rangées d'automates qui s'étaient tenues là, avant qu'un appel inaudible ne les réveille.

— Ha ! répéta Clare, qui sautillait littéralement sur la pointe des pieds. Je m'en doutais ! Certains n'ont pas reçu le signal. Sigmund, nous allons les manœuvrer, vous et moi, pour les emmener à Londinium. (Seule réaction à ses propos : ses compagnons le fixèrent avec des yeux ronds, bouche bée.) Vous ne comprenez donc pas ? Nous aurons nos propres mécas !

— Vous êtes fou, murmura Valentinelli. *Complètement* fou.

Le Bavarois, lui, resta quelques secondes de plus bouche bée, puis un large sourire se répandit sur son visage.

— *Du prächtiger Bastard !* (Il administra sur l'épaule de Clare une claque dont la force le fit tituber.) À condition que je l'aie dans mon atelier après. *Ja ?*

— Si nous menons la tâche à bien, vieux frère, vous aurez une multitude de carcasses à votre disposition. Bon, le temps presse. Voyons ce qu'on nous a laissé.

34

Toujours pareil

Une vague lueur grise apparut à l'horizon, ruban d'argent découpé sous une lourde porte laquée de noir. Il donna au *Khloros* un véritable coup de fouet qui le plongea dans une frénésie de vitesse. Le paysage en contrebas défilait maintenant comme une flaque d'huile sombre sur une assiette mouillée. La Cavalière se pencha en avant, acquiescement de son casque à pointes. L'effort faisait trembler ses épaules sous son armure. La porte de sa Discipline se refermait sans qu'elle puisse l'en empêcher.

La marée de morts qui l'accompagnait écumait dans le ciel aux nuages noirs, traces cristallines de vagues rageuses. Ils se levaient sous l'ombre du *Khloros* et de sa maîtresse telle une fumée montant des cimetières et des fossés, des champs et des rivières pour grossir la procession. Ils chevauchaient des choses vaguement équines ou couraient dans les airs, esprits aussi intacts que leur enveloppe corporelle l'avait été de leur vivant ou aussi terriblement défigurés qu'à la toute fin de leurs jours. Noyés ou assassinés, torturés ou égarés, affamés ou gloutons, tous se précipitaient dans le sillage du *Khloros*.

Voilà pourquoi on se méfiait de l'Endor. Comment faire confiance à quelqu'un qui fréquentait une foule pareille ? Aux Prime qui amenaient à une non-vie d'une nuit le Grand Cheval Blême ?

Il entama sa descente pendant que le ruban d'argent dessiné à l'orient se transformait en franges grises, qui cinglèrent ses flancs sensibles. Des marques fumantes s'imprimèrent dans sa chair disparate rapetassée, malgré les tentatives de son armure pour protéger sa peau ensorcelée.

Peu importe. Nous arrivons.

La conscience revint à la Cavalière avec cette pensée, mais hésita une seconde en pleine transition, tremblante, perdue, irrésolue. Emma avait l'impression de chevaucher depuis une éternité, rivée à la piste inodore du traître porté par les griffons. Se savait-il poursuivi ? Peut-être ; le vacarme qu'elle produisait devait s'entendre à des lieues à la ronde.

Entre deux battements de cœur, elle franchit la porte. Le souvenir de ce qu'elle était – une simple coupe où verser la force – s'évapora charitablement. Un tel viol était insupportable même à l'esprit bien accordé d'un mage. Mieux valait l'oublier au plus vite.

Une épée de feu se matérialisa à l'horizon oriental. La lumière grise s'intensifiait, accompagnée du bruit des vagues. Conscient du besoin humain de sa Cavalière, le *Khloros* accéléra encore, gracieux jusque dans ses vacillements désespérés. Barde, caparaçon, chair, os, métal se défaisaient, retombaient en pur éther. La bête explosa en un jaillissement de couleurs – page manuscrite, lumière livide réduites à leurs constituants.

La vague cristalline qui se pressait autour de la Cavalière, toutes ses mains mortes tendues vers elle, se vaporisa.

Emma tombait.

Soleil… chaleur huileuse sur ses joues… douleur de ses prunelles sensibles, malgré la barrière de ses paupières. Allongée sur une humidité glacée, des pointes enfoncées un peu partout dans le dos, les cheveux et les jupes, elle n'osait ouvrir les yeux. Voilà pourquoi elle resta quelques secondes couchée, immobile, à emmagasiner le maximum d'informations sur son environnement.

Le froid du matin, une brise marine – la mer n'était pas loin –, l'âcreté métallique d'une rivière, plus proche encore. La lumière morcelée… un feuillage, agité par le vent. Un bruit… de quoi s'agissait-il ? Ni des vagues ni des craquements gémissants de la terre malmenée. Ni des sabots du *Khloros* ni de sa voix à elle, elle en était bien persuadée.

Des cris. Le claquement de becs puissants. Une voix mâle, furieuse, au chant sonore. La végétation humide frémit sous Emma.

Hein ?

La conscience lui revenait. Elle avait mal. Dans le moindre centimètre cube, la moindre particule de sa chair sauvagement maltraitée. Il ne fallait jamais ouvrir à la légère les portes de sa Discipline. Ceux dont la volonté n'était pas assez aiguisée risquaient d'autant plus de le regretter que la Discipline exigeait un lourd tribut du corps comme de l'esprit. Emma s'assit en battant furieusement des paupières. Robe en lambeaux, baleines de corset brisées, boucles sombres emmêlées. La rosée matinale dorait les fougères et les ronciers alentour. La jeune femme se trouvait au pied d'une colline rocailleuse couverte de plantes grimpantes, au sommet de laquelle s'élevait le vacarme qui l'avait alertée – hurlements et crissements de mauvais augure.

Il lui fallut s'arracher à la végétation envahissante pour se remettre sur ses pieds, titubante. Lorsque ses genoux faillirent céder, elle les insulta en son for intérieur, ce qui leur redonna quelque vigueur. *Quelque* seulement. Ses bagues scintillaient par vagues : la marée avait tourné pendant son évanouissement, les rechargeant en force magique. Elles lui picotaient la main comme le soleil une peau déjà échauffée.

Un rapide examen lui permit de constater que, l'un dans l'autre, elle n'avait pas trop souffert. Sa pierre noire lui glaçait la gorge, les anneaux passés à ses doigts gourds étincelaient, couverts de symboles de charte, et ses boucles d'oreilles oscillantes frôlaient son cou mouillé de rosée. Ce serait un véritable miracle qu'elle n'attrape pas une pneumonie, après avoir passé Dieu seul savait combien de temps couchée par terre dans le froid.

Llewellyn est là-haut. Elle se secoua. Chercha des yeux un sentier. N'en vit aucun.

Ah, c'est bien toujours pareil. Où suis-je ? Dieu seul le sait, ça aussi. Un Prime complètement cinglé officie sur cette colline, le sort de Britannia est en jeu, et pas le moindre sentier de chèvres à l'horizon...

— Par tous les diables des sept Enfers et de tous les bordels du monde, marmonna-t-elle en tournant sur elle-même.

À quoi elle ajouta d'autres jurons, encore plus malsonnants.

Les claquements, grattements et hurlements gagnaient en force au-dessus d'elle.

Bon. Je vois ce que c'est.

Elle traversa non sans difficultés les ronciers qui entouraient l'éminence, posa les mains sur la pierre grise rugueuse quasi couverte de mousse et de plantes grimpantes, puis entama l'ascension.

35

Ne touchez pas aux contacts !

Sigmund jura en assenant deux grands coups de clé à molette sur la tête de batracien du méca. Les claquements résonnèrent à travers la caverne de plus en plus sombre – car la lumière des lampierres baissait.

— Bon. Réessayez.

Franchement... Des coups de clé à molette... Vous me décevez, Sigmund. Clare, installé dans le torse de métal, subit en soupirant les répliques des secousses. Chaque fois que son compagnon tapait sur quelque chose, il avait peur de finir le crâne fendu, inconscient, prisonnier des boucles et des sangles de son harnais.

Refermant les mains sur les manettes, il joua des poignets, à peine, pour bien mettre l'enduit métallique en contact avec sa peau.

— Je ne crois pas que…

Un éclat doré jaillit du disque de métal plaqué contre sa poitrine. Le crachotement de la petite machine logique le surprit au point qu'il faillit faire basculer le méca en arrière. Cliquetis résonnants, bourdonnement des condensateurs… sa concentration s'aiguisa. Les équations défilaient en douceur, une à une, sous la surface de sa conscience, tandis que des picotements parcouraient ses bras par vagues.

Ha !

Il les avait résolues. Plier le méca à sa volonté n'était plus guère qu'un jeu d'enfant. La grande carcasse avança de deux pas, soumise au lieu de regimber. Les impossibilités s'enchaînaient.

Dans la caverne s'élevèrent des claquements, des ronflements. Les disques dorés mollement accrochés dans le torse des mécas avachis s'illuminèrent d'un éclat blanc-bleu. *Ah ! Ah ! La variance, voilà pourquoi ils réagissent maintenant. Sans doute une redondance incluse à la métrique de capacitation. Il y en avait forcément plusieurs d'inadaptés à l'écart admissible par la machine principale, mais pas au mien. Ce n'est qu'une goutte dans l'océan, mais ça fait quand même du bien.*

— *Mentale* ?

Valentinelli avait l'air nerveux.

— Tout va bien. (Les mots résonnèrent dans la tête de Clare, écho de plus en plus sonore, mais une simple équation répétitive le débarrassa de ce bruit parasite. C'était étonnamment facile, une fois qu'on avait pris le coup.) Installez-vous dans un méca, mais ne touchez pas aux contacts !

La réponse de l'Italien était rigoureusement impossible à répéter. Clare se mit à rire. La joie brûlante, sauvage de la logique s'emparait de lui, avec son éclat tranchant.

— *En avant !* hurla-t-il, tandis que le mechanisterum homonculi se mettait en branle. *Tout le monde à Londinium ! Mais ne touchez pas à ces saletés de contacts !*

Courir. Sur des pistons d'acier au lieu de jambes, alimenté par un globe de logique brûlante au lieu d'un cœur battant. Plus vite qu'un pur-sang ou une carriole de sport, plus vite qu'un train. Regarder Londinium grandir à l'horizon, sous un linceul de fumée s'élevant dans le ciel telle la colonne de Dieu. Porté par le métal infatigable.

Le bonheur.

Sigmund passa presque tout le trajet à pousser des cris de joie, enivré par la vitesse, alors que Valentinelli, d'une pâleur et d'une impassibilité inquiétantes, se balançait dans son harnais tel un papoose indousien en se donnant beaucoup de mal pour ne rien toucher *du tout*.

À un moment, Clare s'aperçut qu'il s'était remis à rire, transporté par le vent qui lui soufflait au visage et la logique qui lui bourdonnait dans les os.

À un kilomètre de Londinium, cependant, il lui devint soudain plus difficile de se mouvoir. Les équations s'embrouillèrent, se dressèrent les unes contre les autres, agressives. Son front s'emperla de sueur, car il luttait contre une atmosphère devenue brusquement aussi solide que le verre.

Ah, non, pas de ça !

La volonté qui l'écrasait de son immensité s'appuyait sur une machine logique bien plus grosse que la sienne et qui tirait son énergie d'un noyau bien plus puissant que celui, minuscule, fixé sur sa poitrine. Toutefois, cette énorme force maladroite créait des interférences si importantes qu'il était relativement facile d'en repousser les assauts.

Clare s'était demandé si le méca dont il avait pris le contrôle, une fois réveillé, répondrait à l'appel silencieux de la machine logique maîtresse. Il semblait que non – du moins tant que le mentah contrôlant l'arachnide n'avait pas résolu l'énigme des variances.

Pourvu qu'il n'y arrive pas…

Il se savait suivi, maintenant, ce qui obligeait Clare à consacrer toute son attention à sa petite douzaine de « soldats ». Ils finirent par ralentir à tel point que Sigmund en personne se demanda ce qui se passait.

Ça, ça va là, ces quatre-là, je les évacue, celles-là, je les associe... Ah, la voilà, la faiblesse... je la laisse se dupliquer, ah ! ah ! Tenez, très cher, dans les dents !

Si Clare avait dû expliquer de quoi il retournait, il aurait évoqué une partie d'échecs… mais jouée sur une dizaine d'échiquiers à cinq dimensions, chaque joueur possédant autant de pièces qu'il parvenait à en gérer mentalement sans endommager son cerveau et le réduire en bouillie.

Le temps manquait, hélas, pour expliquer ou évoquer quoi que ce soit. Il poussa de l'avant ses douze mécas, minuscule grain de poussière s'insinuant sous la carapace londinienne. Un grincement de métal accompagna son mouvement quand il se pencha en avant, les muscles contractés sous les sangles. Les engrenages gémissaient, craquaient, des fontaines d'étincelles arrosaient les pavés de la route du Kent.

Des rideaux d'équations scintillants ondulaient, s'ouvraient – les champs de force et de réaction du monde, à peine emboîtés. La cité tout entière se déploya fugitivement en contrebas, nœuds et intersections ; il vit où attaquait l'adversaire.

Le parc de St. Jemes, jonché de grandes carcasses fumantes… mais où arrivaient encore et toujours des rangées de mécas en route pour le palais, plus au nord. Whitehall et la Tour, encerclés. Il fallait décider où aller.

Victrix ! Le reste n'a aucune importance.

À croire que Mlle Bannon chuchotait à l'oreille de son envoyé. Le pendentif qu'elle lui avait remis restait inerte, d'une tiédeur indifférente, mais le champ de la machine logique interférait évidemment d'une manière ou d'une autre avec son pouvoir. Par la suite, pourtant, Clare resterait à jamais persuadé qu'une quelconque bizarrerie de la Nature avait distordu le temps et l'espace afin de lui souffler les mots *exacts* qu'aurait employés la magicienne en pareilles circonstances. Peut-être s'agissait-il juste des capacités de déduction dont il était doté…

Mais il n'en croyait rien.

Sa décision était prise. Les calculs impliqués ne lui demandèrent que peu de temps, car il chargea la machine logique de plusieurs routines et les condensateurs prussiens de plusieurs sous-routines. Son itinéraire établi, y compris les piétons et voitures à éviter si possible, il fit avancer ses mécas inoccupés tels des pions. Greenwitch Road, en restant le plus loin possible du Wark ; traverser Georgus Road… L'ennemi cherchait à s'emparer du pont de Westminstre, bien sûr, mais peut-être serait-il possible de l'attaquer à l'endroit où il s'y attendait le moins. Si Clare et ses troupes réussissaient à franchir la Themis, il leur resterait à éviter la bataille de Whitehall et à négocier le parc jusqu'au palais.

— Vive Britannia ! hurla-t-il. (Les mécas réagirent par des grincements perçants qui déchaînèrent une cacophonie infernale.) *Hardi, pour Dieu et Sa Majesté !*

Ils se ruèrent en avant à l'instant précis où le mentah ennemi, dont l'intellect surgonflé n'avait plus rien d'humain, prit conscience de n'avoir pas écrasé l'insecte bourdonnant dans les faubourgs sud-est de Londinium. Le traître rassembla sa volonté, prêt à essayer une seconde fois d'éliminer le moustique importun.

— *Les canons !* rugit Clare.

Mais, à son grand soulagement, Valentinelli avait déjà pris la sage décision de se servir de ses armes. De toute manière, le conseil se perdit dans les grincements et les grondements tonitruants, traversés de détonations déconcertantes : les canons des mécas fissuraient l'atmosphère outragée de décharges d'énergie brûlantes, pétillantes, crachotantes. À un moment donné, lors de la folle traversée de Londinium, Sigmund et l'Italien avaient arraché les sangles de cuir auxquelles étaient accrochés les contacts de leur méca. Ils ne risquaient donc plus de toucher par erreur une des pastilles de métal logées dans les casques de cuir, causant ainsi une rétroaction mortelle.

Le risque aurait été d'autant plus grand que de violentes secousses déséquilibraient les automates chaque fois qu'ils tiraient. Clare avait perdu à Westminstre quatre de ses prises de guerre – l'une réduite à l'état de carcasse désarticulée, les trois autres placées sous le contrôle des vaillants Coldwater Guards aux uniformes cramoisis en loques, noirs de suie. Les braves garçons avaient eux aussi arraché les casques de contact et pris dans la foulée le contrôle des mécas, afin de protéger le pont de la menace que représentaient ces mêmes merveilles de la technique.

L'ouvrage disparaissait sous les corps et les machines brisées, déchiquetées et fumantes, où brillaient encore parfois des noyaux dorés intacts. Quant aux morts, il s'agissait pour la plupart de mages et de Boucliers : l'inefficacité absolue des charmes et des sortilèges les avait condamnés à mourir au combat.

Le parc évoquait un terrain vague de métal roussi, ponctué d'arbres fendus, dépouillés de leurs feuilles. Son lac bouillonnait, car les curieux projectiles crépitants des canons mécas produisaient dans l'eau des réactions intéressantes. Clare s'arrêta en tournoyant sur lui-même, aussitôt imité par ses camarades artificiels.

Attends, attends. Ils attaquent Buckingham, pas St. Jemes. La reine doit être là-bas.

Le palais de Buckingham était nettement plus facile à défendre, certes, mais voilà qui modifiait la donne. Toutefois, Clare rechignait à perdre du temps en explications et reprit donc le contrôle des mécas de ses coéquipiers en faisant repartir ses troupes. La terre trembla sous le martèlement des gros pieds arqués, qui soulevaient des gerbes de boue et des éclats de métal. La fumée piquait les yeux des trois hommes au point de leur arracher des larmes, mais il s'agissait d'une irritation mineure. Le mentah réfugié derrière sa colossale machine logique ne cherchait plus à écraser l'adversaire comme il l'aurait fait d'un moustique. La masse mécanique qu'il animait, mue à la manière d'un essaim, courait à présent d'un même pas, pluie de métal aiguisée sur une vitre. Clare la *sentait* avancer, abcès douloureux sous la peau de Londinium. La cité frissonnait tel un patient au contact d'un charmeur de dents.

La seule force du nombre écraserait ce que la logique n'aurait pas réussi à vaincre. L'intellect du mentah adverse évoquait un barbouillage de lumière vivante, éclaboussures maladives, envahissantes, douloureusement enflées et brûlantes dans le paysage mental des machines éclatantes.

La boue aspirait les pieds arqués dans le parc détruit à en devenir méconnaissable. Les grands murs de grès du palais apparurent, fenêtres brisées béantes, pierre effritée. L'énorme méca arachnoïde s'accroupissait, prêt à tirer de son canon-filière. Hurlements couinants fantomatiques, enchevêtrement spectral des cerveaux prisonniers des conteneurs bouillonnants attachés sur l'araignée : le chœur des damnés, que le mentah utilisait sans pitié pour amplifier sa propre intelligence, cherchait à se libérer.

— *EN AVANT !* rugit Clare en redonnant les commandes de leurs batraciens à Sigmund et à Valentinelli.

D'une part, il n'aurait pas été correct de les obliger à charger ; d'autre part, il avait plus qu'assez de travail avec les cinq mécas sans conducteur restants, si près des énormes noyau et machine qui bourdonnaient dans l'abdomen de l'arachnide. Les condensateurs du monstre brillaient, ses huit pattes martelaient la terre à tour de rôle, car la chose se concentrait. Son canon commençait à luire. L'Autre – ainsi Clare appelait-il le mentah adverse – prit conscience du danger une fraction de seconde trop tard : les cinq soldats de Clare se jetèrent sur le monstre artificiel avec un abandon sauvage, quoique futile. Le métal se déchira dans un hurlement, les condensateurs prussiens volèrent en éclats, les noyaux surchargés renâclèrent bruyamment. L'Autre riposta par une explosion de logique pure.

36

L'éveil

Non, elle n'avait pas les jambes flageolantes ; c'était la terre qui tremblait sans discontinuer, comme la surface d'un pudding dont on secoue le plat. Déconcertant, oui, mais nettement moins que les bruits qui parvenaient à Emma.

Claquements de becs aiguisés, cris de griffons, craquements de métal torturé et d'os brisés, mâles hurlements, chant de plus en plus sonore dont la magie agressait ses oreilles et ses sens surnaturels. Un chant complexe aux multiples strates, une Œuvre mûrie, de celles qu'on mettait des mois, voire des années, à bâtir. Les consonnes luttaient avec des voyelles traînantes, ponctuées de sifflements et d'étranges cliquetis, comme si le curieux idiome personnel du Prime s'était associé à une antique gueule écailleuse dépourvue de lèvres, pleine d'un feu desséchant, baignée d'une langueur ensoleillée.

Un chant d'Éveil, bien sûr. Emma se hissait sur la colline avec une détermination farouche, malgré la rosée qui mouillait les rochers. Elle dérapait dans l'humidité, contrainte à pousser de toutes ses forces sur ses jambes, non sans maudire en son for intérieur le tissu inutile de ses jupes. Le charme mineur qui l'empêchait de s'écorcher la peau des mains l'aidait un peu, mais l'épuisement faisait trembler ses bras, lui donnait des crampes aux doigts, lui enflammait la nuque. *Le dragon. Dépêche-toi un peu, Emma !*

À vrai dire, elle fut surprise d'atteindre le sommet de la pente rocheuse quasi verticale. Après s'y être hissée, comme sur le mur d'un verger à l'époque du Collegia, elle resta un instant allongée, hors d'haleine, protégée par un écran de buissons verdoyants.

Des ombres tournoyaient dans le ciel, grandes ailes étendues. Elle battit des paupières, car le soleil tirait des larmes brûlantes de ses yeux sensibles. Des silhouettes massives, gracieuses et vives, aux couleurs de pierres précieuses flamboyantes.

Des griffons. Un, deux... Seigneur Dieu... six, sept... Grayson n'en avait pas tant !

Peu importait. Emma roula de côté pour observer l'endroit à travers l'écran de broussailles. Elle n'arriverait strictement à *rien* si elle se jetait dans la mêlée sans réfléchir, mais le chant approchait de sa consommation, rythme brisé entrelacé. La jeune femme refoula ses larmes dans l'espoir d'interpréter le spectacle qui s'offrait à elle.

Le carrosse spécial à griffons de Lord Grayson, écrasé au pied d'une antique tour en ruine, voilée de mousse... La colline frissonna, et la tour ploya, comme jontoyée par un lourd mortier élastique. Un dôme de magie laiteux scintilla autour d'une forme indistincte, à la posture pourtant reconnaissable au premier coup d'œil : Llewellyn Gwynnfud, comte de Sellwyth, chevelure claire crépitante d'énergie magique, longues passes ou petits gestes agressifs, suivant les exigences du chant mémorisé. Une Œuvre mûrie d'une telle longueur, d'une telle intensité, nécessitait ce genre de danse mnémonique, où le souffle et le mouvement servaient à rappeler aux cordes vocales ce qui allait suivre.

Emma reconnaissait et la tour et le Prime. *Dinas Emrys. Voilà où je suis. Très bien.*

Les cinq Boucliers survivants s'étaient déployés en demi-cercle afin de repousser les griffons furieux. Trois des créatures – deux fauves et une noire – traînaient dans leur sillage des morceaux de cuir et de bois brisés, les restes de l'attelage grâce auquel elles avaient autrefois tiré le carrosse détruit du ministre défunt. Les quatre autres, un peu plus petites, avaient aussi le plumage un peu plus terne. Emma comprit avec stupeur qu'il s'agissait de spécimens sauvages.

Les griffons sont fidèles à Britannia. Ils ont sans doute deviné ce que mijote Llewellyn. Quelle chance !

Deux corps – tas de fourrure et de plumes maculés de sang – gisaient sur le sol rocailleux. Les Boucliers avaient donc réussi à abattre deux des bêtes… à moins que la noire n'ait péri dans l'écrasement de la voiture.

Emma se contraignit à l'immobilité la plus parfaite. Elle inspira profondément, l'oreille tendue vers le chant, l'œil fixé sur le dôme qui protégeait Llewellyn afin d'en discerner la structure. La surface de la colline se rida d'une façon qui l'aurait inquiétée si elle y avait réellement réfléchi, aussi décida-t-elle de ne pas tenir compte de l'incident et de se concentrer sur autre chose.

Tu es seule. Les griffons te tueront aussi sûrement que Llewellyn. La chair de mage les fait tellement saliver, et ils sont tellement furieux. Ajoute à ça les Boucliers. Ils te considéreront comme un danger. Ils sont occupés, d'accord, mais ça ne veut pas dire qu'ils ne trouveront pas le temps de t'abattre.

Ses doigts, qui tiraillaient machinalement le tissu de ses jupes, rencontrèrent quelque chose de dur, plongèrent dans sa poche et en sortirent la dague à lame mate de Ludovico. Mikal avait déniché un étui en cuir de la taille idéale, ce qui avait persuadé Emma de garder le poignard – d'autant plus qu'elle était pratiquement sûre que le Napolitain parviendrait à le récupérer d'une manière ou d'une autre si elle ne l'avait pas sur elle. Jamais elle n'avait sous-estimé le spadassin, et elle priait avec ferveur de ne jamais le faire.

Une arme déjà sensibilisée. Ah ! La pierre qui lui ornait la gorge se refroidit davantage encore. Elle avait à présent le cou glacé et les doigts aussi douloureux que par une journée d'hiver.

Tirant de son fourreau obscur l'inquiétant couteau à lame noire, elle remit l'étui dans sa poche puis releva sa manche gauche en lambeaux. Les muscles contractés, le poing serré, elle passa en douceur le tranchant de rasoir sur l'intérieur de son avant-bras.

Une ligne rouge éclatante apparut sur sa peau. Un sifflement s'échappa de ses lèvres contractées. La dague vibra, avide, absorbant de sa lame mate la force magique et l'énergie vitale du sang. La terre trembla, soulevée par une vague fluide à partir de la tour ployée. Un éboulement faillit jeter Emma à bas de la colline, mais elle se précipita en avant. La cacophonie grandissante couvrit le bruit de sa progression malaisée à travers les broussailles, car le chant enflait à nouveau, très proche du long sifflement de Mehitabel la Noire, capable d'écarteler le métal. Les efforts des griffons redoublèrent. La soudaine apparition d'une magicienne prit de court un des Boucliers – un mince jeune homme élastique –, sur lequel se jeta une des bêtes de Grayson, une masse rousse floue dont le bec et les griffes frappèrent avec une irrévocabilité terrible. La chair humaine se déchira comme du papier.

Emma courait. Chacune de ses enjambées clouait dans ses cuisses une décharge de douleur argentée, ébranlait son dos, tordait son cou. La dague fredonnait avidement contre sa hanche. Elle fonça dans la zone dégagée par la mort du Bouclier pendant qu'une ombre dérivait au-dessus d'elle, signe qu'un des griffons sauvages entamait un piqué.

À terre, vite !

Des griffes aussi aiguisées que des rasoirs frôlèrent les cheveux emmêlés de la jeune femme, coupant quelques boucles sombres. Elle cracha un Mot, la magie frappa, d'une vivacité de serpent, et la bête hurla, rejetée en arrière. Des embruns de sang éclatants restèrent en suspension dans l'air cristallin frémissant. Déjà, Emma se relevait, se jetait en avant. Les cours de danse du Collegia revenaient brusquement à la vie dans ses muscles martyrisés, tandis que le globe protecteur scintillant de Llewellyn se mobilisait, prêt à affronter une attaque magique. Les Boucliers hurlèrent à l'instant précis où le chant du Prime s'épanouissait en un rugissement assourdissant qui glissait vers les grandes orgues d'une conclusion pulvérisante. La tour ploya davantage encore, et ça n'avait absolument *rien* à voir avec l'imagination. La pierre coulait comme de l'eau pour adopter la forme d'une gigantesque griffe, au bout d'un « doigt » raidi.

Car Vortigern est le Grand Dragon, l'Incolore, avait murmuré le *Principia. L'île repose sur son dos. Lorsqu'il s'éveillera, elle s'écroulera pour moitié, et il ne restera d'Eire qu'un désert fumant. Lorsque Vortigern se lèvera, Britannia mourra.*

Une chose pareille n'arrivera pas tant qu'Emma Bannon sera de ce monde, songea la jeune femme avec une détermination sinistre.

Elle s'agenouilla. Les pierres aux arêtes tranchantes déchirèrent ses jupes, les griffons hurlèrent, et un des Boucliers leur fit écho par un mot ordurier qui ne la surprit nullement. Elle leva le bras gauche. Un projectile magique éclatant, mais sans force, éclaboussa le dôme protecteur. Simple distraction. Le Bouclier le plus proche se précipita vers elle, une grosse main tendue vers son poignet gauche… alors qu'il aurait dû s'occuper de son poing droit. Lequel s'anima brusquement. Le mouvement partit de la hanche, exactement comme Jourdain l'avait appris à sa maîtresse.

Ses anciens Boucliers étaient de bons serviteurs, jusque dans la mort. Le souvenir de Jourdain le patient, pincement aussi vite disparu qu'apparu, révéla enfin à Emma à quel point ils lui manquaient tous.

La dague brilla quand le sang/magie dont sa lame était enduite tomba par flocons, pendant qu'elle traversait la coupole défensive. Le dôme vira au rouge, mais le poignard proprement dit, libéré de sa gangue d'énergie éthérique, fila droit, dévorant de sa matité l'éclat du soleil printanier.

Il se ficha jusqu'à la garde dans le dos de Llewellyn Gwynnfud.

37
En bonne compagnie

Je le connais, se dit Clare, dont le méca atterrit avec un choc à lui secouer les os. L'araignée hurla. Une de ses énormes pattes n'était plus attachée à son corps que par un gros câble en métal, et elle gîtait, déséquilibrée. Deux des batraciens de Clare s'attaquèrent aux condensateurs prussiens alignés dans son abdomen, déchaînant par leurs bris de verre des arcs d'énergie qui crépitaient.

Celui de Sigmund, accroupi sur les marches du palais, en contrebas, faisait feu de tous ses canons dans l'espoir de contenir la marée de mécas contrôlés par l'Autre. La garde et la Life Guard de la reine – les Beefeaters, Coldwaters et autres régiments, aperçus de bleu et d'écarlate dans la fumée et la poussière –, postées derrière lui, tiraient par unités en reculant devant la muraille de métal mouvante. Les fines gâchettes étaient légion, et le Bavarois leur avait ordonné de viser les disques d'or ; un noyau brisé, c'était un méca qui se lançait avant de « mourir » dans une tarentelle saccadée, qui réduisait ses compagnons en pièces puis qui s'effondrait, dangereuse masse de métal aiguisé, frémissante et grésillante.

Quant à Valentinelli, il avait accroché son batracien, réduit à un fouillis indistinct de métal et de verre, au câble qui retenait encore la patte quasi arrachée de l'arachnide. Le protégé du spadassin n'aurait su dire s'il vivait encore, mais la question était de toute manière purement académique.

Clare affrontait en effet ses propres tribulations. La monstrueuse araignée se souleva. Un de ses assaillants s'envola, décrivit une courbe gracieuse puis s'écrasa telle une étoile filante dans le parc ravagé, où s'éleva un geyser de boue.

La situation n'évolue pas vraiment dans le bon sens...

Les entretoises brisées de ses canons gauchis servaient maintenant à Clare de crochets préempteurs. Il redressa son méca dans un sifflement d'asthmatique en se demandant s'il ne pourrait pas lui faire escalader la patte du monstre la plus proche pour gagner l'endroit où était tapi l'Autre, qui l'assaillait de torrents de froide logique, les contacts collés au crâne. S'il s'en approchait *assez*, Clare aurait une chance de lui arracher le contrôle de la grosse machine logique. Il avait maintenant la certitude d'affronter Cecil Throckmorton, toujours au nombre des vivants et toujours aussi dément, qui contraignait à l'obéissance les cerveaux des mentahs assassinés.

Malgré leur vaillance, Sigmund et les gardes ne parviendraient jamais à arrêter la horde déferlante des mécas. Il y en avait tout simplement trop ; le noyau de Throckmorton était tout simplement trop gros.

Le moindre muscle de Clare se contracta. Son batracien couina, grinça de tous ses engrenages fatigués. *Mais qu'est-ce que je mijote ? C'est de la folie. De l'illogisme. Du suicide.*

Peu importait.

Il bondit, et son méca avec lui. Lorsque le métal déchiqueté de ses canons frappa la patte de l'arachnide, il plia les bras, bien décidé à entamer l'escalade. Ses engrenages grincèrent de plus belle, ses pistons se démirent, une pluie de débris argentés se mit à tomber de son corps, pendant que le noyau logé dans le torse de son réceptacle se transformait en brûlure ardente. Les machines avait beau ne pas connaître la fatigue, il aurait juré que son exosquelette était épuisé. L'averse scintillante s'intensifia. Le métal se déchirait, s'émiettait, les condensateurs perdaient leur énergie comme du sang, les équations se multipliaient si vite que les facultés de Clare touchaient à leurs limites, mais il jonglait sans en omettre une seule dans l'espoir de repousser l'Autre. Futiles efforts. Quand le noyau éclata contre sa poitrine, il tomba, manquant de peu s'empaler sur de longues échardes de verre et d'acier. La violence de l'atterrissage lui vida les poumons dans un long rugissement, tandis que sa tête s'écrasait sur les pavés.

Par un pur miracle illogique, son crâne ne vola pas en morceaux.

L'explosion du noyau lui avait cependant infligé le choc de retour. Sa violence lui paralysa bras et jambes. Des mains le palpèrent, le tirèrent, la fumée âcre des fusils lui piqua la gorge, pendant qu'il cherchait désespérément à introduire un peu d'air dans ses poumons récalcitrants. Les équations qui tournoyaient derrière ses yeux dansaient, s'agitaient, comme le gigantesque arachnide.

Tétanisé, rigide, il se laissa traîner sans quitter du regard l'énorme masse qui le dominait. Elle décrivit une brusque embardée, vaisseau ivre naviguant sur des pattes grêles. Dont l'une, agitée d'un spasme, accrocha le toit du palais. La pierre vola en éclats. Un insecte rampait sur la vaste carapace luisante, ombre minuscule interposée devant les condensateurs éclatants. Clare cligna des yeux, malgré la poussière qui voilait le soleil. Il lui semblait distinguer…

— *Reculez !* brailla une voix familière, dans un rugissement guerrier digne d'un barbare teuton.

Le méca de Sigmund apparut, écroulé, réduit à l'état de masse fumante. Clare constata qu'il reculait en effet, entre deux gardes – des campagnards aux traits durs, dont un natif du Dorset, à en juger par son nez. Il s'efforça de se servir de ses jambes, en vain. Compte tenu des mouvements que sa volonté leur faisait effectuer, ç'auraient aussi bien pu être des bouts de viande insensibles.

— *Rentrez !* hurla quelqu'un d'autre. *Ils arrivent ! ALLEZ, RENTREZ !*

Une voix familière, là encore. Pendant qu'on le tirait dans le palais comme un sac de pommes de terre, le blessé se demanda ce que Mikal pouvait bien faire là.

Un cri profond, effrayant, s'éleva de la foule des mécas.

— *Des Prussiens !* brailla derechef Mikal, pendant que Sigmund jurait en allemand. *Reculez ! Barricadez les portes ! Bougez-vous, bande de fils de putes !*

Ah. Au moins, Mlle Bannon élargit son vocabulaire en toute correction. Les paupières de Clare battirent. Le Bavarois se penchait pour lui passer sur le front quelque chose de froid et de mouillé. Un mouchoir, imbibé de Dieu seul savait quoi. *Des Prussiens. Les mercenaires. Ils doivent être vraiment sûrs de venir à bout de nous. Et… ah, les mécas ne serviront à rien dans le palais. Certains des conspirateurs veulent capturer Victrix ou disposer d'une preuve de sa mort. Or une machine est incapable de rendre compte de ses victimes, contrairement à un homme.*

— Le mentah… (La voix de Mikal, rauque et toute proche.) Je me demande pourquoi ça ne m'étonne pas… Où est passé l'assassin ?

— Sur la grosse *Spinne*, dehors, haleta Sigmund, car la bouche de son ami refusait de s'ouvrir. Mort, peut-être. *Wer weiss ?*

Clare distinguait à présent le Bouclier. Blême, pour ne pas dire grisâtre, ensanglanté, un éclat furieux au fond de ses yeux ambrés, l'air véritablement meurtrier. Éli discutait un peu plus loin avec un capitaine de la garde, non sans jeter à l'occasion un coup d'œil aux portes martyrisées, renforcées par des barres de fer.

— Ça ne tiendra pas longtemps, reprit Mikal d'un air sombre. Amenez-le. Votre Majesté ?

Impossibilité des impossibilités, Victrix apparut, visage livide maculé de poussière minérale et terriblement las. Une ombre sans âge habitait son regard – Britannia, l'esprit régnant, dont l'attention se concentrait ailleurs, en dépit de la menace qui pesait sur Son réceptacle.

— Il faut que j'arrive à la salle du trône.

— Bon. (Le choc assourdissant qui secoua les portes ne fit pas même tressaillir Mikal. Plusieurs gardes persistaient à consolider les lourds battants de chêne à l'aide de tout ce qu'ils réussissaient à transporter, y compris les blocs de pierre tombés des murs.) Allons-y, alors. Éli !

— Oui ?

Le second Bouclier avait réussi malgré la situation à se procurer des bottes d'homme pragmatique. Un amusement sinistre et une joie féroce illuminaient son visage, pour moitié peinturluré de rouge vif. Bref, il n'avait plus l'air endormi du tout. Au moment où Clare se fit cette réflexion, les bandes d'acier qui lui comprimaient la cage thoracique se relâchèrent un peu.

Sigmund lui administra dans le dos une claque assez forte pour lui fêler une ou deux côtes, il se mit à tousser, s'étrangla et faillit vomir sur les jupes empoussiérées de la reine. Heureusement, elle ne s'aperçut de rien, trop occupée à suivre Éli, qui disparaissait déjà. Mikal jeta un coup d'œil à Clare.

— Bien joué, mentah. Un garde va vous trouver une arme. On forme le dernier carré autour du trône.

Ah. La nausée menaçait toujours.

— Bon. (Il toussa violemment, tourna la tête et cracha, pendant que le Bavarois le tirait vers le haut. Oui… ses jambes acceptaient de le porter, à présent. Elles tremblaient, vacillaient, mais enfin, c'était mieux que rien.) Bon. Pour Dieu et Sa Majesté, monsieur. Et Mlle Bannon ?

— Pas là.

Mikal pivota et s'éloigna à grands pas dans le sillage de Victrix. Sigmund administra au dos de son ami une seconde claque – moins forte que la précédente, Dieu merci.

— Archie, *mein Herr*. (Le Bavarois secoua sa tête chauve, luisante et sale.) Vous êtes fou, *mein Freund. Du bist ein verrückt Bastard.*

Clare se remit à tousser, appuyé à la robuste épaule du génie.

— Sans doute, Sigmund, sans doute.

Si l'heure est venue de mourir, je ne saurais partir en meilleure compagnie.

Le Bocannon qui reposait contre sa gorge se transforma en cristal de glace réfrigérant. La peau alentour se mit à picoter.

38

L'Œuvre d'une vie

Le globe de magie protectrice explosa en éclats aiguisés d'énergie éthérique qui lacérèrent l'atmosphère frémissante. Emma s'arrêta en dérapant, pendant que Llewellyn titubait et que son chant vacillait. Elle avait la ferme intention d'arracher la dague de la blessure puis de poignarder l'adversaire *encore* et *encore*, autant de fois qu'il le faudrait pour le réduire au silence, mais elle n'en eut pas l'occasion.

Un long cri s'éleva derrière elle, suivi d'un choc sourd humide. Un Bouclier de moins. Lorsqu'elle se permit un coup d'œil par-dessus son épaule, les deux survivants ne cherchaient plus qu'à se défendre car les griffons ne s'occupaient plus que d'eux. Les petits – les sauvages – descendaient en cercles de plus en plus resserrés, mais peu importait : ils étaient de toute manière trop nombreux ; même un Bouclier aussi formidable que Mikal n'aurait pu tenir en respect cette marée de plumes.

Les coursiers de Britannia n'auraient de repos que lorsque la menace serait maîtrisée et leur faim féroce apaisée.

Toutefois, Emma devait avant tout garder un œil sur le Prime qui tombait lentement à genoux au pied de la tour.

L'autel devant lequel il se tenait – une simple plaque de pierre –, rempli d'une charge éthérique qui lui conférait une douloureuse aura rouge terne, se gauchit, se crevassa. Llewellyn essaya de se cramponner à son chant, mais le minuscule hiatus d'origine – une seule note – s'agrandit jusqu'aux dimensions d'un abysse, pendant que les composantes complexes imbriquées les unes aux autres s'effilochaient, se libéraient peu à peu.

La gorge d'Emma se serra. Un regret la traversa, fugitif – la Vision lui révélait la cathédrale imposante du sortilège, magnifique dans sa complétude, juste avant que les fissures de la négation n'en lézardent les murs à une vitesse incroyable, n'en fassent exploser les vitraux, ne distordent et ne déforment l'Œuvre sans défaut d'un Prime au mieux de sa forme.

L'Œuvre d'une vie. Combien de temps Llewellyn y avait-il consacré ?

Les questions pouvaient attendre. Elle voulut récupérer la dague, mais le blessé se rejeta violemment en arrière, cinglé par la magie égarée qui venait d'échapper à son contrôle. La force éthérique s'abattit sur lui, secoua sa chair ; une enveloppe physique n'était pas de taille à supporter une énergie pareille, qui en détruisait la cohésion par écrasement du muscle et de l'os, à la recherche d'une soupape d'évacuation.

Une mort de ce genre n'avait rien d'agréable. Elle ressemblait trop à celle du simulacre de Bedlam, transformé en loque au squelette pulvérisé et aux chairs sanglantes, aux yeux exorbités et aux cheveux fumants. Le sortilège trahi se vengeait. La dague tomba à terre, tintement de l'acier sur la roche. Emma se pencha machinalement pour la ramasser, les doigts crispés sur la poignée gluante. Quelque chose d'autre tomba, qu'elle ramassa aussi, de sa main libre, sans réfléchir, et fourra dans la poche de sa jupe.

Oh, Seigneur, Llewellyn…

La tour reprit sa forme habituelle avec un choc subliminal – *bonk !* Elle n'évoquait plus en rien une unique griffe de reptile géant, mais un simple tas de pierres et de mousse qu'un vent puissant aurait courbé.

Des ombres tournoyaient en hauteur car les griffons plongeaient avec des cris de triomphe. Emma se détourna du corps qui gisait sur un tapis de sang bouillonnant, les mains levées pour se protéger le visage.

La terre aussi reprit son immobilité habituelle. Vortigern, le dragon incolore, le Troisième Drake, le père formidable de tous les enfants hors temps du monde de l'éveil, retombait dans son profond sommeil. L'île juchée sur son dos l'enveloppait d'une courtepointe vert et gris sur laquelle des insectes grouillants s'occupaient avec obstination de leurs minuscules amours et vendettas.

Emma Bannon, magicienne Prima, pleurait.

Le silence, aussi immense que la cacophonie qui l'avait précédé, lui fit relever la tête. Elle s'essuya les joues.

La plupart des griffons s'étaient posés pour dévorer leurs trois congénères tombés au combat et les Boucliers. Les gargouillis et les bruits de déchirure subséquents avaient de quoi soulever le cœur. Sans doute Clare en personne en aurait-il été affecté, malgré la solidité de son estomac.

Clare. Emma déglutit, difficilement, pendant que des fils invisibles se pinçaient. Londinium était bien loin. Elle avait chevauché le *Khloros* jusqu'au *pays de Galles*, nom d'un chien !

Un des griffons se rapprocha discrètement d'elle en s'éloignant des corps par petits bonds. Il la regardait en coin d'une pupille cerclée d'or, où se dessinait l'image miniature, mais parfaite, d'une Prima très fatiguée, armée d'un cure-dents.

Seigneur. Emma déglutit à nouveau, la bouche sèche.

Le griffon – le dernier noir du carrosse – ouvrit le bec sur une langue indigo. Son plumage brillant reflétait la lumière du soleil en y ajoutant une vague nuance bleutée.

— *Vortigern*, siffla-t-il. Vortigern dort toujours, magicienne.

C'était le but, non ? Mais j'ai encore à faire. La poignée brûlante de la dague, poisseuse de sang et de sueur, palpitait dans le poing serré d'Emma.

— Oui.

— Nous avons *faim*.

Claquement de bec.

— Les morts vous offrent un véritable festin. Et Vortigern dort toujours.

En d'autres termes, *Je vous ai fait une fleur. Je suis fidèle à Britannia, comme vous.* Ou, plus simplement, *Ne me mangez pas, s'il vous plaît.*

Il lui rit au nez. Ses pattes griffues se plièrent. La puanteur du sang et des entrailles déchiquetées envahit les narines de la jeune femme. Il arrivait que le sang fasse perdre la tête aux créatures…

Les fils invisibles attachés au Bocannon lointain vibrèrent à nouveau. Si leur frémissement parvenait à Emma en pareilles circonstances, c'était signe que Clare avait vraiment de très graves ennuis.

— Je suis navrée, dit-elle au griffon en modifiant sa prise sur la poignée de la dague.

La pierre glacée posée contre sa gorge devint soudain d'un froid mordant : un symbole de charte scintillant apparaissait dans ses profondeurs, encore indéfini, entrelacs doré de force éthérique.

La bête se remit à rire en soulevant un peu les hanches, manifestement prête à bondir. Plumes ébouriffées, pupilles d'un noir d'encre, iris d'un or éclatant.

— Moi aussi, magicienne, mais *nous avons faim*.

La force tapie en Emma se détendit brusquement, tel un ressort. Ouvrir les portes de sa Discipline l'avait épuisée, d'un point de vue mental aussi bien qu'émotionnel. Voilà pourquoi canaliser l'énergie éthérique nécessaire à travers son corps la fit tomber à genoux, malgré la puissance de sa volonté : ralentie, à l'instant précis où elle avait le plus besoin de vigueur et de rapidité.

Je ne suis pas prête à mourir. Peu importait, elle le savait. La mort n'en était pas moins là, le salaire du *Khloros*, inévitable.

Ses doigts se crispèrent sur la dague. Emma Bannon refusait de mourir sans faire d'histoire – c'était tout aussi inévitable.

Y compris pour Victrix.

Le griffon bondit.

39

Au suivant…

La cour intérieure du palais s'ouvrit devant eux, obscurcie par des tourbillons de poussière. La terre tremblait. La grand-porte avait cédé, livrant passage à des flots de mercenaires prussiens en veste brune à brassard blanc qui déchargeaient leurs fusils au fil de leur progression. Beaucoup de gardes étaient tombés pour laisser à Victrix le temps de s'enfuir. Seul le grand espace dégagé la séparait encore de la salle du trône, où elle trouverait une relative sécurité.

Même si Clare se demandait comment cette vaste pièce au plafond de verre pourrait bien offrir un abri à la reine. Mais peut-être ne pensait-il pas très clairement…

Sigmund le soutenait tandis qu'il boitillait, à l'ombre immense de l'arachnide titubant qui s'agitait au-dessus d'eux. La pierre s'éboulait – des siècles de construction et de réparations détruits en une seconde. Il se passait quelque chose… L'énorme méca tanguait comme un ivrogne, pendant qu'une pluie d'éclats de verre meurtriers tombait de ses condensateurs brisés.

Victrix trébucha. Mikal et Éli la soulevèrent puis la portèrent littéralement entre eux, entourés de gardes disposés en éventail. Des balles claquaient contre la pierre alentour – les Prussiens avaient gagné les étages, d'où ils tiraient depuis les fenêtres. Jamais la porte de la salle du trône n'avait paru aussi lointaine.

Une obscurité empoussiérée engloutit les fuyards à l'instant précis où un choc énorme résonnait dans la cour. Une gigantesque main brûlante souleva Clare par-derrière pour le jeter en l'air, après quoi il s'écrasa à terre et perdit brièvement conscience. Il reprit ses esprits dans une brume d'égarement, soutenu par Sigmund et un garde ensanglanté à la voix rauque, à la tête pansée, qui boitait mais ne s'en déplaçait pas moins avec une célérité admirable. De suaves tintements de verre brisé s'élevaient au-dessus d'eux. Le Bocannon lui brûlait la poitrine.

Tumulte. Hurlements. Cri de guerre à la fois rauque et sifflant – Mikal. Note plus aiguë de frustration et de terreur – Victrix. Car des mercenaires s'engouffraient par les portes latérales.

Clare leva la tête. Cligna des yeux, engourdi. Un autre impact gigantesque lui fit comprendre qu'il était resté quasi inconscient bien trop longtemps. Ils étaient cernés. Mikal et Éli encadraient la reine livide, à la joue horriblement meurtrie sous ses cheveux sombres emmêlés, l'air plus jeune que jamais.

Mlle Bannon a nettement meilleure allure, ébouriffée. L'illogisme flagrant de cette pensée stupéfia Clare bien davantage que l'étrange sensation de flottement qui s'était emparée de ses membres.

Sigmund avait déniché un pistolet, allez savoir où. Très pâle, couvert de suie et de poussière, il avait les traits crispés par une détermination sinistre et la bouche pincée. Un remords fugace endolorit le cœur de Clare : il n'aurait pas dû mêler son ami à cette histoire.

La mort les attendait tous… sauf peut-être Victrix, dont le visage quasi enfantin vieillit en une fraction de seconde quand Britannia reprit possession d'elle. L'esprit régnant quittait l'endroit où s'était concentrée Son attention pour venir affronter le danger qui menaçait Son réceptacle.

La pluie de verre brisé redoubla, tandis que la terre tremblait si violemment que Clare faillit tomber.

Alors ils arrivèrent.

Cette fois, le verre tomba par plaques. Le vénérable toit de la salle du trône plia, rompit, s'abattit en morceaux, certains aussi grands qu'un homme, épargnant par miracle le petit groupe de gardes, de Boucliers, le mentah et le génie. Vacarme immense, titanesque, écrasement d'icebergs – à croire que la terre, prise de folie, cherchait à se débarrasser de l'humanité.

Un imposant griffon noir descendit, aux yeux de néant où brûlait une flamme rouge impie. Le sommet de son crâne s'ornait d'un gros clou écarlate flamboyant, aussi aveuglant qu'une étoile.

Sur son dos était perchée Mlle Bannon, à demi nue, mal en point et épuisée. La robe en lambeaux, les cheveux réduits à l'état de masse compacte par la crasse et le sang séché, pleins de brindilles et de plumes, le moindre centimètre carré de peau visible meurtri et abîmé. Les ombres qui l'accompagnaient se révélèrent être d'autres griffons, qui crevèrent le toit pendant qu'elle mettait pied à terre. La flamme rouge dont brûlaient les yeux de sa monture vacilla puis s'éteignit. La bête s'accroupit ; son corps se gauchit, se recroquevilla. Déjà, la poussière sinuait dans son plumage, rongeait son flanc luisant.

Elle s'écroula, morte. La magicienne se pencha pour arracher le clou fiché dans son crâne.

C'était une dague, ruisselante de rouge crépitant, tout le monde s'en aperçut quand la jeune femme pivota. Les envahisseurs prussiens battirent en retraite, sous les plumes oscillantes piquées dans leur couvre-chef. Elle parcourut leurs rangs d'un regard aussi lent que terrible.

— *Griffons,* murmura Britannia, par la bouche de la reine.

Un seul mot, horrible, froid et sans âge. Comme la Thémis. Une masse de pouvoir et d'autorité.

Mlle Bannon hocha la tête, une fois. Elle ne vacillait pas, elle se tenait même aussi droite qu'une barre d'acier, mais quelque chose clochait. Son attitude bizarre, son regard effroyablement inexpressif. Clare chercha à déterminer exactement ce qui n'allait pas.

On aurait dit qu'elle avait… oublié *sa propre existence*.

— À qui le tour ? murmura-t-elle d'une voix parfaitement distincte. (Les mots tombèrent dans le soudain silence froufroutant pendant que les griffons se posaient, les griffes plantées dans la pierre et les poutres tombées – légers crissements écrasants.) À *qui* le tour de mourir ?

Un premier Prussien hurla.

Ensuite, les griffons festoyèrent, mais Clare préféra fermer les yeux, heureux de pouvoir enfin cesser toute déduction. Curieusement, il lui semblait qu'on lui avait *ouvert* le crâne et qu'on lui en avait décapé l'intérieur. Pour une fois, il n'avait aucune envie de voir.

C'était déjà assez horrible d'entendre.

40
Nécessité fait loi

Le réceptacle de Britannia s'arrêta à bonne distance.

— Emma ?

Victrix avait brusquement retrouvé une voix de jeune fille. Peut-être à cause de la poussière. Ou des tintements qui sonnaient aux oreilles d'Emma.

Elle ne doutait pas de payer très bientôt ce qu'elle venait de faire – et en monnaie de sang.

Déjà, les griffons s'approchaient : les mercenaires en brun n'avaient pas fait long feu. La cour débordait d'un gros tas de métal et de verre que la jeune femme avait à peine entrevu, car elle se concentrait pour maintenir en vol sa monture au cerveau transpercé. Apparemment, Clare et compagnie avaient eux aussi connu quelques difficultés.

— Votre Majesté…

Elle vacilla. Mikal se retrouva soudain près d'elle. Des doigts robustes se refermèrent sur son bras. Elle s'appuya contre lui, trop fatiguée pour lui être reconnaissante de son soutien. Seul subsistait en elle un immense épuisement qui engloutissait tout le reste.

— … J'ai tué un de vos coursiers. Libre à vous de me punir comme vous le jugerez bon, mais je vous prie de me laisser d'abord vous faire mon rapport. Le comte de Sellwyth est mort et Vortigern dort toujours. C'est surtout grâce à vos griffons si Lord Sellwyth n'a pas réussi à mener ses projets à leur terme. Je les ai bien mal remerciés de leur bravoure.

Sa dague s'était insinuée avec précision dans le minuscule espace séparant l'arrière du crâne et la vertèbre supérieure de la créature qui l'avait attaquée. Le cadavre bouillonnait à présent, en proie à une décomposition accélérée, car ses composantes matérielles avaient subi pendant son vol forcé des tensions qui le détricotaient à toute allure.

Il serait impossible à ses frères de race de manger le mort, alors qu'il ne pouvait rien arriver de pire à l'un d'eux.

Jamais ils ne le pardonneraient à Emma.

— Lord Sellwyth. (Malgré ses bleus, le visage de la reine était d'une dureté de granit. Britannia prit pleine possession de Son réceptacle et fixa sur Son employée des yeux brillants, poussière scintillante portée par un fleuve d'antique pouvoir.) Il a donc cherché à réveiller Vortigern.

Je ne suis pas persuadée qu'il ait été le seul. Mais il ne fait aucun doute qu'il a bien failli réussir.

— Je l'ai rejoint à Dinas Emrys. C'est une des propriétés ancestrales de sa famille, si je ne m'abuse. (Malgré les efforts qu'elle devait consentir pour ne pas s'évanouir, l'étrange inexpressivité de sa voix surprenait Emma. Éli apparut à son côté, en piteux état.) Je vous prie de me pardonner la manière dont je suis revenue à Londinium. Nécessité fait loi.

Où est passé Clare ? Elle jeta un coup d'œil à Mikal, qui ne quittait pas Britannia des yeux. Un muscle se contractait par spasmes dans la mâchoire du Bouclier. *Ça ne me plaît pas de ne pas le voir. Et Ludovico... où peut-il bien être ?* La dague pendait dans la main droite de la jeune femme ; elle n'arrivait pas à ouvrir les doigts pour la lâcher.

Un Mot avait ôté le souffle au griffon, un autre lui avait emprisonné les ailes dans des sangles d'acier, après quoi elle lui avait plongé le poignard dans le cerveau avant de prononcer le dernier, le plus terrible, le plus destructeur. Il avait réduit à tel point ses réserves magiques qu'elle avait failli perdre conscience, mais elle s'était cramponnée de toutes ses forces à cette seule pensée : *Londinium. La reine.*

Le corps de la créature avait obéi à l'Endor. Il avait *volé*.

— En effet. Nous vous informerons plus tard de votre châtiment. (Britannia hocha lentement une tête sévère.) Nous serions surprise qu'il soit très rigoureux.

— *Blasphème !* rugit un des griffons.

Ils se rapprochèrent, froufroutement de plumes. Mikal se raidit, Emma le sentit parfaitement. Elle s'appuya davantage sur lui, car ses jambes se dérobaient sous elle. Même la vague clarté étouffée par la poussière qui régnait dans la salle écorchait ses yeux sensibilisés.

— *Elle nous a volé le mort !*

J'ai fait bien pire. Ils ne me le pardonneront pas, et ils ont la mémoire longue.

— Mikal… (Son cœur palpitait. Son corps se révoltait enfin contre les exigences qu'elle lui imposait.) *Mikal.*

Il pencha légèrement la tête vers elle, sans pourtant quitter la reine des yeux.

— Prima.

Il tuerait Britannia en personne, s'il pensait qu'Elle risque de s'en prendre à moi. Le coup de tonnerre silencieux de cette soudaine certitude relâcha la dernière chaîne tendue par la volonté d'Emma.

— Je me suis montrée cruelle avec vous. (Murmure si faible qu'elle se demanda s'il l'entendait.) Je n'aurais pas dû… Pardonnez-moi.

— Vous n'avez pas à…

La nuit engloutit la jeune femme avant qu'il n'ait achevé.

41

Se laisser contrôler

— Voilà donc celui qui a éliminé cette chose *gigantesque*. (Victrix inclina la tête.) Vous avez toute Notre reconnaissance, monsieur Valentinelli. Vous avez rendu un grand service à Britannia.

Le Napolitain plongea dans une révérence douloureuse et grinçante. Il avait les yeux si enflés qu'ils s'en fermaient presque, la moitié des cheveux brûlée jusqu'à la racine, mais l'entrelacs de coupures et de gonflements qui le défigurait rendait quasi invisibles les cicatrices de la variole. Ses vêtements étaient en loques et une de ses bottes réduite à l'état de bande de cuir autour de sa cheville et de son mollet : le reste avait disparu, dévoilant une chaussette boueuse malmenée.

— C'est trois fois rien, *maestra*. Valentinelli est à votre service.

Clare avait la nuque douloureuse, car ses muscles refusaient de se décontracter.

— Cecil Throckmorton… Il était fou, Votre Majesté, mais il était aussi manipulé.

— Par qui ?

La reine s'éloigna en faisant les cent pas. Il contraignit ses jambes à travailler pour la suivre. Sigmund et lui se cramponnaient l'un à l'autre tels deux ivrognes.

Les plus petits griffons décollèrent, ombres dansantes sur les éclats de verre et de pierre qui tapissaient le sol. Le son, immense, évoquait un caveau plein à ras bord de plumes froufroutantes. La poussière se déposait lentement.

Clare réprima un soupir. C'était *important* ; il fallait que Victrix comprenne.

— Les conspirateurs se divisaient en trois groupes. Le premier voulait rayer de ce monde Britannia et son île. C'est celui que Mlle Bannon a éliminé en personne, car il s'agissait d'après elle du plus dangereux. Le deuxième voulait juste paralyser Britannia par n'importe quel moyen… Je m'intéresserai à l'ambassadeur de Prusse, lequel niera en bloc, évidemment, puisque nous avons eu affaire à des mercenaires, hommes par essence sacrifiables. C'est le troisième qui m'inquiète le plus, Votre Majesté. Ceux qui le composaient voulaient vous contrôler, *vous*, le réceptacle actuel de Britannia.

— Me contrôler ?

Victrix s'interrompit. Ses épaules se raidirent tandis qu'elle gagnait d'un pas ferme le trône à haut dossier. La pierre du Mépris incrustée au bas du pied avant nord se mit à luire à son approche d'une douce clarté argentée. Quant au trône proprement dit, il étincelait de toutes ses pierres précieuses, intact.

Il avait aussi l'air franchement inconfortable. La souveraine monta pourtant les sept marches qui l'en séparaient, pivota brusquement dans un grand tournoiement de jupes alourdies de poussière puis s'y installa. Sigmund l'aurait peut-être suivie, si Clare n'avait pas eu la force de l'arrêter, fermement planté sur ses deux pieds.

Victrix s'appuya à l'accoudoir puis posa son menton dans sa main. Les gardes qui cherchaient dans les décombres leurs collègues blessés chuchotaient discrètement entre eux. Des gémissements de douleur ou d'incrédulité s'élevaient çà et là. Sa Majesté ferma les yeux. Clare aurait juré que l'île frissonna, une fois, à l'instant où Britannia sombrait dans l'introspection, assise sur son trône.

— Et croyez-vous que Britannia puisse Se laisser *contrôler* ? demanda-t-elle enfin.

— Pas Britannia, corrigea-t-il, non sans une certaine pédanterie. *Victrix*, Votre Majesté. Blessée, terrifiée, confrontée à trois conspirations associées… Votre Majesté pourrait céder à… à des conseils malavisés.

Il se tut, presque… *effrayé* – oui, c'était le mot – à l'idée d'en avoir trop dit.

— Vous avez bien parlé, monsieur. (Britannia soupira, le menton pesamment appuyé dans la main, comme s'il était bien plus lourd qu'il ne l'aurait dû.) Mais aussi longtemps que Nous aurons des sujets de votre trempe et de votre loyauté, Nous n'aurons pas à Nous inquiéter outre mesure.

— Tout le mérite de la victoire revient à Mlle Bannon, Votre Majesté.

Il s'exprimait comme une marionnette, même à ses propres oreilles, mais la faute en incombait au poids écrasant de l'épuisement. Rester debout à parler mobilisait presque toute son attention.

Une ombre d'amusement passa sur le visage fermé, quasi somnolent de son interlocutrice.

— Nul doute qu'elle vous l'attribuerait.

— Elle serait trop bonne.

— Pas du tout, mentah. Mieux vaut vous retirer, à présent. Notre consort arrive, et Nous désirons lui parler en privé.

Clare songea à protester, mais Valentinelli l'attrapa par son bras libre. La pensée lui vint alors que la discrétion serait peut-être plus sage que tout ce qu'il pourrait bien ajouter, si fondé que soit l'enchaînement logique menant à ses soupçons.

— Oui, madame. Je veux dire, Votre Majesté. Au revoir.

Je me demande vraiment ce que recommande l'étiquette quand on prend congé de sa souveraine dans une situation pareille...

— Mentah. Monsieur Clare…

Les yeux de Britannia s'entrouvrirent. Le vieux visage qui affleurait sous la jeunesse de Victrix fit descendre un frisson des plus illogiques le long de la colonne vertébrale de Clare. Les globes oculaires de la souveraine avaient entièrement viré à un indigo où flottaient des étincelles minuscules, étoiles perdues dans des profondeurs sur lesquelles il répugnait à se pencher. À quoi cela pouvait-il bien ressembler de tenir un tel être entre ses bras ?

Non, il n'enviait pas le consort. Loin de là.

— Oui, Votre Majesté ?

— Veillez à ce que Mlle Bannon sache où vous trouver, vos compagnons et vous. Nous désirons vous récompenser, lorsque Nous en aurons terminé avec cette déplaisante affaire.

Les paupières de la reine retombèrent. Des cris, des bruits de course et des craquements de verre écrasé approchaient à présent.

— Euh… oui, merci, Votre Majesté…

Sigmund le tirait dans une direction, Valentinelli dans l'autre, mais ils finirent par se décider sur la marche à suivre. Clare était si voûté qu'il ne voyait plus que ses bottes répugnantes, qui traînaient dans les débris et la poussière. Ce fut avec soulagement qu'il sombra dans une semi-inconscience pesante, car ses facultés surmenées exigeaient de se placer en retrait des derniers événements. Et c'était entièrement justifié !

Les derniers bruits à lui parvenir distinctement furent les marmonnements de Sigmund et les grognements prudemment neutres par lesquels lui répondait Valentinelli.

— Un seul, oui, un seul, disait et répétait le Bavarois. Tu m'entends, *Italienisch ?* Un méca. On l'amène à mon atelier. Je te donne de la saucisse. Tu m'aides.

42

Une magicienne des plus logiques

Emma dormit deux jours et demi d'affilée, y compris quand la marée tourna, l'emplissant d'énergie magique. Lorsque enfin elle refit surface, ce fut par un beau jeudi de printemps où le soleil de l'aube perçait le brouillard londinien et où la puanteur joyeusement piquante de la cité se faufilait par bouffées jusque dans ses appartements.

Une certaine nervosité régnait parmi les serviteurs, qui n'avaient pas l'habitude de la voir dans un état aussi terrible. Meurtrie et loqueteuse, certes, mais cette fois, les baleines même de son corset avaient été brisées. D'ailleurs, elle frémissait à la pensée de toute la chair exposée par ses vêtements en lambeaux. Un bain brûlant, les attentions d'Isobel et de Catherine, à quoi il fallait ajouter l'agitation de Séverine, lui redonnèrent presque l'impression d'être humaine. Le chocolat et les croissants se révélèrent en revanche nettement insatisfaisants. Son miroir lui apprit d'ailleurs qu'elle était d'une maigreur peu seyante, même si ses bleus avaient quasiment disparu. Elle sonna M. Finch dès que la décence le permit pour lui demander d'envoyer chercher les journaux. Lesquels arrivèrent, l'encre encore venimeusement humide, au moment où elle se jetait sur un petit déjeuner plantureux.

Apparemment, elle avait aussi manqué à la cuisinière.

L'histoire ébruitée dans la presse parlait d'Altérations expérimentales qui avaient mal tourné : une manière de satisfaire la plupart des gens et de prévenir clairement les autres de garder leurs doutes pour eux. Emma léchait ses doigts pleins de confiture en se demandant si elle n'allait pas s'octroyer une autre assiette de saucisses, quand la porte de la salle à manger s'ouvrit brusquement sur Mikal.

Toujours égal à lui-même, de sa redingote boutonnée avec soin jusqu'à ses yeux d'ambre étincelants. Derrière lui apparut la chevelure sombre d'Éli. Les deux hommes venaient manifestement de s'entraîner, car les vapeurs de l'effort s'accrochaient encore à eux. Elle constata avec satisfaction qu'Éli portait des bottes convenables ; M. Finch faisait décidément des merveilles.

Le cœur de la jeune femme bondit dans sa cage d'os et de baleines. Le poids logé dans la poche de ses jupes s'accentua. Elle traita les deux impressions par le mépris, bien que le regard de Mikal lui fasse presque monter à la gorge le rouge de l'embarras.

— Bonjour, Boucliers, lança-t-elle. Si vous n'avez pas encore pris le petit déjeuner, faites, je vous en prie. Mais je vous déconseille de vous interposer entre ces saucisses et moi, car j'en concevrais un *immense* déplaisir. (Elle toucha sa poche avant d'en éloigner sa main, non sans difficulté.) Quoi de neuf, Mikal ?

— Une bourse est arrivée du palais. Le mentah passe tous les jours prendre de vos nouvelles. Il devrait venir aujourd'hui aussi, à l'heure du thé. Valentinelli s'obstine à le suivre, bien qu'il ait été payé. (Mikal jeta un coup d'œil à son collègue, sans cesser de remplir son assiette.) Éli trouve votre service palpitant.

— Trop palpitant ? s'enquit-elle en s'efforçant de dissimuler son amusement… en vain, sans doute.

— Non, madame. (Le nouveau Bouclier considéra le petit déjeuner ravagé disposé sur la table. Quel plaisir que de côtoyer des gens capables de comprendre à quel point un mage avait faim après des événements pareils…) C'est juste que ça me change. Je suis fier d'appartenir à votre maisonnée.

Ma foi, tant mieux.

— Si jamais vous changez d'avis, vous êtes libre de me le dire. Je ne garde pas à mon service ceux qui préféreraient ne pas y être. En ce qui concerne Ludovico, Mikal…

— Je lui ai donné cinquante guinées, Prima. Parce qu'il a fourni un travail extraordinaire, tué M. Throckmorton et abattu un gros méca à lui tout seul… enfin, presque. Vous voulez que je vous raconte maintenant ? Clare m'a donné les détails.

Elle s'adossa confortablement.

— Mais oui. Avant de vous mettre à table, Éli, allez me chercher la bourse envoyée par le palais, s'il vous plaît. Je suppose qu'elle se trouve dans ma bibliothèque…

— J'y vais.

Le jeune homme disparut en un clin d'œil. La porte se referma sans bruit derrière lui.

Mikal prit son fauteuil habituel sans regarder son employeuse, son assiette posée juste devant lui.

Elle attendit ; le silence s'étira. Dans sa poche pesait un poids accusateur.

Mikal jouait avec sa fourchette, promenant ses longs doigts curieusement délicats sur les courbes d'argent. Il ne regardait toujours pas Emma.

Vous n'allez pas me faciliter les choses, hein.

— Merci.

— Je ne vous demande pas…

— Acceptez mes remerciements, Bouclier.

Voilà qui amena sur elle le regard ambré brûlant.

— Vos remerciements, rien de plus ?

Une chaleur malvenue envahit finalement les joues d'Emma.

— Rien de plus, à la table du petit déjeuner.

— Et ailleurs ?

Ailleurs ? Je fais ce qu'il me plaît, Bouclier. Mais venons-en au plus important.

— Lord Sellwyth aurait pu vous tuer.

— Il a bien failli vous tuer, vous. Vous croyez vraiment que je ne le sais pas ? Ça n'a pas d'importance. Je suis votre *Bouclier*. Et je le resterai. Cessez de jouer à ce petit jeu-là.

Un léger sourire monta aux lèvres d'Emma.

— Vous venez de me donner un ordre, il me semble ?

— Si vous voulez vérifier que je suis *sérieux*, que vous pouvez me faire *confiance*…

Je n'oublie pas le bruit qu'a produit Crawford quand vous lui avez pris la vie. Mais vous l'avez fait pour moi.

Au bout du compte, un Bouclier est un homme, ni plus ni moins. Et j'en suis heureuse.

— Je vous ai mal jugé, Mikal. Ça ne se reproduira pas.

— Vous êtes sûre ?

Les yeux ambrés brillaient d'une lueur qui ne déplaisait pas à la jeune femme.

— Mangez. (Elle ouvrit d'un geste brusque une gazette, qu'elle examina d'un œil critique.) Mais ne touchez pas aux saucisses, ou je serai *extrêmement* contrariée.

— Dieu nous en préserve…

Il souriait cependant, elle s'en aperçut en lui jetant un coup d'œil par-dessus son journal. Une curieuse sensation de légèreté naquit dans sa poitrine. Elle la disciplina aussitôt puis se remit à sa lecture.

Le solarium baignait dans la lumière dorée de la fin d'après-midi, car les symboles de charte liés au verre affaiblissaient assez l'éclat du soleil pour le rendre agréable. Les plantes fredonnaient sous leurs globes climatiques. Emma servait le thé. Tables et chaises en osier brillaient, d'une propreté immaculée, voire éclatante.

Après avoir présenté une tasse à son invité, elle lui tendit un parchemin, dont un cachet rouge maintenait l'enroulement serré.

— Votre licence a été rétablie. Vous êtes nommé mentah de la reine. Et vous allez être fait chevalier. Toutes mes félicitations.

Le long visage mélancolique rosit à peine. Clare prit le parchemin, sans toutefois se départir de sa gravité.

— Il reste des questions sans réponse, mademoiselle Bannon. (*Et vous n'aimez pas les questions sans réponse.*) La plus importante concernant l'identité du bailleur de fonds de Grayson. Même s'il était Chancelier de l'Échiquier, ce qui lui donnait accès à plus d'un coffre.

Elle hocha la tête. Quelques boucles lui frôlèrent les joues. Quelle *volupté* que de prendre tranquillement une bonne tasse de thé, revêtue d'une robe d'après-midi qui n'avait pas eu à subir le moindre accroc…

— Sa Majesté a beau nous tenir à l'heure actuelle en *très* haute estime, il nous est impossible d'agir directement contre certaines personnes. Je n'en dirai pas davantage. Nous leur avons malgré tout brûlé les doigts de belle manière, et je les surveillerai à l'avenir. Les derniers événements me faciliteront la tâche.

— Ah, oui, vous avez été faite comtesse de Sellwyth. Toutes mes félicitations aussi.

— Ce n'était pas à cela que je pensais.

Britannia a un curieux sens de la justice, et elle veut que quelqu'un garde un œil sur Dinas Emrys.

Emma présenta à son invité le plateau de petits-fours. *Je ne tiens pas à ce que votre esprit si vif commence à s'interroger sur l'identité de celui ou celle qui a fabriqué le simulacre de Bedlam. Cette question-là ne vous intéresse sans doute pas, mais elle est de toute manière trop dangereuse pour vous.*

— Servez-vous, je vous en prie. Vous n'êtes pas vous-même aujourd'hui, monsieur Clare.

Il s'attaqua aux douceurs avec détermination. Apparemment, son estomac était plus solide que jamais.

— Un autre détail me dérange. La famille de Lord Sellwyth possédait cette propriété depuis des générations. Pourquoi le comte s'est-il dit que le moment idéal pour en libérer le… euh… l'occupant était arrivé ?

On lui a proposé quelque chose que son ambition ne pouvait refuser. Elle haussa les épaules. *Maintenant, je me demande ce que mon ambition* à moi *ne pourrait refuser. Nous nous ressemblions, Llew et moi. Plus qu'il ne le pensait lui-même.*

— Qui sait ? C'était lui qui payait Throckmorton. De cela, je suis certaine, bien que le mentah ait gardé ses secrets à la perfection. Quel dommage que Valentinelli l'ait tué… Enfin, c'était nécessaire, j'en suis bien consciente. Je me demande s'il se mêlait vraiment de magie Altérative…

Un vague malaise assombrit un instant les traits de Clare.

— Il était fou. Complètement fou. Throckmorton, je veux dire. Oh, à propos, M. Baerbarth vous salue. Il a été très déçu de ne pas pouvoir examiner à loisir un des mécas.

— Je peux peut-être arranger cela.

La machine logique et le noyau principal avaient bien évidemment été rangés en lieu sûr. Avec le temps, il se trouverait à tous les coups des génies pour mettre au point quelque chose d'approchant. Emma était d'ailleurs d'avis que Clare commencerait sa carrière au service particulier de Sa Majesté en préparant l'Empire à cette éventualité.

— Il en serait ravi. En ce qui concerne le *signor* Valentinelli…

— Il ne va pas tarder à arrêter de vous suivre. S'il me rend visite demain, je le libérerai de l'enchaînement.

— Justement. (Clare rosit derechef.) Figurez-vous qu'il m'a chargé de vous présenter ses excuses et de vous expliquer qu'il ne souhaitait rien de tel. À l'en croire, toute cette animation lui a beaucoup plu. Je lui ai dit et répété qu'un mentah menait en général une existence fort ennuyeuse, mais il s'estime trop vieux pour continuer à vivre de son métier d'antan et pense en outre que quelqu'un doit veiller sur moi. Franchement, on dirait une vieille fille décidée à s'occuper d'un enfant. Plus tôt vous le renverrez à ses joyeuses affaires, mieux ce sera.

— Ah. (La bouche d'Emma aurait volontiers frémi. *Oh, Ludo... Je vois que vous avez des idées.*) Il me semble qu'il s'est attaché à vous.

Elle sirota élégamment un peu de thé, refroidi jusqu'à la température idéale. Les friandises avaient l'air fort appétissantes, et la faim la reprenait. Il lui faudrait du temps pour regagner le poids perdu.

— Vous voulez dire que je devrais considérer ses menaces comme des témoignages d'affection ? Il me prévient souvent qu'il va me provoquer en duel sitôt libéré de votre sortilège… C'est une de ses préférées.

— Sans doute votre compagnie lui plaît-elle. (*Lui aussi, je vais garder un œil sur lui.*) C'est trop drôle.

La conversation passa à d'autres sujets. Clare fit de son mieux pour se plier aux civilités d'usage, mais ce genre de choses l'ennuyait, son agacement croissant le prouvait. Après une dernière tasse de thé et quelques pâtisseries, il entreprit de se retirer : ses recherches l'attendaient chez lui, il regrettait de devoir s'en aller si vite, etc., etc.

Emma n'en fut pas surprise, mais en éprouva un petit pincement au cœur.

Elle se leva en lui tendant la main.

— Je vous en prie, monsieur Clare, *essayez* d'être raisonnable. Vous avez beaucoup souffert au service de Britannia. Je vous remercie de votre courage et du soin que vous avez pris des intérêts de l'Empire, mais vous n'avez aucune obligation sociale à mon égard. Je sais combien la magie vous… incommode.

Il prit la main offerte, qu'il agita par deux fois de haut en bas.

— Mais pas du tout, marmonna-t-il, cramoisi, avant de déglutir. Non, non, pas du tout. Vous savez, mademoiselle Bannon, vous êtes une… une…

Elle attendit patiemment, car il ne lui lâchait pas la main. Certes, il n'avait que l'embarras du choix : *Sorcière. Chienne. Putain. Femme autoritaire.*

Lorsque enfin il trouva le mot qui lui convenait, il se redressa de toute sa taille.

— Vous êtes une magicienne des plus *logiques*, mademoiselle Bannon.

Elle faillit en rester bouche bée. On lui avait déjà appliqué bien des noms d'oiseaux, mais jamais rien d'approchant. Là encore, une sensation de légèreté fort étrange naquit dans sa poitrine.

— Merci.

Il hocha la tête, lui lâcha enfin la main comme si elle le brûlait puis fit volte-face, prêt à partir.

— Monsieur Clare…

Le visiteur s'arrêta près d'un faux oranger. Le globe climatique qui entourait l'arbuste tintinnabulait suavement. Les cheveux de plus en plus rares du mentah ne dissimulaient pas la rougeur de son crâne, encore plus prononcée à présent.

Par bonheur, elle avait quelque chose à offrir en échange du cadeau qu'on venait de lui faire.

— J'espère que votre estomac est toujours aussi solide ?

— Parfait, madame, parfait, répondit-il sans se retourner.

Elle inspira à fond.

— Dans ce cas, puis-je vous inviter à dîner ? Dimanche, par exemple ? Faites-vous donc accompagner de M. Baerbarth et de Ludovico. Si le cœur leur en dit.

S'ils ont envie de se réunir à ma table sans y être absolument obligés. Curieux. C'est la première fois qu'il arrive une chose pareille.

Clare fit demi-tour, revint vers elle, lui reprit la main et la serra vigoureusement.

— Mais bien sûr ! C'est un honneur. Un *honneur* ! Sigmund va être fou de joie.

— Dimanche, donc. À six heures ? Je dîne tôt.

— Très bien !

Il partit enfin, après lui avoir secoué la main avec énergie. Les yeux clos, elle suivit sa progression à travers la demeure. M. Finch lui ouvrit la porte… et lorsqu'il atteignit la haie de lauriers, il sifflotait.

Emma reporta alors son attention sur le solarium. Mikal n'allait pas tarder. La main de la jeune femme s'était glissée dans la poche de sa jupe, d'où elle tira la pierre tombée du corps de Llewellyn. À son réveil, elle l'avait découverte sur sa table de nuit.

Était-ce Mikal qui l'y avait posée ? Avait-il la moindre idée de ce dont il s'agissait ?

Un galet rouge foncé, plat d'un côté, incurvé de l'autre, lisse et vitreux. Elle l'inclina. Une pulsation en traversait la couleur, trop profonde pour ce caillou sans épaisseur. Un lent battement régulier.

Celui d'un cœur de dragon, peut-être. Curieux hasard.

Deux pierres, dont une qu'il gardait en réserve… Ou une à la commande, la seconde à la livraison – si l'on peut dire… À moins qu'il n'y en ait jamais eu qu'une et qu'il ait été payé d'avance… Mais comment pouvaient-ils être sûrs qu'il se plierait à leur volonté ? Et qui, parmi les drakes, aurait tué un de leurs petits ?

Qui a fabriqué le simulacre de Bedlam ?

La pierre reposait dans ses mains gantées, réunies en coupe. La pulsation ralentit, car le caillou buvait le soleil.

Les griffons s'en sont pris à son corps. Si je retournais à Dinas Emrys, je n'y trouverais plus que des os anonymes. Pourtant… je suis perplexe.

Llewellyn Gwynnfud l'avait toujours rendue perplexe.

Elle ouvrit son corsage, non sans mal, fit glisser le galet contre la peau nue de sa gorge puis le coinça avec soin juste sous le bord supérieur de son corset. Il la gênait, mais ça ne durerait pas.

Vous avez entièrement raison, monsieur Clare. Il reste des questions sans réponse.

Elle souffla lentement un long Mot magique. Un seul.

Une sensation de fusion l'étreignit au niveau du cœur, car la pierre philosophale s'enfonçait dans sa peau. Une vague de chaleur chatouilla la moindre particule de sa chair. Sa tête se pencha en arrière, tandis que le solarium s'assombrissait. Une langue de flammes accueillante lui parcourait les veines, douce, séduisante.

En fin de compte, peu importait. Elle n'en restait pas moins une Prima au service de Britannia. Si un autre dragon relevait la tête, elle l'écraserait sous son talon.

Souriante, Emma Bannon rajusta son corsage et décida de s'offrir une autre tasse de thé.

Hiérarchie des étranges possesseurs de pouvoirs magiques

(D'après *La Nuit du Jugement*,
le grand livre recensant les mages britanniques.)

Échelons mineurs

Chartiste[1] (doigts-agiles, cuiseur)
Charmeur (pouce-vert, ménager)
Uniciste (leveur de poids, ramasseur)
Tordu (tombé en désuétude après 1715[2])

1. Nul besoin de disposer de pouvoirs magiques pour jeter des charmes grâce aux symboles de charte basiques. Le talent le plus faible permet de les utiliser, en les associant toutefois à des supports physiques. Un charmeur doit quant à lui se révéler capable de garder en existence quelques secondes durant un symbole pur pour entrer en apprentissage ; les chartistes peuvent être légalement soumis au servage, mais il n'en va pas de même des charmeurs et des mages des échelons supérieurs.

2. La dernière tordue, la célèbre rebelle Agnes Nice, fut pendue en 1712 à Hardwitch. Par la suite, les tordus – trop doués pour des unicistes, pas assez pour des sorciers adéquatement Disciplinés –, poussés à la folie et physiquement déformés par leurs pouvoirs, disparurent, à moins qu'ils ne se soient montrés d'une discrétion absolue. On dit que certains Morloks sont des leurs.

Échelons communs

Sorcier[1]

Échelons supérieurs

Magus
Maître Magus
Adeptus
Prime

Extrait de la préface de *L'Art et la Science de la Déduction*, de M. Archibald CLARE.

… il n'est pas nécessaire de posséder les facultés d'un mentah pour Observer et tirer les bénéfices de ses observations. À vrai dire, bien des mentahs témoignent d'une singulière indifférence pour tout événement, toute chose extérieurs au champ d'étude de leur choix, alors qu'un véritable trésor d'une variété merveilleuse se déploie sous leurs yeux. Un simple observateur maîtrisant la science de la Déduction est donc capable de surprendre jusqu'aux mentahs ; il bénéficie en outre de vastes connaissances pratiques et d'une prévoyance disponibles en permanence. La faculté d'Observation se trouve en tout homme assez compétent et assez instruit pour lire. Il est possible de la développer par la pratique ; d'ailleurs, plus on l'exerce, plus elle gagne en force.

1. Les sorciers sont communs dans la mesure où leur Discipline occupe tout leur cerveau, ce qui les empêche de diviser leur concentration à la manière d'un Magus ou d'un mage de rang supérieur. Un Magus est en effet capable de réaliser une Grande Œuvre sans perdre conscience de son environnement ; un Maître Magus et un Adeptus de se déplacer en exécutant une Grande Œuvre ; un Prime d'en accomplir plusieurs en parallèle.

Si l'Observation représente la fondation sur laquelle repose toute Déduction, la Décision est le mortier grâce auquel les pierres restent jointes. Des détails selon toute apparence insignifiants peuvent avoir leur importance, mais il est impérieusement nécessaire de décider s'ils présentent un certain poids ou ne sont que quantité négligeable. La décision parfaite, que rien n'obscurcit, est l'apanage du Divin. Les facultés humaines angéliques, si merveilleuses soient-elles, n'en constituent qu'une pâle imitation. Mais cette pâleur même peut être utile, tout comme l'exemple de la fin qui attend le Vice peut servir à écarter la Vertu de la grand-route facile menant à la Ruine.

Le Temps cherche à abattre tout monument, le Vice toute Vertu… la Supposition traîtresse à introduire à tort un détail d'une fausse importance dans la Déduction. Une Supposition adéquate peut faire gagner beaucoup de temps et éviter beaucoup de problèmes, mais une Supposition inadéquate est une bête immonde, toujours prête à provoquer le naufrage de la Logique sur les écueils de l'Inexactitude.

Heureusement, les armes de la Raison et de l'Observation permettent d'arracher les masques trompeurs de la Supposition. Passer chaque Supposition au crible du doute comme on le ferait des déclarations d'un criminel ou d'un idiot, incapable de différencier le Fait de l'Imaginaire, sera utile à toute personne désireuse de renforcer sans faillir ses habitudes de Déduction. Lorsque les organes de la Raison et de l'Observation gagnent en robustesse, l'art de trouver rapidement les détails corrects devient tout naturel.

Nous allons commencer par une série d'exercices destinés à renforcer les facultés d'Observation que possède forcément le lecteur intéressé par ce modeste ouvrage. Il devra les répéter tous les jours, au réveil et au coucher, mais aussi au travail, aux moments où le lui permettra son emploi du temps…

Le Livre de Poche s'engage pour l'environnement en réduisant l'empreinte carbone de ses livres. Celle de cet exemplaire est de :
600 g éq. CO_2
Rendez-vous sur www.livredepoche-durable.fr

Composition réalisée par PCA

Achevé d'imprimer en juin 2013 en Espagne par
BLACK PRINT CPI IBERICA
Sant Andreu de la Barca (Barcelona)
Dépôt légal 1re publication : juin 2013
LIBRAIRIE GÉNÉRALE FRANÇAISE – 31, rue de Fleurus – 75278 Paris Cedex 06

31/6965/3